SOINS INFIRMIERS

MÉTHODES DE SOINS 2

CAROLE LEMIRE, inf., Ph. D. (c)
AVEC LA PARTICIPATION DE
SYLVAIN POULIN, inf., B. Sc.

EN COLLABORATION AVEC **aqesss**
ASSOCIATION QUÉBÉCOISE
D'ÉTABLISSEMENTS DE SANTÉ
ET DE SERVICES SOCIAUX

CHENELIÈRE
ÉDUCATION

Soins infirmiers
Méthodes de soins 2

Carole Lemire
Avec la participation de Sylvain Poulin

© 2011 Chenelière Éducation inc.

Conception éditoriale : Brigitte Gendron
Coordination éditoriale : André Vandal
Édition : Nancy Lachance
Coordination : Johanne Losier
Révision linguistique : Sylvie Bernard
Correction d'épreuves : Christine Langevin
Photos : Patrice Gagnon, L'imagier
Illustrations : Michel Rouleau
Conception graphique : Josée Brunelle
Conception du logo de la collection : Marc Senécal/inoxidée
Conception de la couverture : Micheline Roy et Josée Brunelle
Impression : TC Imprimeries Transcontinental

**Catalogage avant publication
de Bibliothèque et Archives nationales du Québec
et Bibliothèque et Archives Canada**

Lemire, Carole

Soins infirmiers : Méthodes de soins

Comprend des réf. bibliogr.
Destiné aux étudiants du niveau collégial.

ISBN 978-2-7650-2617-4 (v. 1)
ISBN 978-2-7650-2608-2 (v. 2)

1. Soins infirmiers – Guides, manuels, etc. i. Poulin, Sylvain. ii. Potter, Patricia Ann. Soins infirmiers.

RT41.P6814 2010 Suppl.   610.73   C2010-940464-5

5800, rue Saint-Denis, bureau 900
Montréal (Québec) H2S 3L5 Canada
Téléphone : 514 273-1066
Télécopieur : 514 276-0324 ou 1 800 814-0324
info@cheneliere.ca

ISBN 978-2-7650-2608-2

Dépôt légal : 2ᵉ trimestre 2011
Bibliothèque et Archives nationales du Québec
Bibliothèque et Archives Canada

Imprimé au Canada

2   3   4   5   6   ITIB   18   17   16   15   14

Nous reconnaissons l'aide financière du gouvernement du Canada par l'entremise du Fonds du livre du Canada (FLC) pour nos activités d'édition.

Gouvernement du Québec – Programme de crédit d'impôt pour l'édition de livres – Gestion SODEC.

Dans cet ouvrage, le féminin est utilisé comme représentant des deux sexes, sans discrimination à l'égard des hommes et des femmes, et dans le seul but d'alléger le texte.

Des marques de commerce sont mentionnées ou illustrées dans cet ouvrage. L'Éditeur tient à préciser qu'il n'a reçu aucun revenu ni avantage conséquemment à la présence de ces marques. Celles-ci sont reproduites à la demande de l'auteur ou de l'adaptateur en vue d'appuyer le propos pédagogique ou scientifique de l'ouvrage.

La pharmacologie évolue continuellement. La recherche et le développement produisent des traitements et des pharmacothérapies qui perfectionnent constamment la médecine et ses applications. Nous présentons au lecteur le contenu du présent ouvrage à titre informatif uniquement. Il ne saurait constituer un avis médical. Il incombe au médecin traitant et non à cet ouvrage de déterminer la posologie et le traitement appropriés de chaque patient en particulier. Nous recommandons également de lire attentivement la notice du fabricant de chaque médicament pour vérifier la posologie recommandée, la méthode et la durée d'administration, ainsi que les contre-indications.

Les cas présentés dans les mises en situation de cet ouvrage sont fictifs. Toute ressemblance avec des personnages existants ou ayant existé n'est que pure coïncidence.

Les méthodes présentées dans ce guide ont été harmonisées avec celles de l'Association québécoise des établissements de santé et de services sociaux (AQESSS) en date du 31 mars 2011.

Le matériel complémentaire mis en ligne dans notre site Web et qui requiert un code d'accès est réservé aux résidants du Canada, et ce, à des fins d'enseignement uniquement.

L'achat en ligne est réservé aux résidants du Canada.

Sources iconographiques

p. 220 : Span-America ; **p. 224 :** NPUAP.org © 2011 Gordian Medical, Inc. dba American Medical Technologies ; **p. 234-236 :** ConvaTec., 3M., Molnlycke Health Care, Smith & Nephew, Systagenix

AVANT-PROPOS

L'infirmière, dans l'exercice de sa profession, doit acquérir et intégrer de nombreuses connaissances théoriques et pratiques essentielles au développement de son jugement clinique. En tout temps, sa pratique doit faire preuve de prudence, de diligence et de compétence. Pour ce faire, elle doit sans cesse perfectionner son savoir professionnel et ses habiletés cliniques en fonction des changements scientifiques et technologiques inhérents à sa pratique.

Le guide *Méthodes de soins 2* est le fruit de la concertation de plusieurs spécialistes en pratique infirmière. Il a été rédigé en tenant compte des résultats probants issus des plus récentes recherches et dans le respect des nouvelles lignes directrices ainsi que des normes édictées entre autres par l'Ordre des infirmières et infirmiers du Québec (OIIQ) et l'Association québécoise d'établissements de santé et de services sociaux (AQESSS).

Comme dans le cas du guide *Méthodes de soins 1,* les étapes des méthodes sont abondamment illustrées. Des vidéos ont été réalisées pour les méthodes de soins comportant un niveau de difficulté plus élevé. Chaque méthode propose également une grille d'observation et d'autoévaluation, en version reproductible. Les vidéos et les grilles sont disponibles en exclusivité au www.cheneliere.ca/lewis.

Tout au long du guide, les étudiantes sont invitées à vérifier le niveau de confort, de douleur, de soulagement et de collaboration des clients, de même que leur compréhension des soins prodigués. Les étapes préexécutoires et postexécutoires, les justifications scientifiques, les alertes cliniques et les rappels de même que les exemples de notes au dossier font de ce guide un outil de référence favorisant l'intégration des méthodes de soins.

Ce guide s'adresse autant aux étudiantes infirmières du niveau collégial qu'à celles du baccalauréat en formation initiale. Il peut de plus servir de référence aux infirmières travaillant en centres hospitaliers, en centres d'hébergement et de soins de longue durée, en santé communautaire, en pratique privée, etc. Il est un prolongement exemplaire du manuel *Soins infirmiers – Médecine chirurgie* (Lewis, Dirksen, Heitkemper, Bucher et Camera).

Nous souhaitons que cet ouvrage contribue au développement de votre pratique clinique et qu'il vous soit utile au cours de votre apprentissage des méthodes de soins.

Carole Lemire

REMERCIEMENTS

Chenelière Éducation tient à remercier tous ceux et celles qui ont contribué à faire de cette édition de *Méthodes de soins 2* un ouvrage rigoureux d'une qualité visuelle indéniable.

Nos remerciements s'adressent plus particulièrement à l'équipe de l'AQESSS pour sa collaboration soutenue et efficace qui permettra de faciliter l'intégration des jeunes infirmières en milieu clinique. Nous tenons aussi à exprimer notre gratitude à monsieur Sylvain Poulin pour sa contribution inestimable à toutes les étapes de conception de cet ouvrage et du matériel qui l'accompagne. Merci également à Francine Leblanc pour la qualité de ses recommandations scientifiques et à Chantal Labrecque pour la rédaction des méthodes liées aux soins des plaies, ainsi qu'à Maryse Beaumier et à Danièle Gilbert pour leurs conseils scientifiques.

Nous remercions aussi le Cégep Limoilou qui nous a gracieusement prêté ses locaux et fourni le matériel nécessaire pour les séances de photographie et de tournage des vidéos.

Un merci spécial à Patrice Gagnon de L'imagier, qui a su réaliser des photos d'une précision exceptionnelle. Que soient également remerciées les personnes photographiées dans le présent guide: Lucie Blais, Danièlange Charles, Marlène Fortin, Mélanie Gendron, Kate Lampron, Nancy Mailloux, Denis Michaud, Suzie Poulin, Sébastien Therrien.

L'ÉQUIPE DE RÉDACTION

Auteure principale : Carole Lemire

Carole Lemire est directrice du département des sciences infirmières à l'Université du Québec à Trois-Rivières. Titulaire d'un baccalauréat en sciences infirmières de l'Université Laval et d'une maîtrise en éducation (déontologie) de l'Université de Sherbrooke, elle poursuit actuellement ses études doctorales en sciences infirmières (éthique) à l'Université Laval.

Ayant travaillé pendant plus de 25 ans comme professeure au département des soins infirmiers du Collège Shawinigan, madame Lemire possède une vaste expérience en soins critiques et médico-chirurgicaux. Elle a organisé, coordonné et encadré de nombreux stages cliniques en France et en Belgique. Membre et présidente du Comité de révision de l'OIIQ de 1998 à 2006, elle siège au Conseil de discipline de l'OIIQ depuis 2007. Elle a collaboré en tant qu'auteure et adaptatrice à d'importants ouvrages destinés à la formation des infirmières. Elle participe à de nombreux colloques et congrès à titre de conférencière spécialiste des aspects légaux, éthiques et déontologiques de la profession infirmière.

Carole Lemire, inf., Ph. D. (c)
Directrice
Département des sciences infirmières
Université du Québec à Trois-Rivières

Collaborateur : Sylvain Poulin

Sylvain Poulin est enseignant en soins infirmiers au Cégep Limoilou depuis 2001, où il est conseiller pédagogique et responsable de programme à la Direction du service aux entreprises de la formation continue (DSEFC). Il a exercé en milieu clinique pendant 25 ans, principalement à l'urgence et aux soins intensifs. En 2002, il a obtenu une mention à l'Ordre régional des infirmières et infirmiers de Québec (ORIIQ) pour sa contribution créative au développement de la formation continue en soins infirmiers.

Il a participé à la conception des ouvrages *Pratique infirmière 2* et *Méthodes de soins 1*, publiés respectivement par Beauchemin et Chenelière Éducation. Il a également scénarisé les vidéos pour *Méthodes de soins 1*, en plus d'élaborer, pour le Cégep Limoilou, le programme à l'intention des infirmières formées à l'extérieur du Québec et le D.E.C. en soins infirmiers destiné aux infirmières auxiliaires qui souhaitent devenir infirmières.

Sylvain Poulin, inf., B. Sc.
Conseiller pédagogique
DSEFC
Soins infirmiers
Cégep Limoilou

UN MOT DE L'AQESSS

L'Association québécoise d'établissements de santé et de services sociaux (AQESSS), qui représente 135 établissements du réseau de la santé, est heureuse de collaborer de nouveau avec Chenelière Éducation à l'élaboration du guide *Méthodes de soins 2*.

La formation de la relève infirmière est l'une des principales préoccupations du milieu de la santé. C'est pourquoi l'AQESSS s'associe à Chenelière Éducation pour offrir une harmonisation de ses méthodes *MSI* avec le guide *Méthodes de soins 2* de Chenelière Éducation. Cette harmonisation entre la méthode enseignée et la pratique active dans le réseau facilitera le passage des études aux milieux de stages.

L'AQESSS et Chenelière Éducation encouragent l'excellence en soins infirmiers. Par ses méthodes de soins infirmiers informatisées *MSI*, l'AQESSS rejoint les établissements de santé des réseaux public et privé de même que le milieu de l'enseignement (universitaire, collégial et professionnel), pour lesquels elles sont devenues une référence incontournable. Ces méthodes favorisent l'uniformisation des pratiques dans tous les milieux en présentant les meilleures façons de faire au moyen d'un outil Internet accessible, convivial et adapté aux utilisateurs. Les *MSI* sont un agent de changement, car elles sont basées sur la recherche scientifique et sur la promotion des lignes directrices. Les *MSI* sont validées par un comité provincial et leur contenu est élaboré et adapté de manière à répondre aux pratiques des établissements du Québec.

Nous croyons que des infirmières bien formées sont un atout majeur pour les services de santé. C'est pourquoi nous espérons que le présent guide contribuera à parfaire vos connaissances et à vous familiariser avec les outils que vous utiliserez dans votre future profession, car l'avenir des soins infirmiers commence maintenant.

aqesss

ASSOCIATION QUÉBÉCOISE
D'ÉTABLISSEMENTS DE SANTÉ
ET DE SERVICES SOCIAUX

La mission principale de l'AQESSS est de rassembler, de représenter et de soutenir ses membres dans le but d'améliorer la qualité, l'accessibilité et la continuité des services de santé et des services sociaux pour la population du Québec.

CARACTÉRISTIQUES DE L'OUVRAGE

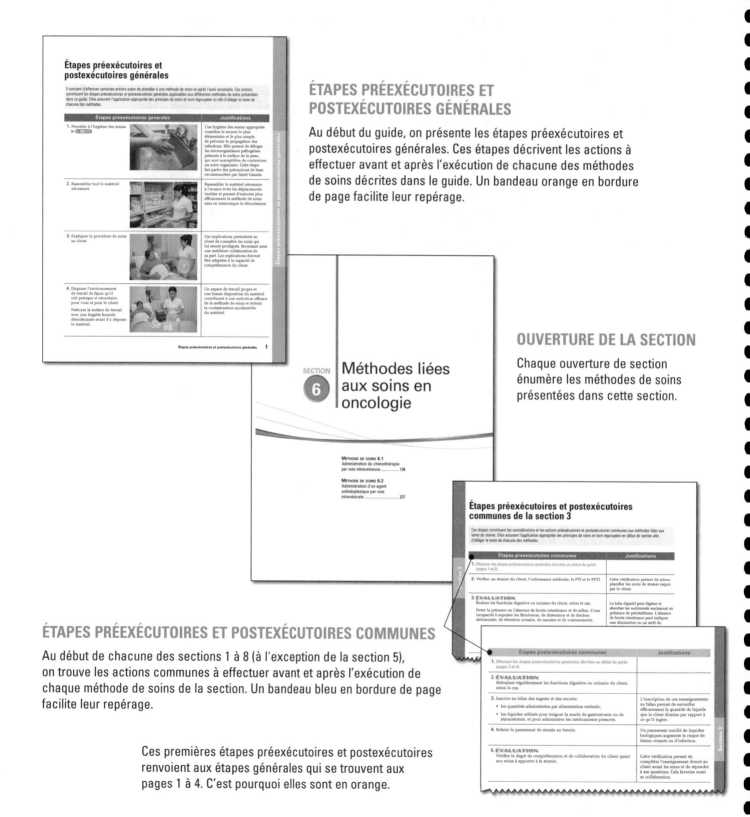

ÉTAPES PRÉEXÉCUTOIRES ET POSTEXÉCUTOIRES GÉNÉRALES

Au début du guide, on présente les étapes préexécutoires et postexécutoires générales. Ces étapes décrivent les actions à effectuer avant et après l'exécution de chacune des méthodes de soins décrites dans le guide. Un bandeau orange en bordure de page facilite leur repérage.

OUVERTURE DE LA SECTION

Chaque ouverture de section énumère les méthodes de soins présentées dans cette section.

ÉTAPES PRÉEXÉCUTOIRES ET POSTEXÉCUTOIRES COMMUNES

Au début de chacune des sections 1 à 8 (à l'exception de la section 5), on trouve les actions communes à effectuer avant et après l'exécution de chaque méthode de soins de la section. Un bandeau bleu en bordure de page facilite leur repérage.

Ces premières étapes préexécutoires et postexécutoires renvoient aux étapes générales qui se trouvent aux pages 1 à 4. C'est pourquoi elles sont en orange.

OUVERTURE DE LA MÉTHODE DE SOINS

❶ Chapitre du manuel

Le numéro et le titre du ou des chapitres dans le manuel ***Soins infirmiers – Médecine chirurgie*** (Lewis, Dirksen, Heitkemper, Bucher et Camera) où l'on explique les notions théoriques en lien avec la méthode.

❷ Numéro de la méthode de soins

Le numéro de la méthode de soins (MS) est composé de deux chiffres : le premier indique le numéro de la section du guide et le second, l'ordre d'apparition de la méthode dans la section.

❸ Titre

Le titre de la méthode de soins.

❹ Sous-titres

Les différentes techniques montrées dans la méthode de soins sont indiquées en sous-titres.

❺ Onglet

Un onglet de couleur orange facilite le repérage des diverses méthodes de soins dans le guide.

❻ Vidéo

La présence de ce pictogramme signifie que la méthode de soins fait l'objet d'une vidéo. Au total, 17 méthodes de soins ont été filmées. Ces vidéos se trouvent au www.cheneliere.ca/lewis.

❼ But

Le but précise les objectifs thérapeutiques visés par la méthode de soins.

❽ Notions de base

Les notions de base rappellent les principes généraux qui s'appliquent à la méthode de soins.

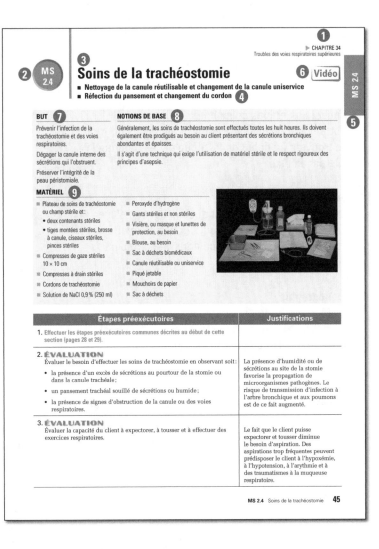

❾ Matériel

La liste du matériel nécessaire pour exécuter la méthode. Une photo illustre les principaux éléments utilisés pour prodiguer les soins.

EXÉCUTION DE LA MÉTHODE DE SOINS

Étapes préexécutoires, exécutoires et postexécutoires
Chaque méthode comprend trois types d'étapes :
les préexécutoires ❶, les exécutoires ❷ et les
postexécutoires ❸. Ces étapes correspondent
aux actes infirmiers à faire avant, pendant et
après l'intervention.

❹ **Renvoi aux étapes communes**
Cette étape renvoie aux étapes communes qui
se trouvent au début de la section. C'est pourquoi
elle est en bleu.

❺ **Justification**
La plupart des étapes sont accompagnées d'une
justification scientifique qui permet de mieux
comprendre leur pertinence dans une perspective
de soins infirmiers.

❻ **Iconographie**
Chaque méthode est appuyée par des photos
et des illustrations qui montrent l'action décrite et
aident à mieux comprendre la procédure.

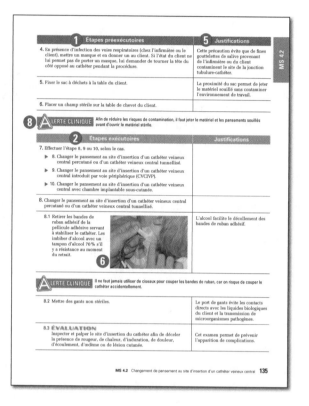

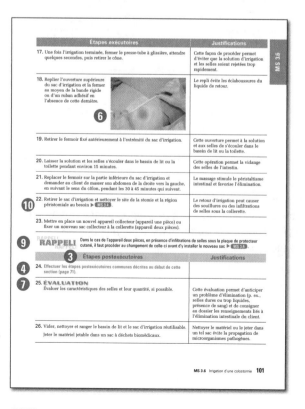

❼ **ÉVALUATION**
Certaines étapes relèvent de la dimension professionnelle
relative à l'évaluation clinique. Ces étapes sont clairement
identifiées afin de rappeler l'importance du rôle de l'infirmière.

❽ **ALERTE CLINIQUE**
Des alertes cliniques soulignent des aspects particuliers
que l'infirmière doit considérer au moment de l'application de
certains soins afin d'assurer la sécurité du client ou la sienne.

❾ **RAPPEL!**
Ces rubriques rappellent les points importants que l'infirmière
doit connaître ou auxquels elle doit prêter une attention
particulière.

❿  **MS 3.4** ou **I – MS 1.1**
Certaines étapes renvoient à d'autres méthodes de soins
du présent guide ou au guide *Méthodes de soins 1*.

FERMETURE DE LA MÉTHODE DE SOINS

① **Éléments à consigner dans les notes d'évolution rédigées par l'infirmière**
Les éléments importants à consigner au dossier du client sont énumérés
à la fin de la méthode de soins.

② **Exemple**
Un exemple de notes d'évolution montre comment rédiger les données
recueillies lors de l'exécution de la méthode de soins.

③ **Notes personnelles**
Cet espace peut servir à prendre des notes.

SOUTIEN À L'APPRENTISSAGE EN LIGNE

Le site www.cheneliere.ca/lewis vous propose des outils d'apprentissage qui vous aideront
à maîtriser les techniques présentées dans le guide *Méthodes de soins 2*.

Vidéos

Une série de vidéos présentant, étape par
étape, une sélection de méthodes est disponible
pour visionnement, en classe ou à la maison.
Ces vidéos vous permettent de voir se dérouler
chacune des étapes de la méthode telle
qu'elle est décrite dans le manuel.

Grilles d'observation

Vous trouverez également sur notre site Web une
grille d'observation pour chacune des méthodes.
Ces grilles sont destinées aux exercices pratiques
en équipe ou individuels.

Pour consulter la zone étudiante du site, vous aurez
besoin d'un mot de passe. Vous trouverez dans le
tome 1 du manuel ***Soins infirmiers – Médecine
chirurgie*** (Lewis, Dirksen, Heitkemper, Bucher et
Camera) un code qui vous donnera accès à la page
d'inscription où vous pourrez choisir votre mot
de passe.

Dès votre première visite, vous découvrirez un
site facile d'accès et convivial, qui vous permettra
de trouver rapidement le document recherché
grâce à une navigation intuitive.

Table des matières

Étapes préexécutoires et postexécutoires générales

Il convient d'effectuer certaines actions avant de procéder à une méthode de soins et après l'avoir accomplie. Ces actions constituent les étapes préexécutoires et postexécutoires générales applicables aux différentes méthodes de soins présentées dans ce guide. Elles assurent l'application appropriée des principes de soins et sont regroupées ici afin d'alléger le texte de chacune des méthodes.

Étapes préexécutoires générales		Justifications
1. Procéder à l'hygiène des mains ▶ **I – MS 1.1**.		Une hygiène des mains appropriée constitue le moyen le plus élémentaire et le plus simple de prévenir la propagation des infections. Elle permet de déloger les microorganismes pathogènes présents à la surface de la peau, qui sont susceptibles de contaminer un autre organisme. Cette étape fait partie des précautions de base recommandées par Santé Canada.
2. Rassembler tout le matériel nécessaire.		Rassembler le matériel nécessaire à l'avance évite les déplacements inutiles et permet d'exécuter plus efficacement la méthode de soins sans en interrompre le déroulement.
3. Expliquer la procédure de soins au client.		Ces explications permettent au client de connaître les soins qui lui seront prodigués, favorisant ainsi une meilleure collaboration de sa part. Les explications doivent être adaptées à la capacité de compréhension du client.
4. Disposer l'environnement de travail de façon qu'il soit pratique et sécuritaire pour vous et pour le client. Nettoyer la surface de travail avec une lingette humide désinfectante avant d'y déposer le matériel.		Un espace de travail propre et une bonne disposition du matériel contribuent à une exécution efficace de la méthode de soins et évitent la contamination accidentelle du matériel.

Étapes préexécutoires générales		Justifications
5. Régler le lit à la hauteur de votre pubis.	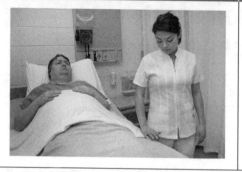	Cette hauteur respecte les principes de déplacement sécuritaire des bénéficiaires (PDSB).

 Il est important de régler le lit à une hauteur qui permet de travailler en ayant le dos droit (habituellement à la hauteur du pubis). Une mécanique corporelle adéquate prévient l'étirement douloureux des muscles du dos pendant la mobilisation des clients.

6. Installer le client de façon confortable et sécuritaire dans le lit ou dans un fauteuil.		Une position adaptée à la méthode de soins à exécuter prévient la fatigue et l'inconfort chez le client.
7. Assurer l'intimité du client en tirant les rideaux et, au besoin, en fermant la porte et la fenêtre.		Assurer l'intimité du client permet de respecter sa pudeur et l'aide à exprimer plus aisément certains malaises, le cas échéant. Fermer la fenêtre réduit le nombre de microorganismes aérobies ambiants et les courants d'air.
8. Mettre des gants non stériles au besoin.		Le port de gants évite les contacts directs avec les liquides ou les matières biologiques du client et la transmission de microorganismes pathogènes.

 Il faut toujours vérifier si le client est allergique au latex. Le cas échéant, on doit utiliser des gants de vinyle ou de nitrile.

 Les gants peuvent être un vecteur de transmission des infections. Aussi, il faut:
1. les retirer à la suite de toute méthode de soins comportant un contact avec des liquides biologiques;
2. les changer entre chaque client.

Étapes postexécutoires générales	Justifications
1. Procéder à l'hygiène des mains ▶ **I – MS 1.1**.	Procéder à l'hygiène des mains constitue un moyen élémentaire et simple de prévenir la propagation de microorganismes pathogènes.
2. Réinstaller le client de façon confortable et sécuritaire.	Le confort du client favorise son repos à la suite des soins qui lui ont été prodigués.
3. Placer la cloche d'appel à la portée du client.	La proximité de la cloche permet au client d'appeler un membre du personnel au besoin.
4. Jeter le matériel souillé de façon sécuritaire selon la procédure de l'établissement, puis procéder à l'hygiène des mains.	Jeter le matériel au bon endroit évite la transmission de microorganismes pathogènes, la propagation des infections et la contamination de matériel propre au contact du matériel souillé par les liquides biologiques du client.
5. Nettoyer et désinfecter le matériel réutilisable (thermomètre, brassard, stéthoscope, saturomètre, glucomètre) qui a été en contact avec le client.	La désinfection évite la transmission de microorganismes pathogènes.

Étapes postexécutoires générales	Justifications
6. Consigner la méthode de soins exécutée dans les notes d'évolution. 	Les notes d'évolution constituent une excellente source d'information, permettent d'assurer la continuité des soins et attestent la qualité de la surveillance clinique du client. Les notes d'évolution doivent respecter les normes de consignation des soins de l'Ordre des infirmières et infirmiers du Québec (OIIQ).
7. Inscrire au plan thérapeutique infirmier (PTI) les constats et les directives pouvant avoir une incidence sur le suivi clinique du client.	La consignation de ces données assure l'accès aux décisions cliniques prises et contribue à favoriser la continuité des soins dans une perspective de collaboration interdisciplinaire.

Notes personnelles

Étapes préexécutoires et postexécutoires générales

SECTION 1

Méthodes liées à la gestion de la douleur

Étapes préexécutoires et postexécutoires communes de la section 1

Ces étapes constituent les considérations et les actions préexécutoires et postexécutoires communes aux méthodes liées à la gestion de la douleur. Elles assurent l'application appropriée des principes de soins et sont regroupées en début de section afin d'alléger le texte de chacune des méthodes.

Étapes préexécutoires communes	Justifications
1. **Effectuer les étapes préexécutoires générales décrites au début du guide (pages 1 et 2).**	
2. Vérifier, au dossier du client, le plan de soins et de traitements infirmiers (PSTI), le plan thérapeutique infirmier (PTI), les constats et les directives de soins, les antécédents médicaux du client ainsi que ses allergies médicamenteuses et alimentaires. Vérifier également si le client porte un bracelet indiquant ses allergies.	Cette vérification renseigne sur la planification des soins et des traitements ainsi que sur les moyens utilisés pour gérer la douleur, et elle permet une administration sécuritaire des médicaments.

ALERTE CLINIQUE Il est important de toujours vérifier si le client présente des allergies à des médicaments. Le cas échéant, omettre d'administrer le médicament en question et en aviser le médecin.

3. Appliquer les principes d'administration sécuritaire des médicaments, communément appelés les « 5 bons » : • le bon médicament ; • à la bonne dose ; • au bon client ; • par la bonne voie d'administration ; • au bon moment.	Le respect des « 5 bons » est recommandé afin d'assurer l'administration sécuritaire et adéquate d'un médicament.

RAPPEL! À cette liste de cinq « bons », plusieurs infirmières en ajoutent un sixième et même un septième. Le sixième « bon » correspond à une bonne documentation (exactitude de l'inscription de l'administration du médicament sur la feuille d'administration des médicaments [FADM] ou au dossier du client), et le septième, à une bonne surveillance des effets attendus et des effets secondaires des médicaments administrés.

4. **ÉVALUATION** Évaluer la douleur du client selon la méthode PQRSTU : **P :** Provoquer (ce qui cause)/pallier (ce qui soulage)/aggraver **Q :** Qualité (sous quelle forme)/quantité (fréquence, rythme, intensité) L'intensité s'évalue au repos et à la mobilisation sur une échelle de 0 à 10 (0 = aucune douleur et 10 = douleur insupportable) ou selon l'échelle de catégories (légère, modérée ou sévère)	Cette évaluation permet de choisir la méthode de gestion de la douleur la mieux adaptée à l'état de santé du client.

Étapes préexécutoires communes	Justifications
R : Région (site)/irradiation	
S : Symptômes et signes associés (p. ex., nausées et vomissements, diaphorèse, dilatation des pupilles)	
T : Temps (moment, intervalles, de façon soudaine ou graduelle)/durée	
U : (*Understanding*) Compréhension et signification pour le client (de sa douleur, selon son histoire de santé)	
Si le client est incapable de répondre, observer son comportement au repos ou au moment de la mobilisation.	
5. ÉVALUATION Évaluer la présence de facteurs pouvant influer sur le soulagement de la douleur : l'âge, la tolérance à certains médicaments, un problème de toxicomanie, une insuffisance hépatique ou rénale, un environnement bruyant, une position inconfortable.	Par exemple, le client âgé atteint d'une maladie chronique pourra ressentir la douleur de façon moins intense qu'un client ayant un problème de santé aigu.

ALERTE CLINIQUE Les clients souffrant de douleur chronique et traités avec des analgésiques opioïdes de même que les clients toxicomanes doivent généralement recevoir des doses d'analgésiques plus élevées pour obtenir un soulagement acceptable de leur douleur.

6. Expliquer au client le but, les effets recherchés et les effets indésirables de chacun de ses médicaments. L'encourager à poser des questions sur ce qu'il ne comprend pas. Adapter l'enseignement à son degré de compréhension.	Le client a le droit d'être informé au sujet des médicaments qui lui sont administrés. Le choix d'une méthode d'enseignement adaptée aux besoins du client facilite sa compréhension.
7. Vérifier auprès du client si l'intensité de sa douleur a une influence sur ses activités.	Une douleur importante peut l'empêcher de bien respirer ou de bouger.

ALERTE CLINIQUE Dans le cas d'une première dose d'opioïdes, il est recommandé d'administrer en premier la plus petite des doses prescrites et de surveiller le degré de soulagement du client par la suite. Si la douleur persiste, lui administrer la dose correspondant à la différence entre la plus petite et la plus grande des doses prescrites.

8. Laisser deux ampoules de chlorhydrate de naloxone 0,4 mg/ml avec une seringue, une aiguille et un tampon d'alcool 70 % au chevet du client ou au poste des infirmières, selon la politique de l'établissement.	Le chlorhydrate de naloxone est un antagoniste des opioïdes qui doit être administré en cas de dépression respiratoire ou de coma. Dans certains établissements, les ampoules ne sont pas laissées au chevet du client en raison des risques de vol.

Étapes postexécutoires communes	Justifications
1. Effectuer les étapes postexécutoires générales décrites au début du guide (pages 3 et 4).	

Étapes postexécutoires communes	Justifications

2. ÉVALUATION

Évaluer l'intensité de la douleur du client au moment du pic d'action de l'analgésique administré.

Nom générique	Pics d'action selon le mode d'administration (min)		
	I.M./S.C.	I.V.	*Per os*
Hydromorphone (Dilaudid^MD)	30-60	15	60
Morphine	30-60	15	60
Mépéridine (Demerol^MD)	30-60	5-10	120
Oxycodone (Supeudol^MD)	–	–	30-60
Codéine	30-60	–	60-90
Fentanyl	–	5-15	–

Source : Beaulieu, 2005.

Cette évaluation permet de vérifier l'efficacité du médicament. La fréquence de l'évaluation de la douleur peut varier selon le type de médicament utilisé et l'état de santé du client.

Le client est davantage susceptible de présenter une dépression du système nerveux central au moment du pic d'action du médicament.

RAPPEL ! Il faut toujours respecter la fréquence de surveillance recommandée par le protocole en vigueur dans l'établissement et les lignes directrices édictées par l'Ordre des infirmières et infirmiers du Québec (OIIQ).

ALERTE CLINIQUE Une entredose ou une dose d'appoint peut être administrée à un client entre les doses régulières si la douleur réapparaît ou n'est pas soulagée. Cette dose équivaut généralement à la moitié de la dose régulière ou à 10 % de la dose totale quotidienne.

3. ÉVALUATION

À l'aide de la méthode PQRSTU, réévaluer la douleur du client.

Au besoin, modifier la dose du médicament à administrer selon le protocole en vigueur. Si la douleur persiste, aviser le médecin afin qu'il puisse modifier l'ordonnance ou prescrire une entredose ou un coanalgésique (acétaminophène, anti-inflammatoire non stéroïdien, antidépresseur, anticonvulsivant ou autre).

Il est important que le client soit soulagé, principalement en phase postopératoire, afin de favoriser son rétablissement.

Au besoin, le médecin prescrit ou ajuste les analgésiques selon l'évaluation faite par l'infirmière. Le soulagement de la douleur est une priorité en matière de soins.

4. Réduire les stimuli tels le bruit, la lumière ou le va-et-vient.

Un environnement calme favorise le repos et la détente.

5. ÉVALUATION

Évaluer les signes de détresse émotionnelle liée à la présence de douleur. Apporter du soutien au client et à sa famille au besoin.

L'état émotif du client peut influer positivement ou négativement sur sa perception de la douleur et ses réactions à celle-ci. Le soutien de la famille peut aider le client à traverser une période difficile.

Étapes postexécutoires communes	Justifications
6. ÉVALUATION Évaluer les effets indésirables associés au traitement de la douleur avec des opioïdes : degré de somnolence, nausées et vomissements, prurit, constipation, rétention urinaire, désorientation, hallucinations, etc.	Des antiémétiques et des antipruritiques peuvent s'avérer nécessaires jusqu'à ce que le corps acquière une tolérance à ces effets indésirables (quelques jours). Il est inutile de réduire les doses d'opioïdes dans l'espoir de diminuer ces malaises, puisque la douleur reviendra. Il est préférable de soulager la douleur et les effets indésirables des opioïdes. Cependant, il peut être nécessaire de changer la médication en présence d'hyperexcitabilité ou d'hallucinations.

Il est recommandé de surveiller la respiration et le degré de somnolence chez le client :
- ayant commencé un traitement aux opioïdes depuis moins d'une semaine ;
- nouveau-né, de moins de six mois, âgé ou insuffisant rénal ;
- éprouvant une douleur intense qui cesse subitement ;
- ayant des antécédents d'apnée du sommeil ou d'insuffisance respiratoire chronique ;
- ayant subi un traumatisme crânien ;
- recevant des antiémétiques en concomitance.

En situation de dépression respiratoire (fréquence respiratoire inférieure ou égale à 8 R/min, respirations superficielles, présence de ronflements), prendre la saturation en oxygène (SpO$_2$) et aviser le médecin ou suivre le protocole en vigueur dans l'établissement. Une SpO$_2$ inférieure à 92 % indique un risque d'acidose respiratoire.

Étapes postexécutoires communes	Justifications
7. Informer le client qu'il peut utiliser des méthodes non pharmacologiques comme la thérapie par le froid, les massages, la musique, la détente et la relaxation.	Ces approches complémentaires contribuent également au soulagement de la douleur.
8. ÉVALUATION Évaluer l'efficacité de l'analgésique selon les critères suivants : • l'intensité de la douleur a diminué de 50 % au moment du pic d'action de l'analgésique ; • le temps de soulagement équivaut à la durée d'action du produit ; • les effets indésirables d'intensité modérée à sévère de l'analgésique sont contrôlés.	
9. Comparer les résultats de l'évaluation de la douleur du client avec les données précédentes inscrites au dossier.	Une différence marquée de l'intensité de la douleur pourrait indiquer que la méthode de gestion de la douleur utilisée est inefficace ou que le client présente une nouvelle forme de douleur.

RAPPEL !

En fin de vie, le client a acquis une tolérance aux opioïdes sans produire de dépression respiratoire. Les périodes d'apnée et les râles font partie des signes précurseurs de la mort. Il est nécessaire, en cette période, de continuer d'administrer les mêmes doses d'opioïdes.

MS 1.1

MS 1.1

Analgésie contrôlée par le patient (ACP)

■ **Programmation initiale de la pompe ACP à la salle de réveil**
■ **Vérification des paramètres de la pompe ACP au retour de la salle de réveil**
■ **Vérification du fonctionnement de la pompe ACP en phase postopératoire**

BUT

Assurer au client une analgésie optimale continue en phase postopératoire immédiate.

Permettre au client de contrôler lui-même le soulagement de sa douleur en actionnant la pompe au besoin.

NOTIONS DE BASE

Les opioïdes sont administrés par voie I.V. au moyen d'une pompe munie d'une manette que le client peut actionner lorsqu'il ressent de la douleur.

Les médicaments les plus souvent administrés au moyen de cette pompe sont les analgésiques opioïdes : le sulfate de morphine (Morphine^MD), l'hydromorphone (Dilaudid^MD), la mépéridine (Demerol^MD) et le fentanyl (Fentanyl^MD).

L'utilisation de cette pompe en phase postopératoire permet de maintenir constante la concentration sérique d'analgésiques opioïdes. Elle permet en outre de réduire, voire d'éliminer l'administration de bolus, lesquels génèrent des pics de concentration sérique pouvant augmenter le risque de dépression du système nerveux central, du système respiratoire ou d'autres effets indésirables.

Comme l'utilisation de l'ACP assure au client un meilleur contrôle de sa douleur, ce dernier peut se mobiliser plus rapidement en phase postopératoire, diminuant ainsi le risque d'atélectasie et de complications pulmonaires liées à l'immobilisation.

MATÉRIEL

■ Pompe à perfusion (p. ex., Graseby^MD ou Lifecare^MD) avec bouton-poussoir et clé (pour ouvrir et fermer la pompe ACP)

■ Seringue préremplie d'analgésique

■ Tubulure de la pompe ACP

■ Tubulure de rallonge

■ Tige à perfusion et sac de perfusion (déjà installés)

■ Tampon d'alcool 70 %

■ Feuille de suivi de l'ACP ou des analgésiques opioïdes

■ Protocole d'ACP

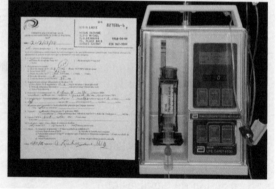

Étapes préexécutoires	Justifications
1. Effectuer les étapes préexécutoires communes décrites au début de cette section (pages 6 et 7).	
2. ÉVALUATION Évaluer la capacité du client à utiliser une pompe ACP (cette étape se fait au moment de la visite préopératoire).	Un client incapable de comprendre l'utilisation d'une pompe ACP ne pourra pas contrôler adéquatement sa douleur.
3. Vérifier si le client comprend bien le fonctionnement de la pompe ACP. Refaire ou compléter l'enseignement au besoin.	Cette vérification permet de s'assurer que le client sera capable de gérer sa douleur en phase postopératoire.

Étapes préexécutoires	Justifications
4. Expliquer au client l'importance de faire des exercices respiratoires toutes les heures et des exercices de mobilisation toutes les deux heures en phase postopératoire.	Les analgésiques augmentent le risque de dépression du système respiratoire et du système nerveux central. La pratique régulière d'exercices physiques et respiratoires aide à diminuer ce risque.
Valider sa compréhension des exercices à faire et les lui enseigner au besoin.	Cette validation permet de s'assurer que le client comprend bien l'importance d'effectuer régulièrement ses exercices.
5. Vérifier le protocole d'administration d'ACP.	Ce protocole comprend l'ordonnance médicale rédigée par l'anesthésiste. Sa vérification permet de s'assurer que l'ordonnance a été exécutée correctement.
6. Au retour du client de la salle de réveil et au début de chaque quart de travail, vérifier l'étanchéité et l'intégrité du circuit intraveineux de même que la conformité de la programmation avec l'ordonnance médicale.	Cette précaution permet d'éviter toute erreur dans le dosage du médicament et de s'assurer que la stérilité du circuit est maintenue et que le dosage du médicament est conforme à l'ordonnance.

 **ALERTE CLINIQUE** Il importe de faire preuve d'une grande vigilance avec un client qui souffre d'apnée du sommeil, d'obésité sévère ou d'asthme, ou qui reçoit des médicaments (antinauséeux, antihistaminique, etc.) pouvant potentialiser l'effet sédatif des opioïdes.

Étapes exécutoires	Justifications
7. Effectuer l'étape 8, 9 ou 10, selon le cas. ▶ 8. Programmer la pompe ACP à la salle de réveil. ▶ 9. Vérifier les paramètres de la pompe ACP au retour de la salle de réveil. ▶ 10. Vérifier le fonctionnement de la pompe ACP en phase postopératoire.	
8. Programmer la pompe ACP à la salle de réveil.	La pompe ACP est habituellement installée à la salle de réveil par l'anesthésiste ou par l'infirmière responsable du client.
8.1 Ajointer la seringue contenant le médicament à la tubulure de la pompe ACP et procéder au vide d'air de la tubulure en appuyant lentement sur le piston de la seringue.	Le vide d'air doit être fait lentement afin d'éviter la perte accidentelle de médicament.

Étapes exécutoires	Justifications
8.2 Fermer le presse-tube à glissière de la tubulure de la pompe ACP.	La fermeture du presse-tube à glissière permet d'éviter l'écoulement accidentel du médicament pendant les manipulations subséquentes de la seringue.
8.3 À l'aide de la clé, déverrouiller le couvercle de sécurité de la pompe ACP et l'ouvrir.	Le couvercle est verrouillé pour éviter que les clients touchent à la seringue ou modifient le réglage de l'appareil. L'ouverture du couvercle permet d'accéder à la pince de retenue.
8.4 Insérer la seringue dans la pince de retenue de la pompe ACP en plaçant l'étiquette d'identification du médicament devant soi.	L'étiquette doit rester visible afin de pouvoir faire les vérifications suivant l'administration d'un médicament.
8.5 S'assurer que le piston et l'épaulement sont bien appuyés au dispositif servant à enfoncer le piston et à retenir l'épaulement.	La seringue doit être bien fixée dans le boîtier de la pompe ACP pour permettre au médicament d'être administré selon l'ordonnance.

RAPPEL! Avant d'administrer un médicament au client, il est primordial de vérifier son identité en lui demandant de se nommer (ou en le nommant par son nom) et en examinant son bracelet d'identité. Cette double vérification permet d'éviter toute erreur d'identification.

ALERTE CLINIQUE Une vérification par deux infirmières est nécessaire dans les cas suivants :
- programmation initiale de la pompe ;
- changement de programmation de la pompe ;
- installation ou changement de la seringue ;
- administration d'un bolus par la pompe ;
- identification et destruction du médicament restant dans la seringue lorsque l'ACP est cessée.

8.6 Vérifier le type de médicament contenu dans la seringue (nom, quantité, concentration).	Le type et la concentration d'analgésique doivent correspondre à ce qui est inscrit sur la seringue et dans le protocole d'ACP rédigé par l'anesthésiste.

Étapes exécutoires	Justifications
8.7 Programmer la pompe en enregistrant les données suivantes :	
• la dose de départ ou dose de charge ;	La dose de départ correspond à la première dose administrée à la salle de réveil. Elle est généralement plus élevée que les doses subséquentes afin d'avoir une action rapide et efficace au réveil du client.
• la dose de bolus en mg administrée par le client ;	Il s'agit de la dose que reçoit le client lorsqu'il actionne la pompe ACP.
• la période réfractaire ou l'intervalle en minutes entre les doses de bolus ;	Il s'agit de la période programmée d'attente entre deux doses. Elle prévient une surdose de médicament.
• la dose limite aux quatre heures.	Il s'agit de la dose maximale à administrer pendant quatre heures.
8.8 Vérifier l'exactitude de la programmation de la pompe en appuyant sur la touche « Historique » ou « Registre » et en consultant le protocole d'ACP.	Cette vérification assure la concordance des données inscrites sur la pompe et de l'ordonnance médicale.
8.9 Désinfecter le site d'injection de la dérivation en Y de la tubulure de rallonge (déjà en place avec une perfusion primaire) avec un tampon d'alcool 70 % pendant 15 secondes. Prendre un autre tampon d'alcool et désinfecter le pourtour du site pendant 15 secondes.	La désinfection du site évite l'introduction de microorganismes pathogènes dans la circulation sanguine.
Laisser sécher au moins 30 secondes.	Un délai minimal de 30 secondes est nécessaire pour que l'alcool produise son effet désinfectant.
8.10 Ajointer la tubulure de la pompe ACP au site d'injection de la dérivation en Y de la tubulure de rallonge.	
S'assurer de bien verrouiller l'embout raccord mâle.	Le verrouillage évite la disjonction accidentelle de la tubulure.
8.11 Fermer le couvercle de la pompe, retirer la clé, ouvrir le presse-tube à glissière et appuyer sur « Départ ». Passer à l'étape 11.	Cette procédure met la pompe en marche et amorce la dose de départ.
9. Vérifier les paramètres de la pompe ACP au retour de la salle de réveil.	Les paramètres de la pompe ACP doivent être conformes au protocole d'ACP.

Étapes exécutoires		Justifications
9.1 À l'arrivée du client à sa chambre, transférer la pompe sur une tige à perfusion mobile. La déverrouiller au besoin.	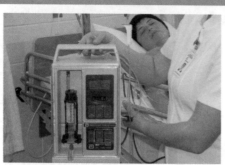	Certaines pompes ACP (p. ex., la pompe Graseby 3300MD) sont munies d'un mécanisme de blocage empêchant de retirer la pompe de la tige à perfusion. La clé sert aussi à déverrouiller ce mécanisme, le cas échéant.
9.2 Demander à une autre infirmière de vérifier la programmation de la pompe en appuyant sur la touche « Historique » ou « Registre ». Comparer les données inscrites sur la pompe avec le protocole d'ACP.	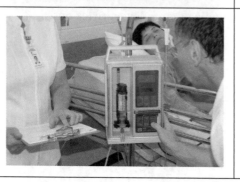	Cette double vérification diminue le risque d'erreur. Au retour de la salle de réveil, les paramètres de la pompe ACP doivent être vérifiés par deux infirmières afin de s'assurer de leur concordance avec le protocole d'ACP et de diminuer le risque d'erreur.

 **RAPPEL!** On doit s'assurer que le client ne souffre pas d'une incapacité physique (dextérité, force musculaire, problème articulaire, etc.) ou d'un problème psychologique (délirium postopératoire, confusion, difficulté à distinguer le bouton-poussoir de la pompe ACP de celui de la cloche d'appel, etc.) qui l'empêcherait d'activer le bouton-poussoir de la pompe ACP.

9.3 Vérifier le médicament contenu dans la seringue (nom, concentration et unité de mesure).	Le nom du médicament permet de se renseigner sur les effets indésirables, et de les surveiller, le cas échéant.
9.4 Vérifier la programmation de la pompe en validant les données suivantes :	
• la dose de bolus en mg administrée par le client ;	Il s'agit de la dose que reçoit le client lorsqu'il actionne la pompe ACP.
• la période réfractaire ou l'intervalle en minutes entre les doses de bolus ;	Il s'agit de la période programmée d'attente entre deux doses. Elle prévient une surdose de médicament.
• la dose limite aux quatre heures ;	Il s'agit de la dose maximale à administrer pendant quatre heures.
• le nombre de demandes et le nombre de doses reçues ;	Un nombre de demandes de beaucoup supérieur au nombre de doses reçues laisse supposer que le client n'est pas soulagé par le médicament ou qu'il comprend mal le fonctionnement de l'appareil. Un nombre de demandes peu élevé peut signifier que le client est peu souffrant, qu'il ne maîtrise pas le fonctionnement de la pompe ou qu'il a peur de s'administrer une trop grande quantité du médicament.

Étapes exécutoires	Justifications
• la dose cumulée en mg et le volume perfusé.	Cette donnée permet d'évaluer la dose en mg et le volume perfusé par quart de travail. Elle permet également de vérifier si le dosage maximal a été atteint.
9.5 S'assurer que le verrou sécuritaire du raccord tubulure-Y de dérivation est bien vissé.	Cette précaution assure un bon raccordement de la tubulure.
9.6 Vérifier la compatibilité de la perfusion en dérivation.	Cette vérification permet d'éviter toute interaction médicamenteuse.
9.7 Vérifier l'intégrité du site I.V. et sa perméabilité.	Cette précaution assure la perfusion adéquate du médicament.
9.8 Vérifier la SpO_2 du client ▶ I – MS 4.4 . Si le client reçoit de l'oxygène, noter le moyen utilisé (canule nasale, masque, etc.) et le débit en L/min.	Une SpO_2 inférieure à 92 % est un signe de dépression respiratoire.
9.9 Prendre la pression artérielle et le pouls (fréquence, qualité et amplitude).	Ces mesures permettent de déceler rapidement tout changement dans l'état de santé du client.
9.10 **ÉVALUATION** Évaluer la fonction respiratoire du client à l'aide des échelles suivantes :	Cette évaluation permet de déceler rapidement l'apparition de signes de dépression du système nerveux central et du système respiratoire. Une basse fréquence respiratoire ou la présence de périodes d'apnée sont des signes de dépression respiratoire.

Échelle de respiration	
R 0	• Respiration régulière • F.R. > 10
R 1	• Respiration ronflante • F.R. > 10
R 2	• Respiration irrégulière • Obstruction et tirage • F.R. < 10
R 3	• Pauses respiratoires • Apnée • F.R. < 8

Source : AQESSS, 2009.

Fréquence respiratoire minimale par minute selon l'âge			
Âge	R/min	Âge	R/min
Nouveau-né	35	10 ans	19
1 à 11 mois	30	12 ans	19
2 ans	25	14 ans	18
4 ans	23	16 ans	17
6 ans	21	18 ans et plus	16-18
8 ans	20		

Source : Wong, 2009.

Étapes exécutoires	Justifications

Il est important d'agir rapidement en présence de dépression respiratoire :

1) retirer la manette de contrôle de la pompe ACP de la main du client ;

2) stimuler le client à respirer et le maintenir éveillé ;

3) administrer de l'oxygène par masque (40 %) ;

4) au besoin, administrer un antagoniste de la morphine tel le chlorhydrate de naloxone, selon l'ordonnance médicale ;

5) aviser immédiatement l'anesthésiste.

9.11 ÉVALUATION

Évaluer le niveau de sédation du client à l'aide de l'échelle suivante :

Échelle de sédation	
S	Sommeil normal ; éveil facile
1	Éveillé et alerte
2	Parfois somnolent ; éveil facile
3	Somnolent ; s'éveille, mais s'endort durant la conversation
4	Endormi profondément, s'éveille difficilement ou pas du tout à la stimulation

Source : Pasero et McCaffery, 1994.

Un score de sédation égal ou supérieur à 3 ou la présence de forts ronflements sont des signes de dépression respiratoire.

9.12 ÉVALUATION

Évaluer l'intensité de la douleur selon l'une des échelles de douleur suivantes :

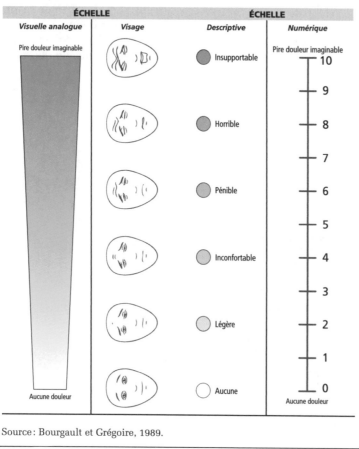

Source : Bourgault et Grégoire, 1989.

Cette évaluation renseigne sur l'efficacité de l'ACP dans le soulagement de la douleur. Par exemple, si le nombre de doses demandées est supérieur au nombre de doses reçues, cela peut signifier que le client n'est pas totalement soulagé.

Étapes exécutoires	Justifications
9.13 Aviser le client qu'il devrait utiliser la pompe : • avant que la douleur ait atteint le niveau 5 sur une échelle de 10 ; • avant toute activité pouvant provoquer de la douleur telle que se tourner, se lever, effectuer des exercices respiratoires ou recevoir un traitement.	Aviser le client lui permet de comprendre l'importance de soulager sa douleur dès qu'elle apparaît, que ce soit au repos ou à la mobilisation.

L'analgésique s'avère plus efficace s'il est administré dès l'apparition de la douleur.

Dès que l'évaluation révèle la présence d'une douleur intense, consulter le protocole d'ACP afin de vérifier la possibilité d'administrer un bolus ou d'augmenter le dosage d'analgésique. Avant d'administrer le bolus, s'assurer que la dose maximale permise aux quatre heures n'est pas déjà atteinte. Si la douleur persiste, aviser l'anesthésiste afin qu'il réajuste le dosage de l'analgésique.

Étapes exécutoires	Justifications
9.14 Consigner les données recueillies sur la feuille de suivi de l'ACP ou des analgésiques opioïdes en vigueur dans l'établissement et inscrire vos initiales et votre signature à l'endroit prévu. Passer à l'étape 11.	Ces données permettent d'assurer le suivi de l'évolution de la douleur et de l'état de sédation du client. Toute information consignée dans un document légal doit comporter la signature de la personne qui inscrit ces données.

ALERTE CLINIQUE Il est important d'aviser la famille de ne pas actionner la pompe à la place du client sous prétexte qu'il semble souffrant. Les membres de la famille doivent plutôt aviser l'infirmière pour qu'elle évalue l'intensité de la douleur du client et qu'elle lui administre au besoin une dose d'analgésique.

Étapes exécutoires	Justifications
10. Vérifier le fonctionnement de la pompe ACP en phase postopératoire.	
10.1 Effectuer les étapes 9.2 à 9.6.	Ces étapes constituent l'évaluation à faire afin d'assurer la surveillance requise par l'ACP.

Les paramètres de la pompe doivent être vérifiés au retour de la salle de réveil et au moins tous les quarts de travail.

Étapes postexécutoires	Justifications
11. Effectuer les étapes postexécutoires communes décrites au début de cette section (pages 7 à 9).	

ALERTE CLINIQUE Il ne faut jamais administrer d'autres analgésiques, narcotiques, sédatifs ou tranquillisants au client sans l'autorisation de l'anesthésiste.

Étapes postexécutoires	Justifications
12. Assurer une surveillance étroite du client (signes vitaux, échelle de respiration, de sédation et de douleur) au retour de la salle de réveil, puis à la fréquence suivante : • aux 30 minutes pour la première heure ; • toutes les heures pour les 2 heures subséquentes ; • aux 2 heures pour les 4 heures subséquentes ; • aux 4 heures pour les 48 heures subséquentes, si l'état du client est stable.	Durant cette période, le client est à haut risque de complications, notamment sur le plan respiratoire, car les analgésiques opioïdes exercent un effet dépresseur sur la respiration. Il est donc important de surveiller entre autres la fréquence, le rythme et l'amplitude respiratoires, ainsi que la SpO_2.

Étapes postexécutoires	Justifications
13. ÉVALUATION Évaluer la présence d'effets indésirables (nausées, vomissements, étourdissements, prurit). Au besoin, administrer un médicament selon l'ordonnance et le protocole d'ACP.	Ces effets sont fréquents pendant l'administration d'opioïdes.
14. ÉVALUATION Évaluer la fonction urinaire du client à intervalles réguliers et sa fonction intestinale chaque jour.	Les opioïdes telle la morphine peuvent causer de la rétention urinaire et de la constipation.
15. Noter les résultats de l'évaluation sur la feuille de suivi de l'ACP ou des analgésiques opioïdes.	Ces renseignements permettront d'assurer le suivi thérapeutique auprès du client selon les résultats des évaluations.
16. Rapporter à l'anesthésiste tout comportement indiquant que le client n'obtient pas un soulagement optimal, par exemple lorsqu'il actionne la pompe, en vain, pour obtenir des doses supplémentaires d'analgésique.	Ce rapport permet à l'anesthésiste d'ajuster la dose du médicament.

Éléments à consigner dans les notes d'évolution rédigées par l'infirmière

■ La date et l'heure de l'évaluation.
■ La réaction du client et sa collaboration.
■ Toute réaction anormale ou indésirable survenue pendant les soins ou à la suite de ceux-ci. **Il faut également transmettre cette donnée à l'anesthésiste, au médecin traitant et à l'infirmière responsable du client.**

Exemple
2011-04-22 12:00 Cliente installée pour le dîner. Pompe ACP en fonction. Soluté perfuse bien. Bon retour veineux. Cliente se dit peu souffrante (douleur à 2/10). Effectue 4 demandes d'analgésiques pour 3 doses reçues en a.m. Suivi d'administration des analgésiques opioïdes effectué.

colspan

FEUILLE DE SUIVI DE L'ACP

DATE	HEURE	MÉDICATION ET CONCENTRATION	DOSE (MG)	TEMPS DE BLOCAGE (MIN)	N^BRE DE DEMANDES/N^BRE ADMINISTRÉES	DOSE CUMULATIVE EN MG Q. 4 H	P.A.	POULS	R	SpO₂	ÉCHELLE DE DOULEUR	NIVEAU DE SÉDATION	SIGNATURE ET INITIALES
10-01-2011	12:00	Sulfate de morphine 5 mg/ml	1 mg	10 min	12/12	12 mg	130/85	76 rég	R:0 (20)	97%	7	1	Chloé Poitras CP

Notes personnelles

MS 1.2

Analgésie épidurale continue

- **Analgésie épidurale continue**
- **Surveillance de l'analgésie épidurale en phase postopératoire**
- **Analgésie épidurale par bolus**

BUT

Assurer au client une analgésie optimale continue en phase postopératoire immédiate ou en soins palliatifs.

NOTIONS DE BASE

L'espace épidural est situé dans la colonne vertébrale, entre la vertèbre et la dure-mère, soit la méninge la plus éloignée de la moelle épinière. Cet espace est rempli de graisse, de tissu conjonctif et de vaisseaux sanguins.

L'administration d'analgésique par voie épidurale peut être faite de façon continue par perfusion avec débit contrôlé, par pompe volumétrique ou par bolus dans le cathéter.

Afin d'obtenir une gestion optimale de la douleur, le mode continu requiert l'utilisation de deux classes de médicaments, soit un analgésique et un anesthésique. L'infirmière doit donc assurer une surveillance étroite des signes vitaux du client afin de pouvoir déceler rapidement l'apparition de tout effet indésirable et intervenir rapidement.

Les médicaments les plus utilisés sont les analgésiques opioïdes (Morphine^{MD}, Fentanyl^{MD}, Dilaudid^{MD}, Demerol^{MD}) et les anesthésiques locaux (Marcaine^{MD}, Naropin^{MD}).

Ce type d'analgésie assure au client un soulagement continu de sa douleur, ce qui lui permet de se mobiliser plus rapidement en phase postopératoire, diminuant ainsi le risque d'atélectasie et de complications pulmonaires liées à l'immobilisation.

MATÉRIEL

Analgésie épidurale continue

- Pompe volumétrique étiquetée «voie épidurale uniquement»
- Sac de perfusion contenant l'analgésique prescrit par l'anesthésiste
- Sac de perfusion contenant l'anesthésique prescrit par l'anesthésiste
- Tubulure de rallonge en Y

- Deux tubulures à pompe volumétrique (une avec filtre, et l'autre sans filtre)
- Protocole d'analgésie épidurale de l'établissement
- Étiquettes d'identification
- Feuille de suivi des analgésiques opioïdes

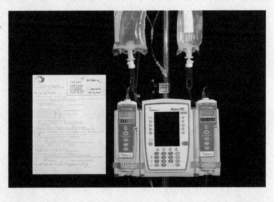

Bolus par voie épidurale

- Médicament (selon l'ordonnance)
- Solvant stérile (eau ou solution de NaCl 0,9 % sans agent de conservation)
- Seringue de 10 ml
- Aiguille avec filtre de calibre approprié pour prélever l'analgésique

- Tampon d'alcool 70 %
- Plateau de transport
- Étiquette d'identification
- Feuille de suivi des analgésiques opioïdes

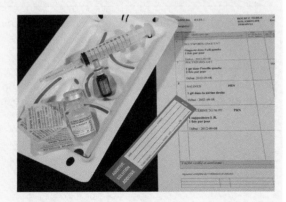

Étapes préexécutoires	Justifications
1. Effectuer les étapes préexécutoires communes décrites au début de cette section (pages 6 et 7).	
2. ÉVALUATION Procéder à l'évaluation de la douleur et des signes vitaux du client. Évaluer les fonctions motrices, la force musculaire et la sensibilité des membres inférieurs du client.	Cette évaluation fournit les données requises en phase postopératoire pour évaluer le risque de chute liée à une surdose d'anesthésiant.
3. Expliquer au client l'importance de faire des exercices respiratoires toutes les heures et des exercices de mobilisation toutes les deux heures en phase postopératoire.	Les analgésiques augmentent le risque de dépression du système respiratoire et du système nerveux central. La pratique régulière d'exercices physiques et respiratoires aide à diminuer ce risque.
Valider sa compréhension des exercices à faire et les lui enseigner au besoin.	Cette validation permet de s'assurer que le client comprend bien l'importance d'effectuer régulièrement ses exercices.
4. Vérifier le protocole d'analgésie épidurale.	Ce protocole comprend l'ordonnance médicale. Sa vérification permet de s'assurer que celle-ci a été exécutée correctement.
5. Vérifier si le client a pris, au cours des 10 derniers jours, des anticoagulants ou des produits naturels à effet anticoagulant. Le cas échéant, aviser le médecin.	L'administration récente d'anticoagulants est une contre-indication à l'installation d'un cathéter épidural en raison du risque d'hématome au site d'insertion du cathéter.

⚠ **ALERTE CLINIQUE** Il est contre-indiqué d'administrer de l'héparine sous quelque forme que ce soit à un client sous analgésie épidurale.

6. À l'admission du client et au début de chaque quart de travail, vérifier si le circuit épidural est perméable et si la programmation de la pompe correspond à l'ordonnance médicale.	Cette vérification permet d'éviter toute erreur dans le dosage du médicament.
7. S'assurer qu'un accès veineux est ouvert et perméable en permanence.	Cet accès permet d'administrer un antagoniste ou un autre médicament, au besoin.
8. Vérifier si une étiquette indiquant « voie épidurale uniquement » a été apposée sur la pompe. Dans le cas contraire, en apposer une.	Cette précaution permet d'éviter toute administration d'une solution ou d'un médicament par cette voie.

Étapes préexécutoires	Justifications
9. Demander à une autre infirmière de vérifier la programmation de la pompe en comparant les données inscrites sur la pompe et sur les sacs de perfusion avec le protocole d'analgésie épidurale rédigé par l'anesthésiste. 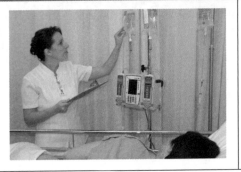	Au retour de la salle de réveil, les paramètres de la pompe volumétrique contenant le médicament administré par voie épidurale doivent être vérifiés par deux infirmières afin de s'assurer de leur concordance avec le protocole d'analgésie épidurale et de diminuer le risque d'erreur.

Une vérification par deux infirmières est nécessaire dans les cas suivants :
- programmation initiale de la pompe ;
- changement de programmation de la pompe ;
- installation ou changement du sac de perfusion ;
- administration d'un bolus par la pompe ;
- identification et destruction du liquide restant dans le sac lorsque l'analgésie est cessée.

10. Vérifier les éléments suivants : • le nom de l'opioïde et sa concentration en mcg/ml ou en mg/ml ; • le nom de l'anesthésique local et sa concentration (en %) ; • le nombre de ml des substances ajoutées ; • le débit de la perfusion ou des perfusions en ml/h ; • le volume à perfuser ; • la dose cumulée en ml et le volume perfusé.	Le nom du médicament permet de se renseigner sur les effets indésirables possibles et de les surveiller, le cas échéant. Cette vérification permet d'évaluer le nombre de ml perfusés par quart de travail.

Une solution contenant un anesthésique local doit être administrée uniquement dans un espace épidural. Un raccordement de cette solution à un accès I.V. est une erreur grave qui cause une intoxication aux anesthésiques locaux et peut provoquer la mort.

Étapes exécutoires	Justifications
11. Effectuer l'étape 12 ou 13, selon le cas. ▶ 12. Surveiller l'administration d'un analgésique épidural en continu. ▶ 13. Administrer un analgésique épidural par bolus.	
12. Surveiller l'administration d'un analgésique épidural en continu.	Cette précaution permet de vérifier l'efficacité de l'analgésie par voie épidurale et de déceler rapidement tout risque de complications.
12.1 S'assurer que la tubulure appropriée (sans site d'injection) et que le filtre antimicrobien, s'il y a lieu, sont solidement fixés à l'extrémité du cathéter.	Le fait que le client est souvent appuyé sur son dos pourrait entraîner la disjonction de la tubulure.

Étapes exécutoires	Justifications
12.2 Vérifier le site d'insertion du cathéter épidural et son pansement.	Le pansement peut se décoller à cause de la mobilisation du dos et de la diaphorèse.

RAPPEL! Respecter la fréquence de surveillance des paramètres vitaux et de l'état du client édictée par le protocole en vigueur dans l'établissement.

Étapes exécutoires	Justifications
12.3 Prendre la pression artérielle et le pouls (fréquence, qualité et amplitude).	Ces mesures permettent de déceler rapidement tout changement dans l'état de santé du client.
12.4 ÉVALUATION Évaluer la fonction respiratoire du client ▶ MS 1.1, étape 9.10 .	Une basse fréquence respiratoire ou la présence de périodes d'apnée sont des signes de dépression respiratoire.

ALERTE CLINIQUE

Il est important d'agir rapidement en présence de dépression respiratoire :
1) arrêter l'analgésie épidurale ;
2) stimuler le client à respirer et le maintenir éveillé ;
3) administrer de l'oxygène par masque (40 %) ;
4) au besoin, administrer un antagoniste de la morphine tel le chlorhydrate de naloxone, selon l'ordonnance médicale ;
5) aviser immédiatement l'anesthésiste.

Étapes exécutoires	Justifications
12.5 Vérifier la SpO_2 du client ▶ I – MS 4.4 . S'il reçoit de l'oxygène, noter le moyen utilisé (canule nasale, masque, etc.) et le débit en L/min.	Une SpO_2 inférieure à 92 % est un signe de dépression respiratoire.
12.6 ÉVALUATION Évaluer le niveau de sédation du client ▶ MS 1.1, étape 9.11 .	Un score de sédation égal ou supérieur à 3 ou la présence de forts ronflements sont des signes de dépression respiratoire.
12.7 ÉVALUATION Évaluer l'intensité de la douleur ▶ MS 1.1, étape 9.12 .	Cette évaluation renseigne sur l'efficacité de l'analgésie épidurale.
12.8 ÉVALUATION Évaluer la force musculaire des membres inférieurs du client en lui demandant de soulever les jambes ou de pousser sur vos mains avec ses pieds.	Cette évaluation permet de prévenir le risque de chute du client au lever et d'évaluer le niveau d'anesthésie et l'ajustement requis, le cas échéant.
12.9 ÉVALUATION Évaluer la sensibilité des membres inférieurs du client en utilisant, par exemple, les techniques de palpation, de pincement, de frottement.	

Étapes exécutoires	Justifications

12.10 ÉVALUATION

Si des anesthésiques locaux ont été administrés, évaluer la motricité des membres inférieurs (bloc moteur) aux quatre heures à l'aide du tableau ci-dessous. Advenant une atteinte motrice, aviser le médecin immédiatement.

Atteinte motrice des membres inférieurs	
1 Aucune	Bouge les pieds, les genoux et les hanches
2 Partielle	Bouge les pieds et les genoux
3 Presque complète	Bouge les pieds seulement
4 Complète	Ne bouge pas les pieds ni les genoux

Source : Adapté d'AQESSS, 2009.

Justification : Une atteinte motrice indique une réaction indésirable au traitement ; il faut alors corriger rapidement la situation.

12.11 S'assurer que le client est positionné correctement.

Justification : Pour une analgésie épidurale, la tête du lit doit généralement être placée à 30°, à moins d'une ordonnance contraire.

ALERTE CLINIQUE Il est important de vérifier le protocole d'analgésie épidurale dès l'apparition d'une douleur intense, afin de savoir si le débit de perfusion de l'analgésique peut être augmenté. Au besoin, il faut aviser l'anesthésiste pour qu'il puisse ajuster la dose du médicament selon l'état du client.

12.12 Consigner les renseignements sur la feuille de suivi des analgésiques opioïdes en vigueur dans l'établissement et inscrire vos initiales et votre signature à l'endroit prévu.

Justification : Ces renseignements permettent d'assurer le suivi de l'évolution de la douleur et de l'état de sédation du client.

Toute information consignée dans un document légal doit comporter la signature de la personne qui inscrit ces renseignements.

12.13 Renseigner le client sur l'importance de soulager sa douleur, tant au repos qu'à la mobilisation. S'assurer que le client a bien compris les consignes.

Justification : Cet enseignement favorise la collaboration du client et permet de savoir à quel moment il est souffrant.

12.14 Si le client n'est pas soulagé, ajuster le débit de la perfusion selon le protocole en vigueur ou aviser le médecin pour qu'il modifie l'ordonnance.

Passer à l'étape 14.

Justification : Cet ajustement permet d'obtenir un maximum de soulagement de la douleur et de minimiser le risque d'effets indésirables et de diminution de la force musculaire.

13. Administrer un analgésique épidural par bolus.

Justification : Le bolus augmente la concentration plasmatique de l'opioïde, ce qui permet de soulager rapidement le client dont la douleur n'est pas soulagée à la suite de l'administration de la dose par la pompe.

13.1 Préparer l'analgésique selon le mode de préparation des injections ▶ I – MS 5.8 .

Étapes exécutoires	Justifications

Avant d'administrer un médicament au client, il est primordial de vérifier son identité en lui demandant de se nommer (ou en le nommant par son nom) et en examinant son bracelet d'identité. Cette double vérification permet d'éviter toute erreur d'identification.

13.2 Désinfecter le site d'injection du cathéter épidural avec un tampon d'alcool 70 % pendant 15 secondes. Prendre un autre tampon d'alcool et désinfecter le pourtour du site pendant 15 secondes. Laisser sécher au moins 30 secondes.	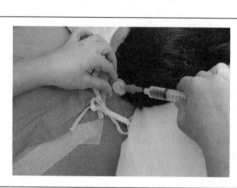	La désinfection du site évite l'introduction de microorganismes pathogènes dans la circulation sanguine au moment de l'insertion de la seringue. Un délai minimal de 30 secondes est nécessaire pour que l'alcool produise son effet désinfectant.
13.3 Ajointer la seringue au site d'injection et aspirer lentement afin de vérifier l'emplacement du cathéter. Si du sang apparaît dans la seringue, la retirer et en aviser l'anesthésiste.		Au moment de l'aspiration, l'apparition de 0,5 ml ou moins de liquide clair est normale. L'apparition de sang indique que le cathéter s'est déplacé.

ALERTE CLINIQUE Au moment de l'aspiration, s'il y a retrait de sang ou de liquide céphalorachidien, il faut arrêter la procédure d'administration du bolus, retirer la seringue et aviser le médecin.

13.4 Injecter lentement le médicament (une minute par millilitre ou selon les recommandations du pharmacien).	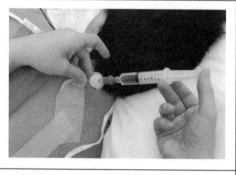	Cette précaution prévient l'inconfort occasionné par l'augmentation de la pression dans l'espace épidural au moment de l'injection.
13.5 Retirer la seringue et la jeter dans un contenant biorisque.		Jeter la seringue dans un tel contenant évite la propagation de microorganismes pathogènes.

Étapes postexécutoires	Justifications

14. Effectuer les étapes postexécutoires communes décrites au début de cette section (pages 7 à 9).	

ALERTE CLINIQUE Il ne faut jamais administrer d'autres analgésiques, narcotiques, sédatifs ou tranquillisants au client sans l'autorisation de l'anesthésiste.

Étapes postexécutoires	Justifications
15. ÉVALUATION Évaluer la position et le site d'insertion du cathéter aux deux heures ou aux quatre heures selon le protocole de l'établissement. 	La position du cathéter doit correspondre à celle inscrite dans le protocole d'analgésie épidurale rédigé par l'anesthésiste.
16. Assurer une surveillance étroite du client (signes vitaux, échelle de respiration, de sédation et de douleur) au retour de la salle de réveil, puis à la fréquence suivante : • aux 30 minutes pour la première heure ; • toutes les heures pour les 2 heures subséquentes ; • aux 2 heures pour les 4 heures subséquentes ; • aux 4 heures pour les 48 heures subséquentes, si l'état du client est stable.	Durant cette période, le client est à haut risque de complications, notamment sur le plan respiratoire, car les analgésiques opioïdes exercent un effet dépresseur sur la respiration. Il est donc important de surveiller entre autres la fréquence, le rythme et l'amplitude respiratoires, ainsi que la SpO_2.
17. ÉVALUATION Évaluer le niveau de sensibilité et la motricité des membres inférieurs aux quatre heures et lorsque le client se tient debout, et ce, dès les premiers levers.	Cette évaluation permet de prévenir une chute au moment des premiers levers du client.
18. ÉVALUATION Évaluer la présence d'effets indésirables (nausées, vomissements ou rétention urinaire). Au besoin, administrer un médicament prescrit selon le protocole d'analgésie épidurale (p. ex., Benadryl[MD], Gravol[MD], Zofran[MD], chlorhydrate de naloxone).	Ces effets sont fréquents pendant l'administration d'opioïdes. L'analgésie épidurale diminue la sensibilité des muscles urinaires.
19. ÉVALUATION Évaluer la fonction urinaire du client à intervalles réguliers et sa fonction intestinale chaque jour.	Les opioïdes telle la morphine peuvent causer de la rétention urinaire et de la constipation.
20. Noter les résultats de l'évaluation sur la feuille de suivi des analgésiques opioïdes.	Ces résultats permettront d'assurer le suivi thérapeutique auprès du client selon les résultats des évaluations.
21. Aviser immédiatement l'anesthésiste dans les cas suivants : • en cas d'atteinte d'une cote 3 à l'échelle de sédation ou d'une fréquence respiratoire inférieure ou égale à 8 R/min ; • s'il y a un bloc moteur complet des membres inférieurs, c'est-à-dire une incapacité de pousser les pieds contre vos mains. Si la force musculaire est trop faible, demander au client de soulever ses jambes contre la gravité ; • en cas de non-soulagement de la douleur malgré l'administration de bolus et l'augmentation maximale du débit de la perfusion ; • s'il y a présence de symptômes associés à l'hématome épidural.	

Éléments à consigner dans les notes d'évolution rédigées par l'infirmière

- La date et l'heure de l'évaluation.
- La réaction du client et sa collaboration.
- Toute réaction anormale ou indésirable survenue pendant les soins ou à la suite de ceux-ci. **Il faut également transmettre cette donnée à l'anesthésiste, au médecin traitant et à l'infirmière responsable du client.**

Exemple

2011-05-23 10:00 *Fentanyl sous épidurale en continu. Circuit perméable perfuse bien, en conformité avec l'ordonnance médicale. Respiration 12 rég. Cliente alerte et éveillée. Se dit non souffrante. Rappel de faire ses exercices respiratoires.*

Notes personnelles

Méthodes liées à la fonction respiratoire

Étapes préexécutoires communes de la section 2

Ces étapes constituent les considérations et les actions préexécutoires communes aux méthodes liées à la fonction respiratoire. Elles assurent l'application appropriée des principes de soins et sont regroupées en début de section afin d'alléger le texte de chacune des méthodes.

Étapes préexécutoires communes	Justifications
1. **Effectuer les étapes préexécutoires générales décrites au début du guide (pages 1 et 2).**	
2. Mesurer la saturation pulsatile en oxygène (SpO_2) du client ▶ **I – MS 4.4**. Si celle-ci est inférieure à 93 %, vérifier auprès du médecin traitant, ou au dossier du client, la pertinence d'augmenter le niveau d'oxygénation du client avant de procéder aux soins de trachéostomie.	Cette mesure permet de vérifier si la saturation en oxygène est adéquate.
3. Vérifier les résultats des mesures antérieures de la SpO_2 inscrits au dossier du client.	Les résultats des mesures antérieures servent de référence. L'infirmière peut les comparer avec les nouveaux résultats et constater, le cas échéant, une modification de l'état de santé du client.
4. **ÉVALUATION** Procéder à l'examen clinique respiratoire du client dans le but de déceler : • tout signe ou symptôme associé à l'hypoxémie : cyanose des lèvres, des extrémités ou des lobes d'oreilles, tachypnée, agitation, somnolence, teint grisâtre, tirage sous-costal et sous-sternal, utilisation des muscles accessoires ; • tout signe d'hypercapnie ; • toute manifestation clinique d'une obstruction des voies respiratoires supérieures ou inférieures : bruits audibles à l'oreille ou à l'auscultation, sécrétions nasales ou buccales, signes d'hypoxie ; • tout signe indiquant la nécessité d'effectuer une aspiration des sécrétions.	 Une hypoxémie non traitée peut entraîner des arythmies cardiaques qui sont parfois mortelles. L'hypercapnie entraîne une élévation de la fréquence et de l'amplitude respiratoires et une augmentation des céphalées. Les sécrétions présentes dans les voies respiratoires diminuent l'efficacité des échanges gazeux.

Étapes préexécutoires communes	Justifications
5. ÉVALUATION Évaluer les facteurs pouvant influer sur le fonctionnement des voies respiratoires, notamment :	
• l'apport hydrique du client ;	Une hydratation trop importante pourrait augmenter le volume plasmatique et entraîner une surcharge pulmonaire chez un client présentant une insuffisance cardiaque, rénale ou pulmonaire. La déshydratation provoque l'épaississement des sécrétions, rendant leur expectoration plus difficile.
• l'humidité ambiante ;	Un environnement humide aide à liquéfier les sécrétions, ce qui facilite leur expectoration. Un environnement sec engendre l'épaississement des sécrétions, rendant leur expectoration plus difficile.
• la présence d'infection ;	L'infection provoque l'épaississement des sécrétions, les rendant souvent difficiles à expectorer.
• l'altération des structures anatomiques.	L'altération des structures anatomiques (p. ex., une cloison nasale déviée, une fracture des os du visage, une tumeur compressive) peut perturber l'élimination naturelle des sécrétions.

Notes personnelles

_____

_____

_____

_____

_____

_____

_____

_____

_____

_____

_____

_____

Section 2

MS 2.1 Mesure du débit expiratoire de pointe (DEP)

Vidéo

BUT

Obtenir une mesure objective de la capacité expiratoire du client.

Détecter toute modification de la capacité expiratoire du client en cas de problème respiratoire aigu.

Vérifier l'efficacité d'un médicament bronchodilatateur.

MATÉRIEL

- Débitmètre de pointe
- Filtre unidirectionnel
- Embout buccal jetable

NOTIONS DE BASE

Le débit expiratoire de pointe (DEP) sert à mesurer de façon objective la vitesse d'évacuation de l'air des poumons.

Il est surtout utilisé pour évaluer le degré d'obstruction bronchique chez les clients souffrant d'asthme ou de maladie pulmonaire obstructive chronique (MPOC).

Il permet au client d'évaluer son état respiratoire à domicile et ainsi de dépister plus rapidement toute détérioration de son état respiratoire ou toute réaction négative à un nouveau traitement.

Il est important d'aviser le client qu'il doit toujours mesurer son DEP à la même heure de la journée afin d'obtenir une valeur de référence fiable.

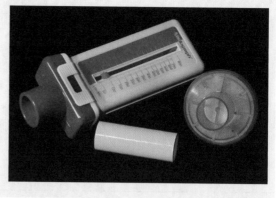

Étapes préexécutoires	Justifications
1. Effectuer les étapes préexécutoires communes décrites au début de cette section (pages 28 et 29).	
2. Demander au client de se tenir debout ou de s'asseoir s'il ne peut tolérer la position debout.	Ces positions facilitent l'expansion pulmonaire tout en permettant une inspiration profonde.

Étapes exécutoires	Justifications
3. Ajointer l'embout buccal jetable dans le filtre et insérer ce dernier dans l'orifice du débitmètre de pointe.	L'utilisation d'un embout buccal et d'un filtre jetables prévient la contamination de l'appareil.

Étapes exécutoires	Justifications

RAPPEL! Le débitmètre de pointe s'utilise avec ou sans filtre, selon qu'il est destiné à un seul ou à plusieurs clients, conformément aux procédures en vigueur dans l'établissement.

4. S'assurer que le curseur du débitmètre est placé au début de la course, soit vis-à-vis du plus petit nombre. 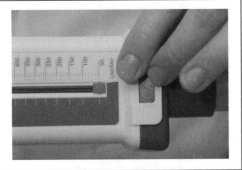	Cette précaution permet de recueillir les données du client avec exactitude.
5. Remettre le débitmètre au client et lui demander de le tenir près de sa bouche en évitant de placer ses doigts sur le curseur et sur les prises d'air.	
6. Demander au client de prendre une profonde inspiration par la bouche et de la maintenir.	Inspirer par la bouche permet d'augmenter l'expansion pulmonaire et d'obtenir ainsi un résultat plus précis.
7. Demander au client de placer l'embout buccal dans sa bouche et de fermer les lèvres autour de celui-ci de façon hermétique. 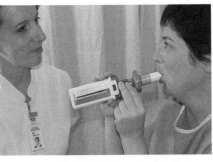	Le lien entre l'appareil et la bouche doit être étanche pour que le résultat soit valable.
8. Demander au client d'expirer en soufflant rapidement, avec force et d'un seul trait.	

RAPPEL! Aviser le client qu'il doit éviter d'expirer par coups saccadés, d'obstruer les prises d'air et d'entraver la course du curseur.

9. Noter la valeur indiquée par le curseur. 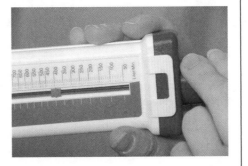	

Étapes exécutoires	Justifications
10. Répéter les étapes 4 à 9 à deux autres reprises.	
Comparer les trois valeurs et consigner la plus élevée ; celle-ci devient la valeur de référence.	Pour que la valeur de référence soit considérée comme fiable, les trois mesures ne doivent pas présenter une variation de plus de 5 % entre elles.
11. Consulter le tableau de référence fourni par le fabricant du débitmètre pour déterminer si la capacité expiratoire du client se situe dans les valeurs normales.	Il existe une gamme variée de débitmètres de pointe sur le marché, mais il n'y a aucune valeur de référence normalisée du DEP.

À chaque utilisation du débitmètre de pointe, il est recommandé de comparer le résultat obtenu à la valeur de référence du client afin de pouvoir évaluer son état respiratoire et l'efficacité du traitement en fonction des indicateurs suivants :

Indicateurs paracliniques d'évaluation du contrôle de l'asthme
(selon les *Principes directeurs du consensus canadien sur l'asthme* en 2003) :

RAPPEL!

Zone verte : de 90 à 100 % de la valeur de référence du client
• Bonne maîtrise de l'asthme
Zone jaune : de 60 à 89 % de la valeur de référence du client
• Début d'un problème respiratoire
Zone rouge : inférieur à 60 % de la valeur de référence du client
• Asthme non contrôlé

Par exemple, si la valeur de référence du client est de 500 L/min et que la valeur prise est de 400 L/min, il faut diviser 400 par 500, puis multiplier le résultat par 100, ce qui équivaut à 80 % de la valeur de référence (zone jaune).

Étapes postexécutoires	Justifications
12. Effectuer les étapes postexécutoires générales décrites au début du guide (pages 3 et 4).	
13. Retirer l'embout buccal et le filtre du débitmètre et les jeter dans un sac à déchets biomédicaux.	Jeter l'embout buccal et le filtre dans un tel sac évite la propagation de microorganismes pathogènes.
14. Nettoyer l'appareil avec une solution désinfectante et le ranger.	Le nettoyage évite la transmission de microorganismes pathogènes.

Éléments à consigner dans les notes d'évolution rédigées par l'infirmière

■ La date, l'heure et les résultats de la prise du DEP.
■ La réaction du client et sa collaboration.
■ Toute réaction anormale ou indésirable survenue pendant la prise du DEP ou à la suite de celle-ci. **Il faut également transmettre cette donnée au médecin traitant et à l'infirmière responsable du client.**

Exemple

2011-05-10   10:30   Respiration à 28/min avec wheezing. SpO$_2$ 93 %. DEP 400 L/min. Valeur de référence du client environ 500 L/min.

MS 2.2

Aspiration des sécrétions par la canule trachéale

 Vidéo

BUT

Dégager les voies respiratoires supérieures des sécrétions que le client est incapable d'éliminer par lui-même.

Favoriser de meilleurs échanges gazeux (oxygénation et ventilation).

NOTIONS DE BASE

L'aspiration mécanique des sécrétions est justifiée pour le client présentant :

- une respiration embarrassée avec incapacité d'expectorer ses sécrétions ;
- des sécrétions obstruant les voies respiratoires et provoquant une détresse respiratoire ;
- une dyspnée accompagnée de crépitants et de cyanose ;
- une baisse de la saturation pulsatile en oxygène (SpO_2).

L'aspiration doit être exécutée au besoin, et non selon un horaire fixe, de façon à en diminuer la fréquence en fonction de l'amélioration de l'état respiratoire du client. Cette technique doit être réalisée rapidement afin d'éviter que le client soit privé d'oxygène pendant trop longtemps.

Il est recommandé de maintenir le degré d'humidité ambiante entre 45 et 55 % afin de favoriser la liquéfaction des sécrétions et leur expectoration.

MATÉRIEL

- Cathéters d'aspiration stériles de taille appropriée :
  - Femme : 14 à 16 Fr
  - Homme : 14 à 16 Fr
  - Enfant
    - 12 ans et plus : 12 à 14 Fr
    - 9 à 11 ans : 8 à 10 Fr
    - 4 à 8 ans : 8 Fr
  - Nourrisson (1 mois) à 3 ans : 5 à 8 Fr
  - Nouveau-né : 5 à 6 Fr
- Tubulure de raccordement

- Appareil d'aspiration portatif ou mural
- Contenant stérile
- Solution de rinçage (NaCl 0,9 % ou eau stérile ; environ 100 ml)
- Gants stériles ou non stériles, selon le protocole de l'établissement
- Blouse, au besoin
- Mouchoirs de papier
- Piqué jetable

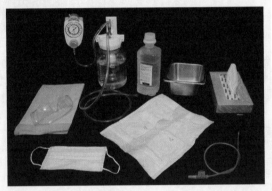

- Visière, ou masque et lunettes de protection

Étapes préexécutoires	Justifications
1. **Effectuer les étapes préexécutoires communes décrites au début de cette section (pages 28 et 29).**	
2. **ÉVALUATION** Évaluer le degré d'obstruction des voies respiratoires du client en procédant à un examen clinique respiratoire.	Cette évaluation permet de déterminer la nécessité de procéder à l'aspiration des sécrétions obstruant les voies respiratoires du client.
Évaluer la capacité du client à expectorer, à tousser et à effectuer des exercices respiratoires.	Le fait que le client puisse expectorer et tousser diminue le besoin d'aspiration. Des aspirations trop fréquentes peuvent prédisposer le client à l'hypoxémie, à l'hypotension, à l'arythmie et à des traumatismes à la muqueuse respiratoire.

Étapes préexécutoires	Justifications
3. Vérifier, au dossier du client, le type de canule trachéale en place et ses particularités (canule interne fenestrée ou non, avec ou sans ballonnet, autre).	Cette vérification permet d'adapter les soins à donner au client selon la canule utilisée.

RAPPEL! L'aspiration des sécrétions peut s'avérer une expérience traumatisante pour le client (manque d'air, sentiment d'étouffement, etc.). Il faut donc l'aviser que cette procédure sera de très courte durée.

Étapes préexécutoires	Justifications
4. Informer le client du déroulement de la procédure. L'aviser que l'aspiration pourrait provoquer un haut-le-cœur et déclencher un réflexe de toux ou une sensation d'étouffement.	Informer le client favorise sa collaboration et le prévient des sensations désagréables ou des malaises qu'il pourrait éprouver.
5. Installer le client en position Fowler ou semi-Fowler, la tête légèrement en extension.	Ces positions facilitent l'insertion du cathéter et favorisent une meilleure expansion pulmonaire.

Étapes exécutoires	Justifications
6. Déposer un piqué jetable sur le thorax du client.	Le piqué évite de souiller les vêtements du client.
7. Mettre une visière, ou un masque et des lunettes de protection. En présence de sécrétions abondantes ou dans le cas d'un client à risque ou en isolement, mettre aussi une blouse.	Ces précautions protègent l'infirmière des éclaboussures de liquides biologiques et des projections de gouttelettes provenant du client.
8. Indiquer la date et l'heure sur la bouteille de solution de rinçage (NaCl 0,9 % ou eau stérile).	La solution est considérée comme stérile seulement pendant les 24 heures suivant son ouverture. Les fabricants recommandent toutefois de jeter la bouteille après une première utilisation.
9. Ouvrir le contenant stérile et la bouteille de solution de rinçage. Déposer le bouchon de la bouteille de solution à l'envers sur une surface propre.	Déposer le bouchon à l'envers en préserve la stérilité.
10. Verser environ 100 ml de solution de rinçage dans le contenant stérile.	La solution de rinçage servira à nettoyer le cathéter d'aspiration.
11. Mettre l'appareil d'aspiration en marche à « Aspiration continue », et régler le niveau de pression de l'appareil selon l'âge du client : a) Adulte : de 100 à 150 mm Hg. b) Enfant : de 100 à 120 mm Hg. c) Nourrisson : de 80 à 100 mm Hg. d) Prématuré : de 60 à 80 mm Hg.	Le réglage de la pression permet d'assurer une aspiration correspondant à l'âge et à l'état du client.

Étapes exécutoires	Justifications

ALERTE CLINIQUE Le réglage du niveau de pression de l'appareil d'aspiration ne doit jamais être fait pendant la procédure afin d'éviter de blesser les muqueuses des voies respiratoires ou de causer tout autre préjudice respiratoire au client.

Étapes exécutoires	Justifications
12. En présence d'oxygénothérapie, consulter l'ordonnance médicale ou le protocole en vigueur afin de vérifier s'il faut augmenter le débit d'oxygène (O$_2$). Retirer l'appareil à oxygène. En l'absence d'oxygénothérapie, demander au client d'inspirer profondément.	Ces mesures réduisent l'hypoxémie consécutive à l'aspiration.
13. Ouvrir l'emballage du cathéter d'aspiration de façon aseptique et laisser le cathéter dans l'enveloppe.	Laisser le cathéter dans son enveloppe en préserve la stérilité.
14. Selon le type de technique, mettre des gants stériles ou non stériles.	La méthode de soins peut être exécutée en suivant une technique stérile ou une technique propre, selon le protocole en vigueur, le type de chirurgie et le client. Le port de gants évite les contacts directs avec les liquides biologiques du client et la transmission de microorganismes pathogènes.

RAPPEL! Une technique stérile est nécessaire en phase postopératoire immédiate, alors qu'une technique propre peut être de mise dans le cas d'un client porteur d'une trachéostomie à long terme.

Étapes exécutoires	Justifications
15. Tout en laissant le cathéter dans l'enveloppe, ajointer l'embout rigide du cathéter à la tubulure de raccordement de l'appareil d'aspiration.	Cette précaution permet de préserver la stérilité du cathéter, plus précisément de l'extrémité qui sera introduite dans la canule.
16. Avec la main dominante, retirer le cathéter de son enveloppe et l'enrouler dans la main dominante en évitant de toucher les 10 derniers centimètres de son extrémité.	Cette mesure permet de tenir plus fermement le cathéter et en préserve la stérilité. Le fait de maintenir stérile l'embout du cathéter prévient la contamination de la canule interne.
17. Placer le pouce de la main non dominante au-dessus de l'orifice de contrôle du cathéter d'aspiration. Vérifier le degré d'aspiration en aspirant un peu de solution de rinçage.	Le pouce ainsi placé agit comme commutateur pour actionner l'aspiration. La main non dominante est alors considérée comme contaminée, car les sécrétions aspirées entrent en contact avec le pouce. Cette mesure permet de vérifier le fonctionnement de l'appareil. Humecter le cathéter facilite son introduction et évite l'adhésion des sécrétions sur sa paroi intérieure pendant l'aspiration.

Étapes exécutoires	Justifications
18. Sans aspirer, introduire le cathéter dans la canule trachéale jusqu'à la rencontre d'une résistance. Retirer alors le cathéter d'environ 1 cm chez l'adulte (0,5 cm chez l'enfant) avant de commencer à aspirer. 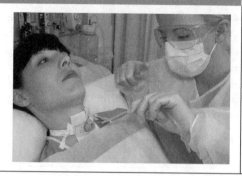	

 Il ne faut jamais procéder à l'aspiration pendant l'insertion du cathéter, car cela augmente le risque de lésions aux muqueuses et peut provoquer une hypoxémie consécutive à l'aspiration de l'O_2 présent dans les voies respiratoires.

Étapes exécutoires	Justifications
19. Aspirer de façon intermittente pendant 10 à 12 secondes (de 5 à 6 secondes chez l'enfant) en retirant lentement le cathéter tout en effectuant un mouvement rotatif avec le pouce et l'index de la main dominante. 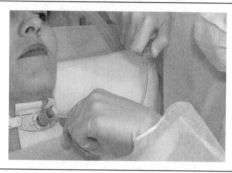	L'aspiration intermittente et le mouvement rotatif du cathéter d'aspiration préviennent les lésions aux muqueuses. Une aspiration de plus de 15 secondes peut causer une hypoxémie et une perte de volume pulmonaire.
20. Aspirer une petite quantité de solution de rinçage.	La solution de rinçage nettoie le cathéter et accroît l'efficacité des aspirations suivantes.
21. Demander au client de respirer profondément et de tousser selon sa capacité.	La respiration profonde permet de vérifier que les voies respiratoires sont bien dégagées. La toux dégage les voies respiratoires des sécrétions qui les obstruent.
22. ÉVALUATION Évaluer le degré de dégagement des voies respiratoires du client.	

 Un client qui tousse beaucoup durant la procédure et qui éprouve de la difficulté à reprendre son souffle doit être considéré comme étant à risque de présenter un bronchospasme. Des mesures préventives doivent alors être mises en place.

Étapes exécutoires	Justifications
23. Si la respiration du client est encore très embarrassée, attendre quelques minutes et répéter la procédure jusqu'à un maximum de trois fois.	L'aspiration doit être effectuée seulement si le client est très incommodé par les sécrétions. On doit éviter d'aspirer inutilement, car cela stimule la production de sécrétions.
24. Disjoindre le cathéter d'aspiration de la tubulure de raccordement, l'enrouler dans le gant et enlever ce dernier en le retournant sur la main. Le jeter dans un sac à déchets biomédicaux.	Jeter le cathéter et le gant dans un tel sac évite la propagation de microorganismes pathogènes.
25. Rincer la tubulure de raccordement en aspirant un peu de solution de rinçage et la ranger sur l'appareil d'aspiration. Fermer l'appareil d'aspiration.	La solution de rinçage nettoie l'intérieur du cathéter.

Étapes exécutoires	Justifications
26. Changer la tubulure de raccordement de l'appareil d'aspiration entre chaque client ou au besoin.	
27. Si le client recevait de l'oxygène avant le traitement, remettre l'oxygénothérapie en fonction.	L'oxygène améliore la qualité respiratoire du client.
28. Jeter le piqué jetable dans un sac à déchets biomédicaux.	Jeter le piqué dans un tel sac évite la propagation de microorganismes pathogènes.
29. Jeter la solution utilisée pour rincer le cathéter dans l'évier ou le lavabo.	Cette solution a été contaminée pendant le rinçage du cathéter par les sécrétions du client.
30. Se défaire du contenant de la solution comme suit : a) Contenant uniservice : le jeter dans un sac à déchets biomédicaux. b) Contenant réutilisable : le rincer et le déposer à l'endroit prévu pour qu'il soit stérilisé.	
31. Retirer l'autre gant, la visière (ou le masque et les lunettes) et la blouse (le cas échéant), et les jeter dans un sac à déchets biomédicaux. Si la blouse est réutilisable, la déposer dans un sac à linge souillé.	Mettre ces articles dans de tels sacs évite la propagation de microorganismes pathogènes.
Étapes postexécutoires	**Justifications**
32. Effectuer les étapes postexécutoires générales décrites au début du guide (pages 3 et 4).	
33. Apporter au chevet du client le matériel stérile requis pour la prochaine aspiration.	Cette précaution permet d'être prêt pour la prochaine intervention et de pouvoir agir rapidement en cas d'urgence.

Éléments à consigner dans les notes d'évolution rédigées par l'infirmière

- L'état respiratoire du client avant et après l'aspiration des sécrétions.
- La date et l'heure d'exécution de la méthode.
- Le type d'aspiration.
- La description des caractéristiques des sécrétions aspirées (aspect, couleur, quantité, consistance et odeur).
- La réaction du client et sa collaboration.
- Toute réaction anormale ou indésirable survenue pendant les soins ou à la suite de ceux-ci. **Il faut également transmettre cette donnée au médecin traitant et à l'infirmière responsable du client.**

Exemple

Client a)   2011-05-10   10:30   *Respiration embarrassée à 28/min. Aspiration des sécrétions par canule trachéale : sécrétions épaisses, verdâtres. Respiration dégagée par la suite.*

Client b)   2011-05-10   14:00   *Crépitants importants aux deux bases pulmonaires – respire à 30/min. Aspiration des sécrétions par tube endotrachéal : sécrétions épaisses, jaunâtres.*

                             15:00   *Respiration embarrassée malgré aspiration faite trois fois en une heure. Crépitants rudes.*

MS 2.3

Prélèvement de sécrétions bronchiques par aspiration

- **Circuit fermé : cathéter de type Steri-Cath^{MD}**
- **Circuit ouvert : cathéter uniservice**

BUT

Obtenir un spécimen de sécrétions bronchiques par aspiration à des fins d'analyse.

NOTIONS DE BASE

Le but de l'analyse des sécrétions bronchiques est de détecter et d'identifier un agent pathogène.

Cette technique exige rigueur et asepsie et doit être réalisée rapidement afin d'éviter que le client soit privé d'oxygène pendant trop longtemps.

Le fait de procéder en circuit fermé réduit le risque de contamination des voies respiratoires et assure la ventilation du client tout en permettant l'aspiration des sécrétions. Il s'agit d'une technique habituellement utilisée chez les clients sous assistance ventilatoire.

MATÉRIEL

- Cathéter de type Steri-Cath^{MD} ou cathéter uniservice de taille appropriée (adulte, enfant, nourrisson)
- Contenant collecteur de type Specimentrap^{MD}
- Tubulure de raccordement
- Appareil d'aspiration portatif ou mural
- Sac biorisque
- Requête d'analyse de laboratoire dûment remplie

- Contenant stérile
- Solution de rinçage (NaCl 0,9 % ou eau stérile ; environ 100 ml)
- Gants stériles ou non stériles, selon le cas
- Blouse, au besoin
- Visière, ou masque et lunettes de protection
- Mouchoirs de papier
- Piqué jetable
- Étiquette d'identification

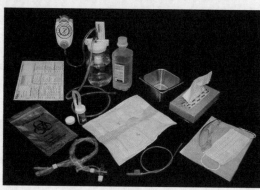

Étapes préexécutoires	Justifications
1. **Effectuer les étapes préexécutoires communes décrites au début de cette section (pages 28 et 29).**	
2. Informer le client du déroulement de la procédure. L'aviser que l'aspiration pourrait provoquer un haut-le-cœur et déclencher un réflexe de toux ou une sensation d'étouffement.	Informer le client favorise sa collaboration et le prévient des sensations désagréables ou des malaises qu'il pourrait éprouver.
3. Installer le client en position Fowler ou semi-Fowler, la tête légèrement en extension.	Ces positions facilitent l'insertion du cathéter et favorisent le drainage des sécrétions.

Étapes exécutoires	Justifications
4. Déposer un piqué jetable sur le thorax du client.	Le piqué évite de souiller les vêtements du client.
5. Indiquer la date et l'heure sur la bouteille de solution de rinçage (NaCl 0,9 % ou eau stérile).	La solution est considérée comme stérile seulement pendant les 24 heures suivant son ouverture. Les fabricants recommandent toutefois de jeter la bouteille après une première utilisation.
6. Ouvrir le contenant stérile et la bouteille de solution de rinçage. Déposer le bouchon de la bouteille de solution à l'envers sur une surface propre.	Déposer le bouchon à l'envers en préserve la stérilité.
7. Verser environ 100 ml de solution de rinçage dans le contenant stérile.	La solution de rinçage servira à nettoyer le cathéter d'aspiration.
8. Mettre l'appareil d'aspiration en marche à « Aspiration continue », et régler le niveau de pression de l'appareil selon l'âge du client : a) Adulte : de 100 à 150 mm Hg. b) Enfant : de 100 à 120 mm Hg. c) Nourrisson : de 80 à 100 mm Hg. d) Prématuré : de 60 à 80 mm Hg.	Le réglage de la pression permet d'assurer une aspiration correspondant à l'âge et à l'état du client.

ALERTE CLINIQUE Le réglage du niveau de pression de l'appareil d'aspiration ne doit jamais être fait pendant la procédure afin d'éviter de blesser les muqueuses des voies respiratoires ou de causer tout autre préjudice respiratoire au client.

Étapes exécutoires	Justifications
9. Mettre une visière, ou un masque et des lunettes de protection. En présence de sécrétions abondantes ou dans le cas d'un client à risque ou en isolement, mettre aussi une blouse.	Ces précautions protègent l'infirmière des éclaboussures de liquides biologiques et des projections de gouttelettes provenant du client.
10. Effectuer l'étape 11 ou 12, selon le cas. ▶ 11. Prélever des sécrétions bronchiques en circuit fermé à l'aide d'un cathéter de type Steri-Cath^MD. ▶ 12. Prélever des sécrétions bronchiques en circuit ouvert à l'aide d'un cathéter uniservice.	
11. Prélever des sécrétions bronchiques en circuit fermé à l'aide d'un cathéter de type Steri-Cath^MD.	
11.1 Mettre des gants non stériles.	Le port de gants évite les contacts directs avec les liquides biologiques du client et la transmission de microorganismes pathogènes.
11.2 Ouvrir l'emballage du cathéter d'aspiration de façon aseptique et laisser le cathéter dans l'enveloppe.	Laisser le cathéter dans son enveloppe en préserve la stérilité.

Étapes exécutoires	Justifications
11.3 Retirer le contenant collecteur de son enveloppe et y apposer une étiquette d'identification dûment remplie : nom, prénom et numéro de dossier du client, date et heure de l'aspiration, vos initiales.	L'échantillon recueilli doit être clairement étiqueté afin d'éviter les erreurs liées à une mauvaise identification du prélèvement.
11.4 Resserrer le couvercle afin d'assurer l'étanchéité du contenant.	L'étanchéité du contenant assure une aspiration adéquate.
11.5 Ajointer l'embout distal du cathéter de type Steri-Cath^{MD} au contenant collecteur. Adapter le contenant collecteur à la tubulure de raccordement de l'appareil d'aspiration.	
11.6 Vérifier le niveau d'aspiration indiqué sur le cadran de l'appareil d'aspiration.	L'aspiration est en fonction dès le raccordement du contenant collecteur à la tubulure de l'appareil d'aspiration.
11.7 Avec la main dominante, saisir l'extrémité en T du cathéter et l'adapter à la trachéostomie.	
11.8 Sans aspirer, introduire le cathéter dans la canule trachéale jusqu'à la rencontre d'une résistance. Retirer alors le cathéter d'environ 1 cm chez l'adulte (0,5 cm chez l'enfant) avant de commencer à aspirer.	

⚠ **ALERTE CLINIQUE** Il ne faut jamais procéder à l'aspiration pendant l'insertion du cathéter, car cela augmente le risque de lésions aux muqueuses et peut provoquer une hypoxémie consécutive à l'aspiration de l'O_2 présent dans les voies respiratoires.

| --- | --- |
11.9 Aspirer de façon intermittente pendant 10 à 12 secondes (de 5 à 6 secondes chez l'enfant) en retirant lentement le cathéter tout en effectuant un mouvement rotatif avec le pouce et l'index de la main dominante. Aspirer environ 5 ml de sécrétions.	L'aspiration intermittente et le mouvement rotatif du cathéter d'aspiration préviennent les lésions aux muqueuses. Une aspiration de plus de 15 secondes peut causer une hypoxémie et une perte de volume pulmonaire.
11.10 Disjoindre le cathéter de l'extrémité en caoutchouc du contenant collecteur. Retirer la tubulure de l'appareil d'aspiration de l'extrémité rigide du contenant collecteur.	
11.11 Fermer le contenant collecteur en repliant l'extrémité de caoutchouc sur l'extrémité rigide. Passer à l'étape 13.	Sceller le contenant évite que les sécrétions recueillies contaminent l'environnement ou soient contaminées par les microorganismes pathogènes présents dans l'air ambiant pendant le transport.
12. Prélever des sécrétions bronchiques en circuit ouvert à l'aide d'un cathéter uniservice.	
12.1 Retirer le contenant collecteur de son enveloppe et y apposer une étiquette d'identification dûment remplie : nom, prénom et numéro de dossier du client, date et heure de l'aspiration, vos initiales.	L'échantillon recueilli doit être clairement étiqueté afin d'éviter les erreurs liées à une mauvaise identification du prélèvement.
12.2 Resserrer le couvercle afin d'assurer l'étanchéité du contenant.	L'étanchéité du contenant assure une aspiration adéquate.
12.3 Ouvrir l'emballage du cathéter d'aspiration de façon aseptique et ajointer l'extrémité distale du cathéter au tube de caoutchouc du contenant collecteur sans le contaminer.	Une asepsie rigoureuse est requise pendant cette manipulation afin d'éviter que le spécimen recueilli soit contaminé par des microorganismes pathogènes provenant de l'environnement.
12.4 Ajointer la tubulure de l'appareil d'aspiration à l'extrémité rigide du contenant collecteur sans le contaminer.	
12.5 Mettre des gants stériles.	Le port de gants stériles permet de manipuler le matériel stérile sans le contaminer.

Étapes exécutoires	Justifications
12.6 Avec la main dominante, retirer le cathéter de son enveloppe et l'enrouler dans la main dominante en évitant de toucher les 10 derniers centimètres de son extrémité.	Cette mesure permet de tenir plus fermement le cathéter et en préserve la stérilité. Le fait de maintenir stérile l'embout du cathéter prévient la contamination de la canule interne.
12.7 Placer le pouce de la main non dominante au-dessus de l'orifice de contrôle du cathéter d'aspiration.	Le pouce ainsi placé agit comme commutateur pour actionner l'aspiration. La main non dominante est alors considérée comme contaminée, car les sécrétions aspirées entrent en contact avec le pouce.
Vérifier le degré d'aspiration en aspirant un peu de solution de rinçage.	Cette mesure permet de vérifier le fonctionnement de l'appareil. Humecter le cathéter facilite son introduction et évite l'adhésion des sécrétions sur sa paroi intérieure pendant l'aspiration.
12.8 Sans aspirer, introduire le cathéter dans la canule trachéale jusqu'à la rencontre d'une résistance. Retirer alors le cathéter d'environ 1 cm chez l'adulte (0,5 cm chez l'enfant) avant de commencer à aspirer. 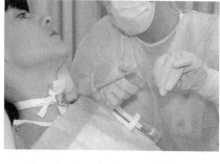	

 Il ne faut jamais procéder à l'aspiration pendant l'insertion du cathéter, car cela augmente le risque de lésions aux muqueuses et peut provoquer une hypoxémie consécutive à l'aspiration de l'O_2 présent dans les voies respiratoires.

Étapes exécutoires	Justifications
12.9 Aspirer de façon intermittente pendant 10 à 12 secondes (de 5 à 6 secondes chez l'enfant) en retirant lentement le cathéter tout en effectuant un mouvement rotatif avec le pouce et l'index de la main dominante. Aspirer environ 5 ml de sécrétions. 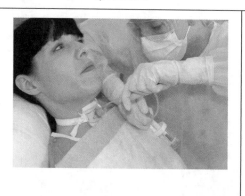	L'aspiration intermittente et le mouvement rotatif du cathéter d'aspiration préviennent les lésions aux muqueuses. Une aspiration de plus de 15 secondes peut causer une hypoxémie et une perte de volume pulmonaire.
12.10 Disjoindre le cathéter de l'extrémité en caoutchouc du contenant collecteur et le jeter dans un sac à déchets biomédicaux.	Jeter le cathéter dans un tel sac évite la contamination de l'environnement par des microorganismes pathogènes pouvant provenir des sécrétions du client.

Étapes exécutoires	Justifications
12.11 Retirer la tubulure de l'appareil d'aspiration de l'extrémité rigide du contenant collecteur. Fermer le contenant collecteur en repliant l'extrémité de caoutchouc sur l'extrémité rigide.	Sceller le contenant évite que les sécrétions recueillies contaminent l'environnement ou soient contaminées par les microorganismes pathogènes présents dans l'air ambiant pendant le transport.

⚠ **ALERTE CLINIQUE** Dans le cas d'un prélèvement pour un examen cytologique, il importe d'ajouter un liquide de conservation au spécimen. Ce liquide est disponible au laboratoire, sur demande.

Étapes exécutoires	Justifications
13. Déposer dans le sac biorisque le contenant et la requête d'analyse de laboratoire dûment remplie sur laquelle il faut indiquer si le client prend des antibiotiques (type, classe et posologie).	Le fait d'acheminer le spécimen dans un tel sac évite toute contamination résultant d'un bris ou d'une ouverture accidentelle du contenant.
14. Rincer la tubulure de raccordement en aspirant un peu de solution de rinçage et la ranger sur l'appareil d'aspiration.	La solution de rinçage nettoie l'intérieur du cathéter.
15. Changer la tubulure de raccordement de l'appareil d'aspiration entre chaque client ou au besoin.	
16. Jeter le piqué jetable dans un sac à déchets biomédicaux.	Jeter le piqué dans un tel sac évite la propagation de microorganismes pathogènes.
17. Jeter la solution utilisée pour rincer le cathéter dans l'évier ou le lavabo.	Cette solution a été contaminée pendant le rinçage du cathéter par les sécrétions du client.
18. Se défaire du contenant de la solution comme suit : a) Contenant uniservice : le jeter dans un sac à déchets biomédicaux. b) Contenant réutilisable : le rincer et le déposer à l'endroit prévu pour qu'il soit stérilisé.	
19. Retirer les gants, la visière (ou le masque et les lunettes) et la blouse (le cas échéant), et les jeter dans un sac à déchets biomédicaux. Si la blouse est réutilisable, la déposer dans un sac à linge souillé.	Mettre ces articles dans de tels sacs évite la propagation de microorganismes pathogènes.
Étapes postexécutoires	**Justifications**
20. Effectuer les étapes postexécutoires générales décrites au début du guide (pages 3 et 4).	
21. Acheminer le plus tôt possible au laboratoire le spécimen correctement étiqueté et la requête dûment remplie.	Les cultures bactériennes doivent être faites le plus rapidement possible afin d'éviter que des microorganismes se développent. Si le contenant est conservé à température ambiante trop longtemps, les résultats des analyses peuvent être faussés.

📁 Éléments à consigner dans les notes d'évolution rédigées par l'infirmière

- La date et l'heure d'exécution de la méthode.
- Les caractéristiques du spécimen recueilli (couleur, consistance, odeur, aspect).
- L'état respiratoire du client.
- La réaction du client et sa collaboration.
- Toute réaction anormale ou indésirable survenue pendant le prélèvement ou à la suite de celui-ci. **Il faut également transmettre cette donnée au médecin traitant et à l'infirmière responsable du client.**

Exemple

2011-05-15   09:00   Sécrétions bronchiques recueillies par aspiration pour culture et recherche de BAAR. Sécrétions épaisses et verdâtres. Toux grasse non productive, resp. à 28/min.

Notes personnelles

_____

_____

_____

_____

_____

_____

_____

_____

_____

_____

_____

_____

_____

_____

_____

_____

_____

_____

_____

_____

_____

_____

_____

_____

_____

Soins de la trachéostomie

- **Nettoyage de la canule réutilisable et changement de la canule uniservice**
- **Réfection du pansement et changement du cordon**

BUT

Prévenir l'infection de la trachéostomie et des voies respiratoires.

Dégager la canule interne des sécrétions qui l'obstruent.

Préserver l'intégrité de la peau péristomiale.

NOTIONS DE BASE

Généralement, les soins de trachéostomie sont effectués toutes les huit heures. Ils doivent également être prodigués au besoin au client présentant des sécrétions bronchiques abondantes et épaisses.

Il s'agit d'une technique qui exige l'utilisation de matériel stérile et le respect rigoureux des principes d'asepsie.

MATÉRIEL

- Plateau de soins de trachéostomie ou champ stérile et:
  - deux contenants stériles
  - tiges montées stériles, brosse à canule, ciseaux stériles, pinces stériles
- Compresses de gaze stériles 10 × 10 cm
- Compresses à drain stériles
- Cordons de trachéostomie
- Solution de NaCl 0,9 % (250 ml)

- Peroxyde d'hydrogène
- Gants stériles et non stériles
- Visière, ou masque et lunettes de protection, au besoin
- Blouse, au besoin
- Sac à déchets biomédicaux
- Canule réutilisable ou uniservice
- Piqué jetable
- Mouchoirs de papier
- Sac à déchets

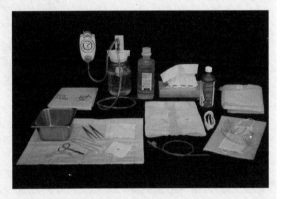

Étapes préexécutoires	Justifications
1. **Effectuer les étapes préexécutoires communes décrites au début de cette section (pages 28 et 29).**	
2. **ÉVALUATION** Évaluer le besoin d'effectuer les soins de trachéostomie en observant soit: • la présence d'un excès de sécrétions au pourtour de la stomie ou dans la canule trachéale; • un pansement trachéal souillé de sécrétions ou humide; • la présence de signes d'obstruction de la canule ou des voies respiratoires.	La présence d'humidité ou de sécrétions au site de la stomie favorise la propagation de microorganismes pathogènes. Le risque de transmission d'infection à l'arbre bronchique et aux poumons est de ce fait augmenté.
3. **ÉVALUATION** Évaluer la capacité du client à expectorer, à tousser et à effectuer des exercices respiratoires.	Le fait que le client puisse expectorer et tousser diminue le besoin d'aspiration. Des aspirations trop fréquentes peuvent prédisposer le client à l'hypoxémie, à l'hypotension, à l'arythmie et à des traumatismes à la muqueuse respiratoire.

Étapes préexécutoires	Justifications
4. Vérifier, au dossier du client, la date et l'heure des derniers soins de trachéostomie.	Les soins de trachéostomie se font au minimum une fois toutes les huit heures ou en présence de sécrétions abondantes, d'un embarras respiratoire ou d'une infection des voies respiratoires supérieures.
5. Informer le client du déroulement de la procédure. L'aviser que l'aspiration pourrait provoquer un haut-le-cœur et déclencher un réflexe de toux ou une sensation d'étouffement.	Informer le client favorise sa collaboration et le prévient des sensations désagréables ou des malaises qu'il pourrait éprouver.
6. Installer le client en position Fowler ou semi-Fowler, la tête légèrement en extension.	Ces positions facilitent le retrait et la réinsertion de la canule interne.
7. Dans le cas d'un client agité ou manifestant de l'insécurité, demander l'assistance d'une autre infirmière ou d'un membre de la famille.	La présence d'une autre personne peut rassurer le client et favoriser sa collaboration.

Étapes exécutoires	Justifications
8. Au besoin, aspirer les sécrétions buccales et bronchiques avant d'exécuter la procédure ▶ **MS 2.2** .	Aspirer les sécrétions facilite la respiration du client pendant l'exécution de la procédure.
9. Déposer un piqué jetable sur le thorax du client.	Le piqué évite de souiller les vêtements du client.
10. Mettre une visière, ou un masque et des lunettes de protection. En présence de sécrétions abondantes ou dans le cas d'un client à risque ou en isolement, mettre aussi une blouse.	Ces précautions protègent l'infirmière des éclaboussures de liquides biologiques et des projections de gouttelettes provenant du client.
11. Fixer le sac à déchets à un endroit permettant un accès sans risque de contaminer le matériel stérile.	La proximité du sac permet de jeter le matériel souillé sans contaminer l'environnement de travail.
12. Ouvrir le plateau de soins de trachéostomie de façon stérile ou déposer le champ stérile sur la table et y ajouter le matériel stérile, y compris la nouvelle canule uniservice, le cas échéant.	Cette précaution assure la stérilité du matériel.
13. En présence d'oxygénothérapie, consulter l'ordonnance médicale ou le protocole en vigueur afin de vérifier s'il faut augmenter le débit d'oxygène (O_2). Retirer l'appareil à oxygène. En l'absence d'oxygénothérapie, demander au client d'inspirer profondément.	Ces mesures réduisent l'hypoxémie consécutive à l'aspiration.

Étapes exécutoires	Justifications
14. Selon le type de canule utilisé, procéder comme suit : a) Canule réutilisable : verser du peroxyde d'hydrogène dans un contenant stérile et la solution de NaCl 0,9 % dans l'autre. b) Canule uniservice : verser la solution de NaCl 0,9 % dans un contenant.	Le peroxyde permet d'émulsifier les sécrétions collées sur la canule interne, tandis que la solution de NaCl 0,9 % sert à rincer la canule.

ALERTE CLINIQUE Dans les établissements de santé, il est recommandé d'utiliser les canules uniservices afin d'éviter l'introduction de microorganismes pathogènes dans les voies respiratoires.

RAPPEL! La date et l'heure d'ouverture doivent être indiquées sur la bouteille de solution de NaCl 0,9 %. La solution est considérée comme stérile seulement pendant les 24 heures suivant son ouverture. Les fabricants recommandent toutefois de jeter la bouteille après une première utilisation.

15. Selon le type de technique, mettre des gants stériles ou non stériles.	La méthode de soins peut être exécutée en suivant une technique stérile ou une technique propre, selon le protocole en vigueur, le type de chirurgie et le client. Le port de gants évite les contacts directs avec les liquides biologiques du client et la transmission de microorganismes pathogènes.
16. Demander au client d'inspirer profondément.	Cette mesure réduit l'hypoxémie consécutive à la procédure.
17. Avec la main dominante, enlever la canule interne en la tirant doucement vers le bas, dans le sens de sa courbure, tout en maintenant la canule externe de l'autre main. Effectuer ce geste d'un seul coup. 	Cette façon de procéder facilite le retrait de la canule interne et diminue le réflexe de toux.
18. Selon le type de canule utilisé, procéder comme suit : a) Canule réutilisable : déposer la canule dans le contenant de peroxyde et la laisser tremper de deux à trois minutes. b) Canule uniservice : jeter la canule dans le sac à déchets.	Le trempage facilite la dissolution des sécrétions qui ont adhéré à la paroi de la canule interne. Jeter la canule uniservice dans un tel sac évite la propagation de microorganismes pathogènes.

Étapes exécutoires	Justifications
19. Retirer la compresse à drain souillée qui se trouve autour de la trachéostomie. Évaluer la nature des sécrétions qu'elle contient et la jeter dans le sac à déchets.	Jeter la compresse dans un tel sac évite la propagation de microorganismes pathogènes.
20. Retirer les gants et mettre des gants stériles. Selon le type de canule utilisé, passer à l'étape 21 (canule réutilisable) ou 23 (canule uniservice).	Le port de gants stériles permet de manipuler le matériel stérile sans le contaminer.
21. Si la canule est réutilisable, procéder comme suit : • Dans le contenant de peroxyde, brosser l'intérieur et l'extérieur de la canule réutilisable avec la brosse à canule. • Bien la rincer dans le contenant de solution de NaCl 0,9 %. • La sécher à l'aide d'une compresse stérile. • La secouer légèrement pour enlever l'excédent de liquide et la déposer sur une surface stérile.	Le brossage de la canule déloge les sécrétions qui s'y trouvent. Une fois nettoyée, la canule interne sera réinsérée dans la canule externe. Sécher la canule diminue le risque de toux au moment de sa réinsertion.
22. Nettoyer le pourtour de la stomie avec une tige montée légèrement imbibée de solution de NaCl 0,9 % selon un mouvement circulaire, en allant de la stomie vers l'extérieur. Jeter la tige montée dans le sac à déchets. Sécher la peau avec une compresse stérile.	Le nettoyage déloge les sécrétions adhérant au pourtour de la stomie. Jeter la tige dans un tel sac évite la propagation de microorganismes pathogènes.
23. Nettoyer l'intérieur de la canule externe à l'aide de tiges montées imbibées de NaCl 0,9 %.	Ce nettoyage permet de déloger les sécrétions qui s'y trouvent.
24. Replacer la canule réutilisable nettoyée ou une nouvelle canule uniservice dans la canule externe en la poussant dans le sens de sa courbure. S'assurer que la canule est bien verrouillée.	Pousser la canule dans le sens de sa courbure en facilite l'insertion sécuritaire. Bien verrouiller la canule évite toute expulsion accidentelle.
25. ÉVALUATION Évaluer l'état de la peau péristomiale : rougeur, œdème, macération, plaie, etc.	Cette évaluation permet de prévenir l'apparition de plaie ou d'infection.

Étapes exécutoires	Justifications
26. Mettre une nouvelle compresse à drain sous la canule externe en dirigeant la partie ouverte vers le menton du client.	La compresse absorbe les sécrétions, ce qui protège la peau péristomiale.
27. Demander au client de tousser. En présence de sécrétions, procéder à une autre aspiration ▶ MS 2.2 .	La toux permet de vérifier la présence de sécrétions.
28. Mesurer deux longueurs de cordon, chacune équivalant à la circonférence du cou du client. Les couper à l'aide de ciseaux stériles.	

⚠ **ALERTE CLINIQUE** On ne doit jamais retirer l'ancien cordon avant d'avoir mis en place et fixé le nouveau cordon. Cela prévient l'expulsion accidentelle de la canule de trachéostomie si le client tousse ou se déplace.

29. À l'aide des ciseaux stériles, faire une incision dans une des extrémités préalablement repliées de chaque cordon.	Cette incision servira de fiche d'insertion permettant d'attacher les cordons à la collerette de la canule externe.
30. Insérer la partie non incisée du premier cordon dans la fente de la collerette de la canule. La glisser sous celle-ci et la tirer. 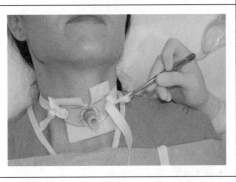	
31. Passer le cordon dans l'incision et le tirer jusqu'à ce qu'il soit solidement attaché à la collerette de la canule externe. 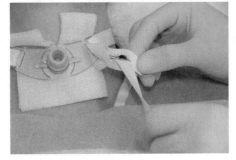	Le cordon ainsi attaché à la canule demeure en place sans créer de point de pression sur la peau au pourtour de la stomie.
32. Répéter les étapes 30 et 31 pour l'autre cordon.	

Étapes exécutoires	Justifications
33. Attacher les deux cordons sur le côté droit ou gauche du cou au moyen d'un nœud plat.	Cette façon de procéder évite de créer un point de pression à la base de la nuque.
	Un nœud plat crée une attache sécuritaire qui ne peut se défaire par elle-même, mais pouvant facilement être dénouée en cas d'urgence.
Laisser un espace de l'épaisseur d'un doigt entre les cordons et le cou du client.	Laisser un tel espace évite une traction sur la canule et une sensation d'étouffement chez le client.

ALERTE CLINIQUE Un cordon attaché de façon trop lâche favorise le frottement de la canule externe contre la trachée et entraîne à la longue une nécrose tissulaire.

Étapes exécutoires	Justifications
34. Laisser pendre de 2,5 à 5 cm de cordon. Couper le surplus.	
35. Couper l'ancien cordon, le retirer et le jeter dans le sac à déchets.	Jeter le cordon dans un tel sac évite la propagation de microorganismes pathogènes.
36. Retirer les gants, la visière (ou le masque et les lunettes) et la blouse (le cas échéant), et les jeter dans le sac à déchets. Jeter ce sac dans le sac à déchets biomédicaux. Si la blouse est réutilisable, la déposer dans un sac à linge souillé.	Mettre ces articles dans de tels sacs évite la propagation de microorganismes pathogènes.

Étapes postexécutoires	Justifications
37. Effectuer les étapes postexécutoires générales décrites au début du guide (pages 3 et 4).	

Éléments à consigner dans les notes d'évolution rédigées par l'infirmière

■ La date et l'heure d'exécution de la méthode.
■ Les caractéristiques des sécrétions présentes dans la stomie et sur les compresses (couleur, consistance, odeur).
■ L'état respiratoire du client.
■ L'état de la peau péristomiale.
■ La réaction du client et sa collaboration.
■ Toute réaction anormale ou indésirable survenue pendant les soins ou à la suite de ceux-ci. **Il faut également transmettre cette donnée au médecin traitant et à l'infirmière responsable du client.**

Exemple

Client a) 2011-05-10 10:00 Aspiration des sécrétions bronchiques : sécrétions muqueuses verdâtres. Canule interne de trachéostomie nettoyée et changement de pansement fait. Visage crispé pendant les soins.
Client b) 2011-05-10 14:00 Soins de trachéostomie faits. Peau péristomiale rosée. Aucune sécrétion. Respire librement.

MS 2.5

Changement et surveillance de l'appareil de drainage pleural de type Pleur-Evac^MD

Vidéo

BUT

Drainer les liquides ou l'air de la cavité pleurale.

Assurer la continuité et l'efficacité du drainage libre ou par aspiration de la cavité pleurale.

Restaurer et maintenir la fonction pulmonaire en facilitant la reprise d'expansion du poumon.

NOTIONS DE BASE

Une ordonnance médicale est requise pour procéder au changement de l'appareil de drainage stérile uniservice.

Cette méthode de soins exige donc une asepsie rigoureuse.

Une évaluation régulière de l'état général du client et de son état respiratoire ainsi que la mise à jour du plan thérapeutique infirmier (PTI) sont importantes afin d'assurer un suivi adéquat et de prévenir certaines complications. La surveillance de l'appareil devrait être faite toutes les heures ou selon l'ordonnance médicale.

L'appareil de drainage peut être laissé en place pendant une période maximale d'un mois. Il doit être changé après cette période ou lorsque la chambre de recueil a atteint le seuil maximal recommandé par le fabricant.

MATÉRIEL

- Appareil d'aspiration portatif ou mural
- Seringue de 20 ml avec aiguille de calibre 20 (2,5 cm)
- Deux fioles d'eau stérile (10 ml)
- Ciseaux stériles
- Appareil de drainage pleural stérile de type Pleur-Evac^MD
- Ruban adhésif en tissu (2,5 cm)

- Gants non stériles
- Deux pinces hémostatiques
- Pansement adhésif extensible (p. ex., Hypafix^MD ou Mefix^MD)
- Compresse de gaze stérile 10 × 10 cm
- Dispositif de stabilisation (p. ex., Grip-Lok^MD)
- Piqué jetable, au besoin

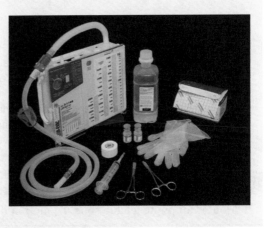

Étapes préexécutoires	Justifications
1. **Effectuer les étapes préexécutoires communes décrites au début de cette section (pages 28 et 29).**	
2. Vérifier l'ordonnance médicale au dossier du client.	L'ordonnance indique si l'appareil doit fonctionner par gravité ou par aspiration ; le degré d'aspiration doit être précisé.
3. **ÉVALUATION** Vérifier si le client ressent de la douleur. Le cas échéant, lui administrer un analgésique conformément à l'ordonnance médicale, et ce, 30 minutes avant le changement de l'appareil.	L'administration d'un analgésique doit se faire suffisamment tôt afin qu'il fasse effet au moment de la procédure. Le soulagement de la douleur du client améliore son confort et sa collaboration aux soins.

Étapes préexécutoires		Justifications
4. Installer confortablement le client en position de décubitus latéral du côté opposé au drain. Mettre la tête du lit à plat ou à 30°, selon la tolérance du client.	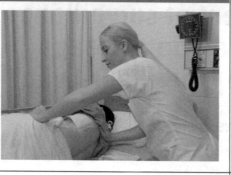	Cette position favorise l'expansion pulmonaire chez le client et permet d'accéder plus facilement au pansement et au tube de drainage.
5. Découvrir uniquement la région du corps où se trouve le pansement.		Cette façon de faire permet de respecter l'intimité du client.
6. **ÉVALUATION** Évaluer la présence d'emphysème sous-cutané au pourtour du drain. Le cas échéant, en aviser le médecin.		L'emphysème sous-cutané est causé par la présence d'air dans le tissu sous-cutané au pourtour du drain, laquelle est consécutive à une fuite provenant du drain ou du poumon. Il est reconnaissable au bruit de crépitation produit lorsqu'on exerce une pression sur la peau avec les doigts.

RAPPEL!

Il faut avoir en tout temps au chevet du client le matériel ci-dessous en cas de retrait accidentel du drain ou de fuite de ce dernier :

- coussinet stérile ;
- vaseline et abaisse-langue stérile ;
- pansement adhésif extensible (Hypafix^MD ou Mefix^MD) ;
- deux pinces hémostatiques ;
- bouteille de solution de NaCl 0,9 % ou d'eau stérile.

Étapes exécutoires	Justifications
7. Ajouter un piqué jetable sous la jonction du drain, au besoin.	
8. Sortir le nouvel appareil de drainage de son emballage tout en en préservant la stérilité. Retirer le clamp bleu.	La stérilité et l'asepsie doivent être rigoureusement respectées afin d'éviter que des microorganismes pathogènes pénètrent dans la cavité pleurale.

ALERTE CLINIQUE À moins d'indication contraire, il est recommandé de retirer le clamp bleu de l'appareil de drainage avant son installation afin de prévenir l'apparition d'un pneumothorax sous tension en cas de fermeture accidentelle de celui-ci.

9. Préparer une seringue contenant 20 ml d'eau stérile ou utiliser la fiole d'eau stérile fournie avec l'appareil.	

Étapes exécutoires	Justifications
10. Injecter l'eau stérile dans le site d'injection sans aiguille de l'appareil. Le niveau d'eau doit atteindre la ligne pointillée de l'indicateur de fuites d'air (*Air Leak Meter*). 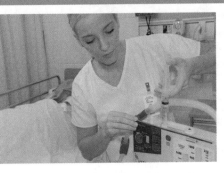	L'indicateur de fuites d'air renseigne sur l'importance de la fuite d'air dans la cavité intrapleurale en permettant d'observer l'apparition de bulles d'air dans les différentes colonnes de l'indicateur. L'apparition de bulles dans la colonne 1 indique une fuite d'air minime ; la présence de bulles dans la colonne 7 signifie que la fuite d'air est importante.

 Le liquide dans l'indicateur de fuites d'air doit toujours être maintenu au niveau de la ligne pointillée. Ce liquide joue le rôle de joint hydraulique. Il permet à l'air de s'échapper de l'espace pleural à l'expiration, et prévient l'entrée d'air dans la cavité pleurale et le médiastin à l'inspiration.

11. Fixer l'appareil de drainage à la base du lit du client en évitant qu'il touche au sol.	L'appareil de drainage doit toujours être maintenu à la verticale et à un niveau plus bas que celui du thorax du client, afin d'éviter le retour du liquide drainé dans la cavité pleurale.
12. Mettre des gants non stériles.	Le port de gants évite les contacts directs avec les liquides biologiques du client et la transmission de microorganismes pathogènes.
13. Dans le cas d'un drainage par aspiration, débrancher le tube de raccordement de l'appareil d'aspiration du site de raccord de l'appareil de drainage Pleur-Evac^{MD}.	

 Dans le cas d'un drainage libre, il ne faut jamais appuyer sur la soupape manuelle de sécurité qui contrôle la pression négative, car cela risquerait de provoquer ou d'aggraver un pneumothorax.

14. Clamper le drain au moyen des deux pinces hémostatiques. 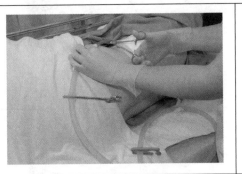	

 Il faut procéder sans attendre aux prochaines étapes de façon à maintenir le drain clampé le moins longtemps possible, ce qui prévient l'apparition d'un pneumothorax ou son aggravation.

15. Retirer le ruban adhésif recouvrant la jonction du drain et du tube collecteur.	

16. Disjoindre le tube collecteur du drain et retirer l'ancien appareil de drainage.

17. Raccorder de façon stérile le drain au tube collecteur du nouvel appareil de drainage.

Retirer les deux pinces hémostatiques.

La stérilité et l'asepsie doivent être rigoureuses afin d'éviter la contamination de l'appareil de drainage par des microorganismes pathogènes.

Cette mesure permet la reprise du drainage et prévient l'apparition d'un pneumothorax sous tension.

18. Vérifier la reprise de l'oscillation du liquide dans la tubulure et dans l'indicateur de fuites d'air pendant la respiration.

En l'absence d'oscillation, vérifier si la tubulure est coudée ou obstruée.

Une oscillation du liquide dans la tubulure et dans l'indicateur de fuites d'air est présente en début de traitement. Par la suite, l'oscillation diminue à mesure que le poumon reprend son expansion originale et que l'espace intrapleural se remplit à nouveau.

19. Solidifier la jonction du drain et du tube collecteur à l'aide d'une bande de ruban adhésif en tissu.

Cette précaution permet de maintenir l'étanchéité du raccord en prévenant les fuites d'air.

Cela évite également un débranchement accidentel en cas de traction sur la tubulure de drainage.

20. Dans le cas d'un drainage par aspiration, remettre l'appareil en marche ; sinon, laisser le drainage se faire par gravité.

21. Au besoin, fixer le drain à la peau du client selon une des méthodes suivantes :

a) Placer une compresse roulée sous le drain et fixer celui-ci avec un pansement adhésif extensible (Hypafix^MD ou Mefix^MD).

Fixer le drain à la peau empêche qu'il se déplace et que des agents infectieux pénètrent dans le site d'insertion.

Le fait de placer une compresse sous le drain évite d'exercer une trop grande traction sur celui-ci.

Étapes exécutoires	Justifications
b) Utiliser un dispositif de stabilisation (p. ex., Grip-Lok^{MD}) pour fixer le drain à la peau. 	

 **ALERTE CLINIQUE** Afin d'assurer le maximum d'efficacité de l'appareil, le tube collecteur ne doit en aucun cas faire de boucle, être coudé ou subir de pression.

22. Jeter l'ancien appareil de drainage dans un sac à déchets biomédicaux.	Jeter le matériel souillé dans un tel sac évite la propagation de microorganismes pathogènes.
23. Retirer les gants et les jeter dans le sac à déchets biomédicaux.	Jeter les gants dans un tel sac évite la propagation de microorganismes pathogènes.

RAPPEL! Toute modification du degré d'aspiration nécessite une ordonnance médicale.

ALERTE CLINIQUE En cas de retrait accidentel du drain du client, appliquer immédiatement un pansement en procédant comme suit: déposer de la vaseline sur une compresse de gaze stérile, appliquer la compresse sur le site d'insertion du drain et mettre un pansement adhésif extensible (Hypafix^{MD} ou Mefix^{MD}) sur trois des quatre côtés de la compresse (ce qui permet à l'air de s'échapper par le côté non fixé). Aviser immédiatement le médecin traitant pour qu'il procède à la réinsertion d'un nouveau drain.

Si le drain se débranche accidentellement de l'appareil de drainage, s'assurer que le client est en position Fowler ou semi-Fowler et rebrancher un nouveau système le plus rapidement possible. Si, pendant ce temps, le client manifeste de l'inconfort, immerger l'extrémité (de 2 à 4 cm) dans une bouteille d'eau stérile ou de solution de NaCl 0,9 %. Maintenir la bouteille à un niveau inférieur à celui du site d'insertion afin d'éviter que l'eau, la solution de NaCl 0,9 % ou les liquides de drainage soient refoulés dans la cavité pleurale. Rebrancher le drain à l'appareil de drainage le plus tôt possible en préservant la stérilité du raccord. Surveiller l'état de santé du client (signes vitaux, SpO_2 et auscultation pulmonaire).

Étapes postexécutoires	Justifications
24. Effectuer les étapes postexécutoires générales décrites au début du guide (pages 3 et 4).	
25. Encourager le client à tousser, à respirer profondément et à changer de position au moins toutes les deux heures. L'encourager à faire régulièrement des exercices de spirométrie. Administrer des analgésiques au besoin.	Ces mesures contribuent à augmenter la pression intrapleurale et à évacuer les liquides et l'air de l'espace intrapleural, tout en permettant l'expulsion des sécrétions des bronches.

Étapes postexécutoires	Justifications
26. ÉVALUATION **Tous les quarts de travail:** • procéder à l'examen clinique respiratoire (fréquence, amplitude, volume, tirage, symétrie, cyanose, auscultation pulmonaire); • prendre les signes vitaux, notamment la SpO_2; • évaluer l'intensité de la douleur; • examiner le pourtour du site du drain à la recherche de signes d'emphysème sous-cutané; • vérifier le fonctionnement et l'intégrité de l'appareil de drainage; • mesurer le volume des liquides drainés; tracer une ligne sur le boîtier au niveau du liquide et y inscrire la date et l'heure. **Toutes les quatre heures:** • vérifier l'étanchéité du pansement et celle de la jonction du drain et du tube collecteur.	Une évaluation adéquate permet de déceler rapidement toute complication et de réagir promptement, le cas échéant.

📁 Éléments à consigner dans les notes d'évolution rédigées par l'infirmière

■ La date et l'heure du changement de l'appareil de drainage.
■ Les résultats de l'examen clinique respiratoire (fréquence, amplitude, volume, tirage, symétrie, cyanose, auscultation pulmonaire).
■ Les signes vitaux et la SpO_2.
■ Le type de drainage effectué: drainage libre ou par aspiration. S'il s'agit d'un drainage par aspiration, noter le niveau d'H_2O (en cm).
■ L'aspect, la quantité et la couleur du liquide drainé.
■ Toutes les données pertinentes relatives à la surveillance du client ayant un drain pleural.
■ La réaction (tolérance, douleur) du client et sa collaboration.
■ Toute réaction anormale ou indésirable (p. ex., absence d'oscillation ou présence de trop d'oscillations) survenue pendant les soins ou à la suite de ceux-ci. **Il faut également transmettre cette donnée au médecin traitant et à l'infirmière responsable du client.**

Exemple

2011-05-27 13:50 Changement de l'appareil de drainage pleural Pleur-Evac. Installé par aspiration à -20 cm H_2O.
Resp. 24/min. SpO_2 96 % à l'air ambiant. A tendance à retenir sa respiration; avisé de respirer profondément.
15:30 18 ml de liquide sanguinolent drainés. Aucun emphysème sous-cutané.

Notes personnelles

_____

_____

_____

_____

_____

_____

_____

MS 2.6 · Drainage pleural : réfection du pansement

Vidéo

BUT

Protéger le site d'insertion du drain des microorganismes pathogènes.

Maintenir l'intégrité de la peau au pourtour du site du drain.

Assurer une stabilisation efficace du drain.

Maintenir l'étanchéité du site d'insertion du drain.

Déceler les signes d'inflammation ou d'infection dès leur apparition.

NOTIONS DE BASE

Une technique stérile rigoureuse doit être respectée pendant le changement de pansement d'un drain thoracique afin de prévenir toute propagation de microorganismes pathogènes vers les voies respiratoires.

Il est à noter que le premier changement de pansement doit être fait par le médecin. Toutefois, l'infirmière doit être présente afin de procéder à l'évaluation initiale du site d'insertion du drain et d'assurer ainsi le suivi des traitements sur le plan thérapeutique infirmier (PTI).

La réfection de ce type de pansement est effectuée selon une ordonnance médicale ou le protocole en vigueur dans l'établissement.

L'épaisseur du pansement doit permettre de détecter un écoulement majeur, un saignement ou de l'emphysème sous-cutané.

MATÉRIEL

- Gants stériles et non stériles
- Plateau à pansements ou champ stérile
- Ciseaux et contenant stériles
- Sac à déchets
- Quatre compresses de gaze stériles 10 × 10 cm
- Deux compresses à drain stériles
- Coussinet abdominal stérile

- Solution de NaCl 0,9 %
- Deux tiges montées imbibées de chlorhexidine 2 % et d'alcool 70 %
- Pansement adhésif extensible (p. ex., Hypafix^MD ou Mefix^MD)
- Dispositif de stabilisation (p. ex., Grip-Lok^MD)
- Piqué jetable, au besoin

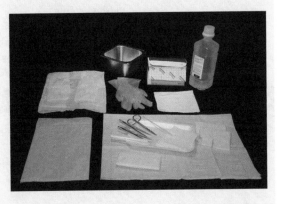

Étapes préexécutoires	Justifications
1. **Effectuer les étapes préexécutoires communes décrites au début de cette section (pages 28 et 29).**	
2. Vérifier, au dossier du client, la date du dernier changement de pansement et les particularités.	Cette vérification renseigne sur l'intégrité de la peau au pourtour du site d'insertion du drain au moment du dernier changement de pansement et permet d'ajuster les traitements en conséquence.
3. **ÉVALUATION** Vérifier si le client ressent de la douleur. Le cas échéant, lui administrer un analgésique conformément à l'ordonnance médicale, et ce, 30 minutes avant la réfection du pansement.	L'administration d'un analgésique doit se faire suffisamment tôt afin qu'il fasse effet au moment de la procédure. Le soulagement de la douleur du client améliore son confort et sa collaboration aux soins.

Étapes préexécutoires	Justifications
4. Installer confortablement le client en position de décubitus latéral du côté opposé au drain. Mettre la tête du lit à plat ou à 30°, selon la tolérance du client.	Cette position favorise l'expansion pulmonaire chez le client et permet d'accéder plus facilement au pansement.
5. Découvrir uniquement la région du corps où se trouve le pansement.	Cette façon de faire permet de respecter l'intimité du client.
6. **ÉVALUATION** Évaluer la présence d'emphysème sous-cutané au pourtour du drain. Le cas échéant, en aviser le médecin.	L'emphysème sous-cutané est causé par la présence d'air dans le tissu sous-cutané au pourtour du drain, laquelle est consécutive à une fuite provenant du drain ou du poumon. Il est reconnaissable au bruit de crépitation produit lorsqu'on exerce une pression sur la peau avec les doigts.

RAPPEL!

Il faut avoir en tout temps au chevet du client le matériel ci-dessous en cas de retrait accidentel du drain ou de fuite de ce dernier :
- coussinet stérile ;
- vaseline et abaisse-langue stérile ;
- pansement adhésif extensible (Hypafix^MD ou Mefix^MD) ;
- deux pinces hémostatiques ;
- bouteille de solution de NaCl 0,9 % ou d'eau stérile.

Étapes exécutoires	Justifications
7. Ajouter un piqué jetable sous la jonction du drain, au besoin.	
8. Fixer le sac à déchets à un endroit permettant un accès sans risque de contaminer le matériel stérile.	La proximité du sac permet de jeter le matériel souillé sans contaminer l'environnement de travail.
9. Selon le matériel dont on dispose, procéder comme suit : a) Ouvrir de façon stérile le plateau à pansements et y déposer le matériel stérile : compresses de gaze, compresses à drain, coussinet, ciseaux et contenant. b) Ouvrir le champ stérile, le poser sur la surface de travail et y déposer le matériel stérile.	Le matériel à utiliser pour la réfection du pansement doit être ouvert avant de mettre les gants stériles.
10. Verser la solution de NaCl 0,9 % dans le contenant stérile en évitant d'en renverser sur le champ stérile.	Un champ stérile mouillé est considéré comme contaminé, car l'humidité est un véhicule pour les bactéries.
11. Ouvrir les emballages des tiges montées, laisser celles-ci dans leur emballage et déposer le tout à portée de la main à l'extérieur du champ stérile.	Cette précaution prévient la contamination du champ stérile.
12. Couper trois bandes de pansement adhésif extensible (Hypafix^MD ou Mefix^MD) et les déposer à l'extérieur du champ stérile.	Cette préparation permettra de fixer le pansement plus rapidement et plus facilement.

Étapes exécutoires	Justifications
13. Mettre des gants non stériles.	Le port de gants évite les contacts directs avec l'exsudat et les sécrétions en provenance de la plaie du client ainsi que la transmission de microorganismes pathogènes.
14. Retirer doucement le pansement, une couche à la fois, en évitant de tirer sur le drain.	Enlever le pansement une couche à la fois réduit le risque de retrait accidentel du drain.
Si le pansement adhère à la plaie, l'imprégner de solution de NaCl 0,9 % et le laisser s'imbiber quelques minutes avant de le retirer doucement.	Imbiber le pansement de solution de NaCl 0,9 % facilite son décollement et évite d'abîmer les tissus sous-jacents, ce qui retarderait le processus de cicatrisation.
15. ÉVALUATION Évaluer la quantité, la couleur et l'odeur de l'écoulement imbibé dans le pansement, puis le jeter immédiatement dans le sac à déchets fixé à la table.	Jeter le pansement dans un tel sac évite la propagation de microorganismes pathogènes.
16. ÉVALUATION Examiner le pourtour du site d'insertion du drain et noter la présence de signes d'inflammation ou d'infection (œdème, induration, rougeur, chaleur ou emphysème sous-cutané).	Cette observation permet d'évaluer l'état de la peau au pourtour du drain afin de déceler les complications possibles, principalement l'infection et la détérioration de l'intégrité de la peau.
Palper la zone où se trouvait le pansement à la recherche de grondements.	La présence de grondements indique un emphysème sous-cutané.

ALERTE CLINIQUE Il est important d'aviser le médecin dès que le client se plaint de douleur au pourtour du drain ou en présence d'écoulement, d'odeur putride, de rougeur, de chaleur, d'œdème ou de nécrose de la peau.
Si une culture de plaie est prescrite, prélever, à l'aide d'un écouvillon, des sécrétions sur les rebords du drain en tournant l'écouvillon entre les doigts.

17. Retirer les gants et les jeter dans le sac à déchets.	Jeter les gants dans un tel sac évite la propagation de microorganismes pathogènes.
18. Mettre des gants stériles.	Le port de gants stériles permet de manipuler le matériel stérile sans le contaminer.
19. Saisir une compresse sèche, la plier en forme de baluchon, puis la tremper dans la solution de NaCl 0,9 %. Tordre légèrement la compresse pour extraire le surplus de liquide.	

 **RAPPEL!** Il est important de changer de compresse pour chaque étape du nettoyage. De plus, on doit toujours nettoyer la plaie en allant de la région la moins contaminée vers la région la plus contaminée.

20. Nettoyer le site d'insertion du drain avec la compresse comme suit :

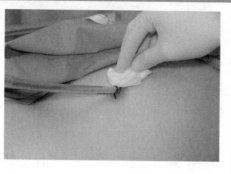

- effectuer des mouvements de demi-cercle autour du drain, en allant du centre vers la périphérie ;

- utiliser une nouvelle compresse pour chaque mouvement ;

- répéter les mouvements avec une nouvelle compresse en agrandissant la surface nettoyée de manière à couvrir un diamètre de 10 cm autour du drain.

Si l'extérieur du drain est souillé, le saisir de la main non dominante et le nettoyer, en allant du site d'insertion vers le haut.

Justification : Commencer par la région la moins contaminée prévient la contamination de la région déjà nettoyée. Le pourtour du drain est considéré comme la partie la moins contaminée.

ALERTE CLINIQUE Ne jamais nettoyer le site du drain en l'aspergeant avec une fiole de solution de NaCl 0,9 %, car les bactéries présentes au pourtour du drain pénétreront dans la cavité pleurale.

21. Laisser sécher le site d'insertion du drain pendant au moins 30 secondes.

Justification : Laisser sécher le site empêche que l'effet de la chlorhexidine, qui sera utilisée à l'étape subséquente, soit altéré ou inhibé par le NaCl.

22. Aseptiser le site d'insertion du drain au moyen des tiges montées imbibées de chlorhexidine 2 % et d'alcool 70 % comme suit :

- effectuer des mouvements de demi-cercle autour du drain, en allant du centre vers la périphérie ;

- retourner la tige et répéter les mouvements ;

- aseptiser une surface circulaire d'un diamètre de 10 cm autour du drain.

Laisser sécher au moins 30 secondes.

Justification : Aseptiser la peau du centre vers la périphérie évite de recontaminer la partie aseptisée.

Justification : Un délai minimal de 30 secondes est nécessaire pour que l'alcool produise son effet désinfectant.

23. Appliquer une première compresse à drain en dirigeant l'ouverture vers le côté, puis une deuxième, en plaçant l'ouverture vers le côté opposé.

Justification : Cette opération assure l'étanchéité du pansement et évite le déplacement des compresses lorsque le client est en mouvement.

Étapes exécutoires	Justifications
24. Recouvrir les compresses à drain d'un coussinet abdominal.	Le coussinet abdominal permet d'absorber l'écoulement excédentaire.
25. Appliquer les trois bandes de pansement adhésif sur le pansement comme suit : • la première sur la partie supérieure du pansement ; • la deuxième sur la partie inférieure du pansement ; • la troisième au centre du pansement en la faisant chevaucher les deux autres. 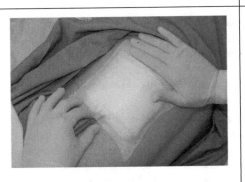	Les bandes de pansement adhésif permettent au pansement de demeurer bien en place sur le site d'insertion du drain et assure une bonne stabilité du drain.
26. Vérifier la présence d'oscillations du liquide dans la tubulure et dans l'indicateur de fuites d'air pendant la respiration. En l'absence d'oscillation, vérifier si la tubulure est coudée ou obstruée. 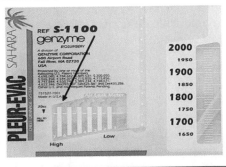	Une oscillation du liquide dans la tubulure et dans l'indicateur de fuites d'air est présente en début de traitement. Par la suite, l'oscillation diminue à mesure que le poumon reprend son expansion originale et que l'espace intrapleural se remplit à nouveau.
27. Fixer le drain à la peau du client selon une des méthodes suivantes : a) Placer une compresse roulée sous le drain et fixer celui-ci à la peau avec un pansement adhésif extensible (Hypafix^{MD} ou Mefix^{MD}). b) Utiliser un dispositif de stabilisation (p. ex., Grip-Lok^{MD}) pour fixer le drain à la peau. 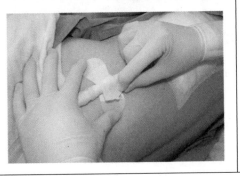	Fixer le drain à la peau empêche qu'il se déplace et que des agents infectieux pénètrent dans le site d'insertion. Le fait de placer une compresse sous le drain évite d'exercer une trop grande traction sur celui-ci.

ALERTE CLINIQUE Afin d'assurer le maximum d'efficacité de l'appareil, le tube collecteur ne doit en aucun cas faire de boucle, être coudé ou subir de pression.

Étapes exécutoires	Justifications
28. Retirer les gants et les jeter dans le sac à déchets.	Jeter les gants dans un tel sac évite la propagation de microorganismes pathogènes.

ALERTE CLINIQUE

En cas de retrait accidentel du drain du client, appliquer immédiatement un pansement en procédant comme suit : déposer de la vaseline sur une compresse de gaze stérile, appliquer la compresse sur le site d'insertion du drain et mettre un pansement adhésif extensible (Hypafix^MD ou Mefix^MD) sur trois des quatre côtés de la compresse (ce qui permet à l'air de s'échapper par le côté non fixé). Aviser immédiatement le médecin traitant pour qu'il procède à la réinsertion d'un nouveau drain.

Si le drain se débranche accidentellement de l'appareil de drainage, le clamper immédiatement ou en immerger l'extrémité (de 2 à 4 cm) dans une bouteille d'eau stérile ou de solution de NaCl 0,9 %. Maintenir la bouteille à un niveau inférieur à celui du site d'insertion afin d'éviter que l'eau, la solution de NaCl 0,9 % ou les liquides de drainage soient refoulés dans la cavité pleurale. Rebrancher le drain à l'appareil de drainage le plus tôt possible en préservant la stérilité du raccord. Surveiller l'état de santé du client (signes vitaux, SpO_2 et auscultation pulmonaire).

29. Laisser à découvert la plus grande partie possible du drain.	Cette mesure permet de voir les caillots qui peuvent nuire au drainage.
30. Jeter le sac à déchets dans un sac à déchets biomédicaux.	Jeter le sac à déchets dans un tel sac évite la propagation de microorganismes pathogènes.

Étapes postexécutoires	Justifications
31. **Effectuer les étapes postexécutoires générales décrites au début du guide (pages 3 et 4).**	
32. Encourager le client à tousser, à respirer profondément et à changer de position au moins toutes les deux heures. L'encourager à faire régulièrement des exercices de spirométrie. Administrer des analgésiques au besoin.	Ces mesures contribuent à augmenter la pression intrapleurale et à évacuer les liquides et l'air de l'espace intrapleural, tout en permettant l'expulsion des sécrétions des bronches.
33. **ÉVALUATION** **Tous les quarts de travail :** • procéder à l'examen clinique respiratoire (fréquence, amplitude, volume, tirage, symétrie, cyanose, auscultation pulmonaire) ; • prendre les signes vitaux, notamment la SpO_2 ; • évaluer l'intensité de la douleur ; • examiner le pourtour du site du drain à la recherche de signes d'emphysème sous-cutané ; • vérifier le fonctionnement et l'intégrité de l'appareil de drainage ; • mesurer le volume des liquides drainés ; tracer une ligne sur le boîtier au niveau du liquide et y inscrire la date et l'heure. **Toutes les quatre heures :** • vérifier l'étanchéité du pansement et celle de la jonction du drain et du tube collecteur.	Une évaluation adéquate permet de déceler rapidement toute complication et de réagir promptement, le cas échéant.

📁 Éléments à consigner dans les notes d'évolution rédigées par l'infirmière

- La date et l'heure de la réfection du pansement.
- Les signes vitaux et la SpO_2.
- Les particularités (couleur, quantité, odeur) et la quantité de l'exsudat présent sur le pansement souillé et autour du site d'insertion du drain, le cas échéant (nombre de compresses souillées et surface imbibée par l'écoulement, en pourcentage).
- L'état de la peau au pourtour du drain : œdème, induration, rougeur, chaleur, douleur, emphysème sous-cutané.
- Le type et la quantité de pansements utilisés.
- L'aspect, la quantité et la couleur du liquide drainé.
- La réaction (tolérance, douleur) du client et sa collaboration.
- Toute réaction anormale ou indésirable (p. ex., saignement, fuite d'air, absence d'oscillation ou présence de trop d'oscillations) survenue pendant les soins ou à la suite de ceux-ci. **Il faut également transmettre cette donnée au médecin traitant et à l'infirmière responsable du client.**

Exemple

2011-05-25 14:15 *Réfection du pansement au drain thoracique gauche. Peau au pourtour du drain rosée, légèrement sensible au toucher. Pans. antérieur : 3 compresses 10 × 10 cm souillées à 25 % de liquide séreux. Pansement refait avec compresses à drain, coussinet et pansement Hypafix. Fixation refaite de la tubulure et de sa jonction. Bonne tolérance du client au traitement.*

Notes personnelles

MS 2.7

Installation de la valve de Heimlich (assistance au médecin)

BUT

Augmenter la mobilité d'un client souffrant d'un pneumothorax mineur et permettre son retour à domicile tout en poursuivant son traitement.

Faciliter le transport du client en ambulance.

NOTIONS DE BASE

L'installation de la valve de Heimlich est un acte médical. L'infirmière peut assister le médecin pour cette procédure.

La valve de Heimlich est dotée d'un dispositif antireflux permettant d'évacuer sans aspiration de petites quantités d'air et de liquides de la cavité pleurale. L'extrémité bleue est reliée au drain thoracique, alors que l'extrémité transparente demeure libre ou peut être fixée à un sac collecteur. Il est important de s'assurer que la flèche apposée sur la valve pointe vers le sac collecteur et non vers le client.

Le drain est laissé en place jusqu'à ce que le poumon retrouve son expansion, soit pendant une ou deux semaines.

MATÉRIEL

- Ruban adhésif en tissu
- Valve de Heimlich
- Gants non stériles
- Pince hémostatique

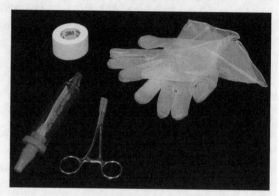

Étapes préexécutoires	Justifications
1. **Effectuer les étapes préexécutoires communes décrites au début de cette section (pages 28 et 29).**	
2. **ÉVALUATION** Vérifier si le client ressent de la douleur. Le cas échéant, lui administrer un analgésique conformément à l'ordonnance médicale, et ce, 30 minutes avant le début de la procédure.	L'administration d'un analgésique doit se faire suffisamment tôt afin qu'il fasse effet au moment de la procédure. Le soulagement de la douleur du client améliore son confort et sa collaboration aux soins.
3. Installer confortablement le client en position de décubitus latéral du côté opposé au drain. Mettre la tête du lit à plat, si possible.	Cette position permet d'accéder plus facilement au pansement à refaire.

Étapes préexécutoires	Justifications
4. Découvrir uniquement la région du corps où se trouve le pansement.	Cette façon de faire permet de respecter l'intimité du client.
5. **ÉVALUATION** Évaluer la présence d'emphysème sous-cutané au pourtour du drain. Le cas échéant, en aviser le médecin.	L'emphysème sous-cutané est causé par la présence d'air dans le tissu sous-cutané au pourtour du drain, laquelle est consécutive à une fuite provenant du drain ou du poumon. Il est reconnaissable au bruit de crépitation produit lorsqu'on exerce une pression sur la peau avec les doigts.

Il faut avoir en tout temps au chevet du client le matériel ci-dessous en cas de retrait accidentel du drain ou de fuite de ce dernier :
- coussinet stérile ;
- vaseline et abaisse-langue stérile ;
- pansement adhésif extensible (Hypafix^{MD} ou Mefix^{MD}) ;
- deux pinces hémostatiques ;
- bouteille de solution de NaCl 0,9 % ou d'eau stérile.

En cas de retrait accidentel du drain du client, appliquer immédiatement un pansement en procédant comme suit : déposer de la vaseline sur une compresse de gaze stérile, appliquer la compresse sur le site d'insertion du drain et mettre un pansement adhésif extensible (Hypafix^{MD} ou Mefix^{MD}) sur trois des quatre côtés de la compresse (ce qui permet à l'air de s'échapper par le côté non fixé). Aviser immédiatement le médecin traitant pour qu'il procède à la réinsertion d'un nouveau drain.

Si le drain se débranche accidentellement de l'appareil de drainage, le clamper immédiatement ou en immerger l'extrémité (de 2 à 4 cm) dans une bouteille d'eau stérile ou de solution de NaCl 0,9 %. Maintenir la bouteille à un niveau inférieur à celui du site d'insertion afin d'éviter que l'eau, la solution de NaCl 0,9 % ou les liquides de drainage soient refoulés dans la cavité pleurale. Rebrancher le drain à l'appareil de drainage le plus tôt possible en préservant la stérilité du raccord. Surveiller l'état de santé du client (signes vitaux, SpO$_2$ et auscultation pulmonaire).

Étapes exécutoires	Justifications
6. Sortir la valve de Heimlich de son emballage tout en en préservant la stérilité.	La stérilité et l'asepsie doivent être rigoureusement respectées afin d'éviter que des microorganismes pathogènes pénètrent dans la cavité pleurale.

Le médecin peut décider de couper l'extrémité du drain thoracique en biseau (de biais) afin de faciliter l'insertion de l'embout bleu de la valve de Heimlich.

7. Clamper le drain au moyen d'une pince hémostatique.	La pince évite l'aspiration d'air dans la cavité pleurale, ce qui prévient l'apparition d'un pneumothorax. Dans certains établissements, on recommande l'utilisation d'une deuxième pince par mesure de précaution en cas d'ouverture accidentelle de la première.

Étapes exécutoires	Justifications
⚠ **ALERTE CLINIQUE** Il est important de toujours vérifier si l'ordonnance médicale ou le protocole de l'établissement permet de clamper le drain. Le cas échéant, le clamper pendant un délai très court, soit quelques secondes, afin d'éviter d'aggraver le pneumothorax et d'ainsi provoquer un pneumothorax sous tension.	
8. Retirer les rubans adhésifs recouvrant la jonction drain-valve.	
9. Mettre des gants non stériles.	Le port de gants évite les contacts directs avec les liquides biologiques du client et la transmission de microorganismes pathogènes.
10. Assister le médecin lorsqu'il disjoint l'ancienne valve. La jeter dans un sac à déchets biomédicaux.	Jeter la valve dans un tel sac évite la propagation de microorganismes pathogènes.
11. Assister le médecin lorsqu'il insère de façon aseptique l'extrémité du drain thoracique dans l'embout bleu de la valve.	L'extrémité bleue de la valve est la partie proximale et contient le dispositif antireflux; elle doit donc être ajointée au drain thoracique. La stérilité et l'asepsie doivent être rigoureusement maintenues afin d'éviter la contamination de l'appareil de drainage par des microorganismes pathogènes.
12. Solidifier la jonction drain-valve à l'aide d'une bande de ruban adhésif en tissu.	La jonction drain-valve doit toujours être sécurisée au moyen d'une bande de ruban adhésif en tissu. Cette précaution permet de maintenir l'étanchéité du raccord en prévenant les fuites d'air. Cela évite également un débranchement accidentel en cas de traction sur la valve de Heimlich.
13. Retirer la pince hémostatique.	
14. Relier l'autre extrémité de la valve (embout transparent) à la tubulure d'un sac collecteur au besoin (en présence d'écoulement).	Cette mesure permet de recueillir tout écoulement en provenance des poumons et de diminuer le risque de contamination de l'environnement.
⚠ **ALERTE CLINIQUE** Il faut éviter d'obstruer l'embout transparent de la valve afin de prévenir une augmentation de la pression intrathoracique ou un pneumothorax sous tension. Un écoulement abondant de liquide n'est pas normal; il faut alors aviser le médecin. Celui-ci peut décider de raccorder la valve de Heimlich à un appareil de drainage pleural.	
15. Fixer la valve de Heimlich sur le thorax du client à l'aide du ruban adhésif.	Fixer la valve permet d'éviter qu'une traction soit exercée sur celle-ci.
⚠ **ALERTE CLINIQUE** Il faut s'assurer que la valve est bien placée, avec la flèche indiquant l'évacuation de l'air pointée vers le bas.	

Étapes exécutoires	Justifications
16. Retirer les gants et les jeter à la poubelle.	Jeter les gants à la poubelle évite la propagation de microorganismes pathogènes.

Étapes postexécutoires	Justifications
17. Effectuer les étapes postexécutoires générales décrites au début du guide (pages 3 et 4).	
18. Encourager le client à tousser, à respirer profondément et à changer de position au moins toutes les deux heures. L'encourager à faire régulièrement des exercices de spirométrie. Administrer des analgésiques au besoin.	Ces mesures contribuent à augmenter la pression intrapleurale et à évacuer les liquides et l'air de l'espace intrapleural, tout en permettant l'expulsion des sécrétions des bronches.
19. ÉVALUATION **Tous les quarts de travail :** • procéder à l'examen clinique respiratoire (fréquence, amplitude, volume, tirage, symétrie, cyanose, auscultation pulmonaire) ; • prendre les signes vitaux, notamment la SpO_2 ; • évaluer l'intensité de la douleur ; • examiner le pourtour du site du drain à la recherche de signes d'emphysème sous-cutané ; • vérifier le fonctionnement de la valve de Heimlich et, le cas échéant, de l'appareil de drainage pleural. **Toutes les quatre heures :** • vérifier l'étanchéité du pansement et celle de la jonction drain-valve et valve-sac collecteur, le cas échéant.	Une évaluation adéquate permet de déceler rapidement toute complication et de réagir promptement, le cas échéant.

RAPPEL !

Le passage de l'air dans la valve de Heimlich produit un son de battement de la valve ou un son ressemblant au cri du canard. Ce bruit est normal. S'il y a absence de son et que le client respire normalement, cela peut être un signe que le pneumothorax est résolu.

S'il y a absence de son et que le client présente de la dyspnée, cela peut être un signe que la valve ou une partie de la tubulure est obstruée. Il faut en aviser immédiatement le médecin.

📁 Éléments à consigner dans les notes d'évolution rédigées par l'infirmière

- La date et l'heure de l'installation de la valve de Heimlich.
- Les résultats de l'examen clinique respiratoire (fréquence, amplitude, volume, tirage, symétrie, cyanose, auscultation pulmonaire).
- Les signes vitaux et la SpO_2.
- Le degré de confort du client en présence de la valve.
- Le fonctionnement et l'intégrité de l'appareil de drainage.
- La réaction du client et sa collaboration.
- Toute réaction anormale ou indésirable survenue pendant les soins ou à la suite de ceux-ci. **Il faut également transmettre cette donnée au médecin traitant et à l'infirmière responsable du client.**

Exemple

2011-05-25 13:45 Changement de l'appareil de drainage Pleur-Evac par une valve de Heimlich par Dr Leblanc. Resp. régulière et d'amplitude normale à 30/min. Retour capillaire en moins de 3 secondes. SpO₂ à 95 %. Aucune crépitation sous-cutanée au pourtour du drain thoracique.

Le *Règlement sur l'organisation et l'administration des établissements* (S-5, r. 3.01) stipule que le dossier doit contenir les notes d'évolution rédigées par les médecins, les dentistes, les pharmaciens et les membres du personnel clinique (art. 53, 55 et 56). Il revient donc au médecin de consigner l'acte qu'il pose.

Notes personnelles

SECTION

3

Méthodes liées aux soins de stomie

Étapes préexécutoires et postexécutoires communes de la section 3

Ces étapes constituent les considérations et les actions préexécutoires et postexécutoires communes aux méthodes liées aux soins de stomie. Elles assurent l'application appropriée des principes de soins et sont regroupées en début de section afin d'alléger le texte de chacune des méthodes.

Étapes préexécutoires communes	Justifications
1. Effectuer les étapes préexécutoires générales décrites au début du guide (pages 1 et 2).	
2. Vérifier, au dossier du client, l'ordonnance médicale, le PTI et le PSTI.	Cette vérification permet de mieux planifier les soins de stomie requis par le client.
3. ÉVALUATION Évaluer les fonctions digestive ou urinaire du client, selon le cas. Noter la présence ou l'absence de bruits intestinaux et de selles, d'une incapacité à expulser les flatulences, de distension et de douleur abdominale, de rétention urinaire, de nausées et de vomissements.	Le tube digestif peut digérer et absorber les nutriments seulement en présence de péristaltisme. L'absence de bruits intestinaux peut indiquer une diminution ou un arrêt du péristaltisme, ce qui constitue une contre-indication au gavage. Les données recueillies serviront de référence au moment de la prochaine évaluation.
4. ÉVALUATION Évaluer la capacité du client à effectuer ses soins de stomie.	Cette évaluation permet de déterminer le degré d'aide requis.
5. ÉVALUATION Évaluer la perception qu'a le client de son état.	Une modification de l'image corporelle consécutive à l'installation d'une stomie peut entraîner une détresse émotionnelle et une perte d'estime de soi. L'état émotif du client peut influer positivement ou négativement sur son processus de guérison. Une piètre estime de soi nuira à sa guérison.
6. Enseigner au client à effectuer ses soins de stomie.	Le client doit apprendre à effectuer ses soins de stomie afin de préserver ou de recouvrer son autonomie.
7. Nettoyer la surface de travail avec une lingette humide désinfectante avant d'y déposer le matériel.	Une surface propre diminue le risque de transmission de microorganismes pathogènes.

Étapes postexécutoires communes	Justifications
1. Effectuer les étapes postexécutoires générales décrites au début du guide (pages 3 et 4).	
2. ÉVALUATION Réévaluer régulièrement les fonctions digestive ou urinaire du client, selon le cas.	
3. Inscrire au bilan des ingesta et des excreta : • les quantités administrées par alimentation entérale ; • les liquides utilisés pour irriguer la sonde de gastrostomie ou de jéjunostomie, et pour administrer les médicaments prescrits.	L'inscription de ces renseignements au bilan permet de surveiller efficacement la quantité de liquide que le client élimine par rapport à ce qu'il ingère.
4. Refaire le pansement de stomie au besoin.	Un pansement souillé de liquides biologiques augmente le risque de lésion cutanée ou d'infection.
5. ÉVALUATION Vérifier le degré de compréhension et de collaboration du client quant aux soins à apporter à la stomie.	Cette vérification permet de compléter l'enseignement donné au client avant les soins et de répondre à ses questions. Cela favorise aussi sa collaboration.

Notes personnelles

_____

_____

_____

_____

_____

_____

_____

_____

_____

_____

_____

_____

_____

_____

_____

_____

_____

MS 3.1

Soins de gastrostomie et de jéjunostomie

- **Nettoyage du site d'insertion d'une sonde de gastrostomie ou de jéjunostomie (technique stérile)**
- **Nettoyage du site d'insertion d'une sonde de gastrostomie ou de jéjunostomie (technique propre)**
- **Mobilisation d'une sonde de gastrostomie**
- **Irrigation d'une sonde de gastrostomie ou de jéjunostomie**

BUT

Assurer et maintenir la perméabilité de la sonde de gastrostomie ou de jéjunostomie.

Préserver l'intégrité de la peau péristomiale.

NOTIONS DE BASE

Une sonde de gastrostomie ou de jéjunostomie est installée afin de permettre une alimentation par gavage lorsqu'une sonde nasogastrique ou nasoduodénale ne peut être utilisée.

Les soins de gastrostomie et de jéjunostomie requièrent une technique stérile pendant les premiers jours postopératoires. Par la suite, une technique propre est d'usage.

Sonde de gastrostomie   Sonde de jéjunostomie

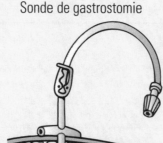

MATÉRIEL

- Gants stériles ou non stériles, selon la technique utilisée
- Débarbouillettes
- Savon doux
- Contenant stérile ou non stérile, selon le cas
- Solution de NaCl 0,9 %, eau stérile ou eau tiède du robinet
- Tiges montées stériles ou non stériles, selon la technique utilisée

- Compresses à drain stériles
- Sac à déchets
- Piqué jetable
- Champ stérile
- Seringue à irrigation de 60 ml
- Protecteur cutané, au besoin
- Tampons d'alcool 70 %
- Compresses de gaze stériles 10 × 10 cm

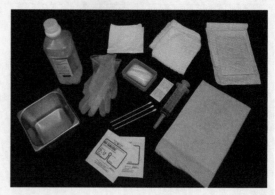

Étapes préexécutoires	Justifications
1. Effectuer les étapes préexécutoires communes décrites au début de cette section (page 70).	
2. **ÉVALUATION** Rechercher la présence de signes d'inconfort ou de douleur au site d'insertion de la sonde de gastrostomie ou de jéjunostomie.	Une irritation de la peau péristomiale liée à une fuite ou à une fistule cutanée crée de la douleur ou de l'inconfort.
3. **ÉVALUATION** Évaluer si la stomie peut être laissée à l'air libre ou si elle requiert un pansement protecteur. En présence d'irritation de la peau péristomiale, mettre un pansement selon le protocole en vigueur dans l'établissement.	Un pansement protecteur peut être laissé en place de cinq à sept jours suivant la première insertion d'une sonde de gastrostomie ou de jéjunostomie ; cela dépend de l'ordonnance médicale, du type de sonde installé et du degré de cicatrisation de la plaie.
4. Installer le client en position de décubitus dorsal.	Une position adaptée à la méthode de soins facilite la procédure et prévient la fatigue et l'inconfort ressentis par le client.

Étapes exécutoires	Justifications
5. Fixer le sac à déchets à la table du client.	La proximité du sac permet de jeter le matériel souillé sans contaminer l'environnement de travail.
6. Mettre des gants non stériles.	Le port de gants évite les contacts directs avec les liquides biologiques du client et la transmission de microorganismes pathogènes.
7. Retirer doucement le pansement. Si le pansement adhère à la plaie, l'imprégner de solution de NaCl 0,9 % et le laisser s'imbiber quelques minutes avant de le retirer.	Imbiber le pansement de solution de NaCl 0,9 % facilite son décollement et évite d'abîmer les tissus sous-jacents, ce qui retarderait le processus de cicatrisation.
8. **ÉVALUATION** Évaluer le site d'insertion de la sonde de gastrostomie ou de jéjunostomie afin d'y déceler tout signe d'irritation, d'infection ou d'écoulement.	Une détection précoce des signes de complications permet de diminuer le risque d'infection ou de lésion.
9. Retirer les gants et les jeter dans le sac à déchets. Procéder à l'hygiène des mains.	Jeter les gants dans un tel sac évite la propagation de microorganismes pathogènes.

Étapes exécutoires	Justifications
10. Effectuer l'étape 11, 12, 13 ou 14, selon le cas. ▶ 11. Nettoyer le site d'insertion d'une sonde de gastrostomie ou de jéjunostomie selon une technique stérile. ▶ 12. Nettoyer le site d'insertion d'une sonde de gastrostomie ou de jéjunostomie selon une technique propre. ▶ 13. Mobiliser une sonde de gastrostomie. ▶ 14. Irriguer une sonde de gastrostomie ou de jéjunostomie.	
11. Nettoyer le site d'insertion d'une sonde de gastrostomie ou de jéjunostomie selon une technique stérile.	
11.1 Ouvrir un champ stérile ▶ I–MS 1.3 et y disposer de façon stérile le matériel nécessaire au nettoyage du site et au changement du pansement.	Cette façon de procéder prévient la transmission de microorganismes pathogènes.
11.2 Indiquer la date et l'heure sur la bouteille de solution de NaCl 0,9 %.	La solution est considérée comme stérile seulement pendant les 24 heures suivant son ouverture. Les fabricants recommandent toutefois de jeter la bouteille après une première utilisation.
11.3 Ouvrir la bouteille de solution de NaCl 0,9 % et en verser dans le contenant stérile prévu à cet effet.	
11.4 Mettre des gants stériles.	Le port de gants stériles permet de manipuler le matériel stérile sans le contaminer.
11.5 Déposer les compresses stériles dans le contenant de solution de NaCl 0,9 %.	Les compresses humides servent à nettoyer la peau péristomiale.
11.6 Prendre une compresse imbibée de solution de NaCl 0,9 % et la tordre. Nettoyer la région péristomiale.	Ce nettoyage permet de retirer les croûtes et les dépôts présents au pourtour de la sonde.
11.7 Jeter la compresse souillée dans le sac à déchets. Au besoin, répéter la procédure avec une nouvelle compresse et changer les gants s'ils ont été souillés.	Jeter le matériel souillé dans un tel sac évite la propagation de microorganismes pathogènes.

Étapes exécutoires		Justifications
11.8 Imbiber une tige montée stérile de solution de NaCl 0,9 % et nettoyer le pourtour de la sonde, en allant du centre vers la périphérie. Si la sonde est munie d'une collerette, glisser la tige sous celle-ci.		L'utilisation de tiges montées permet d'atteindre plus facilement le point d'insertion de la sonde.
11.9 Bien sécher la région péristomiale au moyen de compresses et de tiges montées stériles.		Bien sécher cette région préserve l'intégrité de la peau et prévient la macération.
11.10 Insérer une compresse à drain autour de la sonde avec la main non contaminée. Si la sonde est munie d'une collerette, glisser la compresse sous celle-ci. Passer à l'étape 15.		La compresse recueille l'écoulement de la stomie et protège la peau péristomiale.

ALERTE CLINIQUE

Il est recommandé de n'insérer qu'une seule épaisseur de compresse sous la collerette afin de prévenir l'apparition d'ischémie ou de nécrose tissulaire consécutive à la pression que pourraient exercer plusieurs compresses sur la région péristomiale. Si un pansement plus absorbant est nécessaire, on doit placer les compresses supplémentaires au-dessus de la collerette.

Il faut toujours utiliser une compresse précoupée. Le fait de couper soi-même une compresse produit de la charpie qui pourrait être introduite accidentellement dans la plaie.

12. Nettoyer le site d'insertion d'une sonde de gastrostomie ou de jéjunostomie selon une technique propre.		
12.1 Mettre des gants non stériles.		Le port de gants évite les contacts directs avec les liquides biologiques du client et la transmission de microorganismes pathogènes.
12.2 Nettoyer la région péristomiale avec une débarbouillette imbibée d'eau tiède et de savon doux. La rincer avec une débarbouillette propre imbibée d'eau tiède.	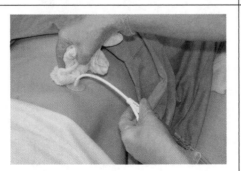	

Étapes exécutoires	Justifications
12.3 Utiliser une tige montée non stérile imbibée d'eau tiède pour nettoyer le pourtour de la sonde. Si la sonde est munie d'une collerette, glisser la tige sous celle-ci.	L'utilisation de tiges montées permet d'atteindre plus facilement le point d'insertion de la sonde.
12.4 Bien sécher la région péristomiale sous la collerette au moyen de compresses et de tiges montées non stériles.	Bien sécher cette région préserve l'intégrité de la peau et prévient la macération.
12.5 Appliquer un protecteur cutané sur la région péristomiale au besoin.	Cette mesure protège la peau en présence d'irritation ou d'écoulement de la stomie.
12.6 Insérer une compresse à drain autour de la sonde.	La compresse recueille l'écoulement de la stomie et protège la peau péristomiale.
12.7 Dans le cas d'une stomie bien cicatrisée, laisser à l'air libre. Passer à l'étape 15.	Cette mesure prévient l'apparition de zones de macération.
13. Mobiliser une sonde de gastrostomie.	
13.1 Mettre des gants non stériles.	Le port de gants évite les contacts directs avec les liquides biologiques du client et la transmission de microorganismes pathogènes.
13.2 Faire glisser la collerette de 2 à 3 cm vers le haut de la sonde.	Cette mesure facilite la manipulation de la sonde.
13.3 Enfoncer la sonde de 2 à 3 cm en effectuant une rotation de 90° dans le sens des aiguilles d'une montre. La retirer de la même longueur par la suite.	Cette façon de procéder permet de déloger la fibrine présente sur la sonde et prévient la formation d'adhérences au site d'insertion de la sonde ainsi que l'accolement du ballonnet à la paroi gastrique.

Étapes exécutoires	Justifications
13.4 Repositionner la collerette à environ 3 mm de la peau. Passer à l'étape 15.	Laisser un espace de quelques millimètres permet à l'air de circuler et empêche la macération de la peau sous la collerette.
14. Irriguer une sonde de gastrostomie ou de jéjunostomie.	
14.1 Mettre des gants non stériles.	Le port de gants évite les contacts directs avec les liquides biologiques du client et la transmission de microorganismes pathogènes.
14.2 Installer un piqué jetable sous le client, du côté de la stomie.	Le piqué protège le client et le lit des fuites ou d'une disjonction accidentelle de la sonde pendant la procédure.
14.3 Aspirer 30 ml (enfant : de 5 à 15 ml ; nourrisson : de 1 à 3 ml) de la solution suivante : a) Gastrostomie : solution de NaCl 0,9 % ou eau tiède fraîchement prélevée du robinet.	Dans le cas d'une sonde de gastrostomie, de l'eau tiède du robinet peut être utilisée puisque le milieu acide de l'estomac contribue à détruire les bactéries et à réduire le risque d'infection.
b) Jéjunostomie : solution de NaCl 0,9 % ou eau stérile.	À domicile, de l'eau bouillie pendant 20 minutes et refroidie peut être utilisée comme de l'eau stérile.

RAPPEL! Une fois ouvertes, les bouteilles de solution de NaCl 0,9 % ou d'eau stérile doivent être changées toutes les 24 heures en raison du risque de prolifération bactérienne. Les fabricants recommandent toutefois de jeter la bouteille après une première utilisation.

Étapes exécutoires	Justifications
14.4 Fermer le système en procédant comme suit : a) Système sans robinet d'irrigation : • Pincer la sonde avec les doigts ou fermer le presse-tube, si la sonde en possède un, soulever le capuchon protecteur pour ouvrir la sonde. • Tenir l'extrémité de la sonde de la main non dominante en se plaçant au-dessus du piqué jetable. b) Système avec robinet d'irrigation et alimentation entérale : • Fermer la pompe à gavage et le presse-tube de la tubulure d'alimentation entérale. • Tenir le raccord sonde-tube de la main non dominante en se plaçant au-dessus du piqué jetable. • S'assurer que le site d'injection du robinet est en position « fermé ».	La fermeture du système évite tout écoulement de liquide.

ALERTE CLINIQUE Il ne faut pas clamper un tube de jéjunostomie avec une pince hémostatique, car cela risque de le briser à la longue.

14.5 Prendre un tampon d'alcool 70 % et désinfecter l'embout de la sonde ou de la voie d'irrigation, selon le cas, pendant 15 secondes. Laisser sécher au moins 30 secondes.	Un délai minimal de 30 secondes est nécessaire pour que l'alcool produise son effet désinfectant.

14.6 Ajointer la seringue comme suit :
 	
a) Système sans robinet d'irrigation :
 	
    • Ajointer la seringue d'irrigation à la sonde.
 	
    • Cesser de pincer la sonde ou ouvrir le presse-tube, le cas échéant.
 	
b) Système avec robinet d'irrigation et alimentation entérale :
 	
    • Ajointer la seringue à la voie d'irrigation et placer le robinet comme suit : « ouvert » côté irrigation et « fermé » côté gavage.	

14.7 Injecter lentement la solution sans exercer une trop forte pression, jusqu'à ce qu'il reste environ 1 ml dans la seringue.	
14.8 Fermer la sonde ou administrer le gavage comme suit : a) Système sans robinet d'irrigation : • Pincer la sonde avec les doigts ou fermer le presse-tube, le cas échéant. Retirer la seringue et replacer le capuchon sur l'embout de la sonde.	La fermeture du système évite tout écoulement de liquide.

Étapes exécutoires	Justifications
• Sécher la seringue et la ranger pour une utilisation ultérieure.	La seringue n'étant pas stérile, elle peut être utilisée pour des irrigations subséquentes.
b) Système avec robinet d'irrigation et alimentation entérale : • Fermer la voie d'irrigation et retirer la seringue. • Régler le débit du gavage selon l'ordonnance médicale.	
• Sécher la seringue et la ranger pour une utilisation ultérieure.	La seringue n'étant pas stérile, elle peut être utilisée pour des irrigations subséquentes.
15. Retirer les gants et les jeter dans le sac à déchets.	Jeter les gants dans un tel sac évite la propagation de microorganismes pathogènes.

Étapes postexécutoires	Justifications
16. **Effectuer les étapes postexécutoires communes décrites au début de cette section (page 71).**	
17. Vérifier le positionnement de la sonde au moins une fois par quart de travail.	

📁 Éléments à consigner dans les notes d'évolution rédigées par l'infirmière

- La date et l'heure de l'irrigation.
- Le type de solution utilisé.
- Le volume d'irrigation.
- Les caractéristiques de l'écoulement au site d'insertion de la sonde, s'il y a lieu.
- La quantité de liquide administrée (à inscrire aussi au bilan des ingesta et des excreta tous les quarts de travail).
- La réaction du client et sa collaboration.
- Toute réaction anormale ou indésirable survenue pendant les soins ou à la suite de ceux-ci. **Il faut également transmettre cette donnée au médecin traitant et à l'infirmière responsable du client.**

Exemple

2011-05-09 14:00 Soins de gastrostomie faits ; peau péristomiale exempte de rougeur ou de lésion.
14:10 sonde de gastrostomie irriguée avec 30 ml d'eau potable ; aucune nausée par la suite. Client dit se sentir à l'aise.

MS 3.2

Changement de la sonde ou du bouton de gastrostomie

- Retrait d'une sonde de gastrostomie
- Installation d'une sonde de gastrostomie
- Installation d'un bouton de gastrostomie

BUT

Remplacer une sonde ou un bouton de gastrostomie non fonctionnels, dont le temps d'utilisation est écoulé ou à la suite d'un retrait accidentel, afin de maintenir la perméabilité de la stomie.

NOTIONS DE BASE

Le changement d'une sonde ou d'un bouton de gastrostomie exige une ordonnance médicale. L'infirmière peut procéder au changement lorsque la stomie date de plus de sept jours et que le site d'insertion est bien cicatrisé.

La sonde de gastrostomie est munie d'un ballonnet de rétention en silicone. Comme ce dernier se détériore ou peut se perforer avec le temps, il est de mise de changer la sonde selon la fréquence recommandée par le fabricant.

Afin de donner plus de liberté de mouvement à un client porteur d'une stomie gastrique, un bouton de gastrostomie peut être installé en remplacement de la sonde de gastrostomie.

MATÉRIEL

- Sonde ou bouton de gastrostomie
- Deux seringues de 20 ml
- Piqué jetable
- Gants non stériles
- Eau stérile
- Lubrifiant hydrosoluble
- Débarbouillette ou compresse 10 × 10 cm
- Sac à déchets

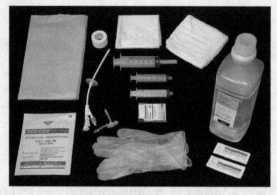

Étapes préexécutoires	Justifications
1. **Effectuer les étapes préexécutoires communes décrites au début de cette section (page 70).**	
2. **ÉVALUATION** Vérifier si le client ressent de la douleur. Le cas échéant, lui administrer un analgésique conformément à l'ordonnance médicale, et ce, 30 minutes avant la procédure.	L'administration d'un analgésique doit se faire suffisamment tôt afin qu'il fasse effet au moment de la procédure. Le soulagement de la douleur du client améliore son confort et sa collaboration aux soins.
3. Installer le client en position de décubitus dorsal.	Une position adaptée à la méthode de soins facilite la procédure et prévient la fatigue et l'inconfort ressentis par le client.

Étapes exécutoires	Justifications
4. Fixer le sac à déchets à la table du client.	La proximité du sac permet de jeter le matériel souillé sans contaminer l'environnement de travail.
5. Placer un piqué jetable sur le lit du client, du côté de la gastrostomie.	Le piqué protège le client et le lit en cas d'écoulement pendant la procédure.
6. Mettre des gants non stériles.	Le port de gants évite les contacts directs avec les liquides biologiques du client et la transmission de microorganismes pathogènes.
7. S'il y a lieu, retirer doucement le pansement et nettoyer le site d'insertion de la sonde ▶ MS 3.1, étapes 11.1 à 11.8 .	
8. ÉVALUATION Évaluer le site d'insertion de la sonde de gastrostomie afin d'y déceler tout signe d'irritation, d'infection ou d'écoulement.	Une détection précoce des signes de complications permet de diminuer le risque d'infection ou de lésion.

RAPPEL! Il n'est pas nécessaire de vérifier l'intégrité du ballonnet de la sonde ou du bouton de gastrostomie en le gonflant, car la fiabilité du ballonnet est toujours vérifiée par le fabricant.

Étapes exécutoires	Justifications
9. Retirer une sonde de gastrostomie.	
9.1 Noter la profondeur d'insertion en millimètres indiquée sur la sonde, juste au-dessus de la collerette. 	Cette mesure indique la profondeur à laquelle la nouvelle sonde devra être insérée.
9.2 Ajointer une seringue de 20 ml à l'orifice de gonflement du ballonnet. Relâcher le piston et laisser le ballonnet se dégonfler de lui-même. Avant de retirer la seringue, aspirer pour vérifier s'il reste du liquide. 	Le ballonnet est sous pression positive et se dégonfle spontanément. Le fait d'aspirer avant de retirer la sonde permet de s'assurer que le ballonnet est totalement dégonflé.
9.3 Retirer la seringue et mesurer la quantité de liquide prélevée. Jeter la seringue dans le sac à déchets fixé à la table.	Cette mesure permet de vérifier si la quantité inscrite sur la sonde ou au dossier du client a été entièrement prélevée. Jeter la seringue dans un tel sac évite la propagation de microorganismes pathogènes.

Étapes exécutoires	Justifications
9.4 Saisir la sonde de la main dominante et poser l'autre main sur l'abdomen du client, près du site d'insertion de la sonde de gastrostomie. Retirer doucement la sonde et la jeter dans le sac à déchets fixé à la table.	Jeter la sonde dans un tel sac évite la propagation de microorganismes pathogènes.
9.5 Nettoyer le pourtour de la stomie avec une débarbouillette imbibée d'eau tiède.	Cette façon de procéder permet de ramollir et de retirer les croûtes ou les dépôts présents.
10. Effectuer l'étape 11 ou 12, selon le cas. ▶ **11.** Installer une sonde de gastrostomie. ▶ **12.** Installer un bouton de gastrostomie.	
11. Installer une sonde de gastrostomie.	
11.1 Placer la collerette de la sonde de gastrostomie à environ 10 cm de l'extrémité distale de la sonde.	Cette mesure facilite l'insertion de la sonde à la profondeur désirée.
11.2 Lubrifier l'extrémité de la sonde sur une longueur de 3 à 5 cm.	La lubrification facilite l'insertion de la sonde dans la stomie.
11.3 Insérer la sonde dans la stomie à la même profondeur que la sonde précédente, jusqu'à l'apparition d'un retour gastrique. L'insérer d'environ 3 cm de plus.	Insérer la sonde un peu plus profondément permet de gonfler le ballonnet dans l'estomac, plutôt que dans la paroi abdominale ou stomacale.

ALERTE CLINIQUE Si le client est à jeun, il se peut qu'il n'y ait aucun retour gastrique. Dans ces circonstances, insérer la sonde un peu plus profondément (environ 7 cm) et aspirer de nouveau du liquide gastrique.

Étapes exécutoires	Justifications
11.4 Selon la taille du ballonnet et les recommandations du fabricant, prélever de 5 à 20 ml d'eau stérile dans une seringue. Ajointer la seringue à l'orifice de gonflement du ballonnet et le gonfler.	L'eau stérile prélevée servira à gonfler le ballonnet de la nouvelle sonde de gastrostomie. Une fois gonflé, le ballonnet empêche le retrait de la sonde.
11.5 Tirer sur la sonde jusqu'à ce qu'elle offre une résistance. Placer la collerette à environ 3 mm de la peau.	Cette précaution permet de vérifier que le ballonnet est bien gonflé. Laisser un espace de quelques millimètres permet à l'air de circuler et empêche la macération de la peau sous la collerette.
11.6 Fermer la sonde de gastrostomie à l'aide du capuchon protecteur ou la brancher à la tubulure d'alimentation entérale pour reprendre le gavage. Passer à l'étape 13.	L'alimentation entérale peut se faire en continu ou par bolus. Dans ce dernier cas, la sonde est fermée au moyen d'un capuchon entre les bolus.
12. Installer un bouton de gastrostomie.	
12.1 Insérer l'extrémité du bouton dans la stomie jusqu'à l'apparition d'un retour gastrique. L'insérer d'environ 3 cm de plus.	Insérer l'extrémité du bouton un peu plus profondément permet de gonfler le ballonnet dans l'estomac, plutôt que dans la paroi abdominale ou stomacale.
12.2 Selon la taille du ballonnet et les recommandations du fabricant, prélever de 5 à 20 ml d'eau stérile dans une seringue. Ajointer la seringue à l'orifice de gonflement du ballonnet et le gonfler.	L'eau stérile prélevée servira à gonfler le ballonnet du nouveau bouton de gastrostomie. Une fois gonflé, le ballonnet empêche le retrait du bouton.

Étapes exécutoires	Justifications
12.3 Tirer sur le bouton jusqu'à ce qu'il offre une résistance.	Cette opération permet de stabiliser le bouton de gastrostomie et de vérifier que le ballonnet est bien gonflé.
12.4 Fermer le bouton à l'aide du capuchon protecteur.	L'utilisation d'un bouton est requise lorsque l'alimentation entérale se fait par bolus. Entre chaque administration d'un bolus, le bouton doit être fermé afin d'éviter que de l'air entre dans l'estomac.
13. Retirer les gants et les jeter dans le sac à déchets.	Jeter les gants dans un tel sac évite la propagation de microorganismes pathogènes.
14. Jeter le sac à déchets fixé à la table dans un sac à déchets biomédicaux.	Jeter le sac à déchets dans un tel sac évite la propagation de microorganismes pathogènes.

Étapes postexécutoires	Justifications
15. Effectuer les étapes postexécutoires communes décrites au début de cette section (page 71).	

Éléments à consigner dans les notes d'évolution rédigées par l'infirmière

■ La date et l'heure du changement de la sonde ou du bouton de gastrostomie.
■ Les liquides administrés (à inscrire aussi au bilan des ingesta et des excreta, s'il y a lieu).
■ La présence de liquide gastrique (quantité, couleur, caractéristiques, etc.).
■ La réaction du client et sa collaboration.
■ Toute réaction anormale ou indésirable survenue pendant les soins ou à la suite de ceux-ci. **Il faut également transmettre cette donnée au médecin traitant et à l'infirmière responsable du client.**

Exemple

2011-05-09 10:00 *Retrait de la sonde de gastrostomie.*
10:05 *Soins de gastrostomie effectués : peau péristomiale exempte de rougeur ou de lésion.*
14:10 *Installation d'une sonde de gastrostomie, drainage de 40 ml de liquide gastrique, irrigation de gastrostomie avec 30 ml d'eau du robinet, capuchon protecteur remis. Client se dit bien ; ne présente aucune nausée.*

MS 3.3

Installation d'un sac de drainage sur une sonde ou un bouton de gastrostomie

BUT

Drainer le contenu gastrique.

Soulager le client du malaise lié à une distension gastrique et prévenir l'apparition de nausées et de vomissements.

MATÉRIEL

- Tubulure de raccordement (bouton gastrique)
- Piqué jetable
- Gants non stériles

- Tasse graduée
- Sac de drainage

NOTIONS DE BASE

L'installation d'un sac de drainage sur une sonde ou un bouton de gastrostomie sert à effectuer une décompression gastrique.

Cette procédure requiert une ordonnance médicale.

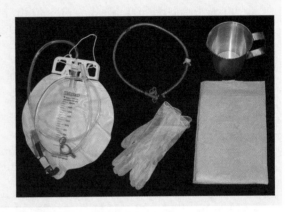

Étapes préexécutoires	Justifications
1. **Effectuer les étapes préexécutoires communes décrites au début de cette section (page 70).**	
2. Installer le client en position de décubitus dorsal. 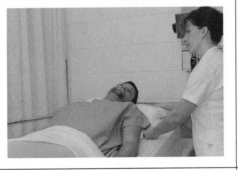	Une position adaptée à la méthode de soins facilite la procédure et prévient la fatigue et l'inconfort ressentis par le client.
3. **ÉVALUATION** Évaluer la présence de malaises, de nausées ou de vomissements chez le client.	
4. Déposer un piqué jetable sur l'abdomen du client.	Le piqué protège le client et le lit en cas d'écoulement pendant la procédure.

Étapes exécutoires	Justifications
5. Mettre des gants non stériles.	Le port de gants évite les contacts directs avec les liquides biologiques du client et la transmission de microorganismes pathogènes.
6. Effectuer l'étape 7 ou 8, selon le cas. ▶ 7. Installer un sac de drainage sur une sonde de gastrostomie. ▶ 8. Installer un sac de drainage sur un bouton de gastrostomie.	
7. Installer un sac de drainage sur une sonde de gastrostomie.	
7.1 Ouvrir l'emballage du sac de drainage. Fermer la pince de vidange du sac. Fixer le sac de drainage au cadre du lit, près du pied de lit, et insérer la tubulure de drainage entre le matelas et la ridelle. Déposer la tubulure sur le lit.	Fixer le sac au cadre du lit plutôt qu'à la ridelle évite qu'il se déplace lorsqu'on manipule celle-ci et qu'il soit placé plus haut que le client, ce qui causerait le retour du liquide drainé dans l'estomac. Fixer le sac au lit évite également qu'il traîne par terre.
7.2 Fermer le presse-tube à glissière de la sonde de gastrostomie ou pincer la tubulure avec les doigts (en l'absence d'un presse-tube) et soulever le capuchon protecteur.	Cette précaution évite l'écoulement de liquide gastrique avant que la sonde soit raccordée au sac de drainage.
7.3 Ajointer l'extrémité de la sonde de gastrostomie au sac de drainage. Passer à l'étape 9. 	Drainer le liquide gastrique en circuit fermé évite les contacts directs avec les liquides biologiques du client et la transmission de microorganismes pathogènes.
8. Installer un sac de drainage sur un bouton de gastrostomie.	
8.1 Retirer la tubulure de raccordement de son emballage, fermer le presse-tube à glissière ou pincer la tubulure avec les doigts (en l'absence d'un presse-tube) et la placer à la portée de la main.	Cette façon de procéder facilite l'accès à la tubulure une fois le bouton ouvert.
8.2 Ouvrir l'emballage du sac de drainage. Fermer la pince de vidange du sac. Fixer le sac de drainage au cadre du lit, près du pied de lit, et insérer la tubulure de drainage entre le matelas et la ridelle. Déposer la tubulure sur le lit.	Fixer le sac au cadre du lit plutôt qu'à la ridelle évite qu'il se déplace lorsqu'on manipule celle-ci et qu'il soit placé plus haut que le client, ce qui causerait le retour du liquide drainé dans l'estomac. Fixer le sac au lit évite également qu'il traîne par terre.

Étapes exécutoires		Justifications
8.3 Soulever le capuchon du bouton de gastrostomie et ajointer la tubulure de raccordement à l'orifice du bouton.		Cette tubulure permet de raccorder le bouton au sac de drainage.
8.4 Ajointer l'autre extrémité de la tubulure de raccordement au sac de drainage.		Drainer le liquide gastrique en circuit fermé évite les contacts directs avec les liquides biologiques du client et la transmission de microorganismes pathogènes.
9. Ouvrir le presse-tube à glissière ou cesser de pincer la sonde afin de laisser le contenu gastrique s'écouler dans le sac de drainage.		Le contenu gastrique sera drainé par gravité, sans risque de transmission de microorganismes pathogènes.
10. Retirer les gants et les jeter dans un sac à déchets biomédicaux.		Jeter les gants dans un tel sac évite la propagation de microorganismes pathogènes.

Étapes postexécutoires	Justifications
11. Effectuer les étapes postexécutoires communes décrites au début de cette section (page 71).	
12. **ÉVALUATION** Vérifier régulièrement si le système draine efficacement les liquides. Mesurer la quantité de liquide drainée une fois par quart de travail et l'inscrire au bilan des ingesta et des excreta.	Consigner ces quantités contribue à une évaluation précise du drainage.

📁 Éléments à consigner dans les notes d'évolution rédigées par l'infirmière

- La date et l'heure de l'installation du sac de drainage.
- La tolérance du client à la procédure, s'il y a lieu.
- Les caractéristiques du liquide gastrique drainé et la quantité (à inscrire aussi au bilan des ingesta et des excreta).
- La réaction du client et sa collaboration.
- Toute réaction anormale ou indésirable survenue pendant les soins ou à la suite de ceux-ci. **Il faut également transmettre cette donnée au médecin traitant et à l'infirmière responsable du client.**

Exemple

2011-05-25 19:25 *Client nauséeux, vomit 100 ml de liquide gastrique. Abdomen ballonné et dur. Sonde de gastrostomie installée en drainage libre pour décompression gastrique.*

19:45 *Draine 800 ml de liquide gastrique verdâtre. Client se dit soulagé par la suite. Aucune plainte ou nausée.*

MS 3.4

▶ CHAPITRE 53
Système gastro-intestinal

▶ CHAPITRE 56
Troubles du tractus gastro-intestinal supérieur

▶ CHAPITRE 57
Troubles du tractus gastro-intestinal inférieur

MS 3.4 | Changement de l'appareil collecteur de colostomie ou d'iléostomie

Vidéo

BUT

Recueillir les selles provenant d'une stomie intestinale et les jeter en respectant les principes d'élimination des liquides biologiques.

Maintenir l'intégrité de la peau péristomiale.

NOTIONS DE BASE

La stomie intestinale est une intervention chirurgicale qui consiste en la résection partielle ou totale du côlon, suivie de l'anastomose de l'intestin à la paroi abdominale. La stomie, temporaire ou permanente, permet l'élimination des selles. Il existe deux types de stomies intestinales : la colostomie et l'iléostomie. La colostomie est la création d'un anus artificiel en abouchant une partie du côlon à la peau. L'iléostomie consiste à aboucher l'iléum à la paroi abdominale.

Le matériel recouvrant la stomie doit être bien adapté au type de stomie afin d'assurer l'étanchéité de l'appareil et de préserver l'intégrité de la peau péristomiale.

Les soins de stomie requièrent une technique propre. Toutefois, en phase postopératoire immédiate, il est important de porter une attention particulière à la plaie opératoire pour éviter qu'elle soit souillée par des selles ou par un autre liquide provenant de la stomie.

Situation anatomique d'une stomie intestinale et caractéristiques des selles

Situation anatomique de la stomie		Caractéristiques des selles
Colostomie de l'anse descendante Cadran inférieur gauche de l'abdomen • Type le plus commun de colostomie		Selles variant de pâteuses à fermes. Présence de gaz intestinaux. Selles moins irritantes pour la peau péristomiale. Présence de mucus dans les selles.
Colostomie de l'anse transverse du côlon Normalement temporaire		Selles variant de liquides à semi-formées. Présence de gaz intestinaux. Selles contenant des enzymes et des sucs digestifs. Selles irritantes pour la peau péristomiale.
Colostomie de l'anse ascendante Cadran supérieur droit de l'abdomen • Type peu commun de colostomie		Selles variant de liquides à semi-liquides. Selles contenant des enzymes et des sucs digestifs. Selles très irritantes pour la peau péristomiale.
Iléostomie Cadran inférieur droit de l'abdomen		Selles variant de liquides à semi-liquides. Selles contenant de fortes concentrations d'enzymes et des sucs digestifs. Selles très irritantes pour la peau péristomiale.

MATÉRIEL

- Appareil collecteur adapté au type de stomie (une pièce ou deux pièces)
- Gabarit de découpe
- Fermoir
- Piqué jetable
- Sac à déchets
- Ciseaux
- Compresse de gaze stérile 10×10 cm

- Stylo
- Protecteur cutané en pâte
- Bassine
- Débarbouillettes
- Papier hygiénique
- Eau tiède
- Gants non stériles
- Blouse de protection, au besoin

Étapes préexécutoires	Justifications
1. **Effectuer les étapes préexécutoires communes décrites au début de cette section (page 70).**	
2. Installer le client en position semi-Fowler ou en position de décubitus dorsal.	Une position adaptée à la méthode de soins facilite la procédure et prévient la fatigue et l'inconfort ressentis par le client.

Étapes exécutoires	Justifications
3. Fixer le sac à déchets à la table du client.	La proximité du sac permet de jeter le matériel souillé sans contaminer l'environnement de travail.
4. Mettre des gants non stériles et, au besoin, une blouse de protection.	Le port de gants évite les contacts directs avec les liquides biologiques du client et la transmission de microorganismes pathogènes. La blouse protège les vêtements de l'infirmière des éclaboussures.
5. Placer un piqué jetable sur le lit du client, du côté de l'appareil collecteur.	Le piqué protège le client et le lit en cas d'écoulement de matières fécales pendant la procédure.
6. Retirer l'appareil collecteur en place en commençant par la partie supérieure. De la main dominante, décoller délicatement la plaque de protecteur cutané de la peau en la tirant vers le haut, tout en exerçant, de l'autre main, une légère pression sur la peau près de la stomie.	Le fait de tirer délicatement la plaque de protecteur cutané vers le haut en pressant sur la peau de l'abdomen réduit la tension et l'inconfort ressentis par le client.

Étapes exécutoires	Justifications
7. Retirer le fermoir et le déposer sur la surface de travail.	Le fermoir peut être réutilisé.
8. Selon le type d'appareil, procéder comme suit : a) Appareil une pièce : le jeter dans le sac à déchets fixé à la table. b) Appareil deux pièces : jeter dans le sac à déchets le sac collecteur et la plaque de protecteur cutané sur laquelle est insérée la collerette.	Jeter le sac collecteur dans un tel sac évite la propagation de microorganismes pathogènes. Il n'est pas recommandé de nettoyer le sac, car cela risque de détruire son film interne anti-odeur. Il est à noter que certains patients réutilisent leur sac.
9. S'il y a écoulement de selles pendant la procédure, les nettoyer à l'aide de papier hygiénique ou d'une débarbouillette, et déposer une débarbouillette ou une compresse sur la stomie.	Cette procédure permet de recueillir les selles et les empêche de couler sur l'abdomen du client.
10. Nettoyer la peau péristomiale avec une débarbouillette ou une compresse imbibée d'eau tiède en frottant délicatement. Bien sécher la peau.	L'eau tiède facilite le retrait des croûtes ou des dépôts présents sur la peau péristomiale. Une friction excessive pourrait causer des saignements à la muqueuse intestinale compte tenu qu'elle est très vascularisée. Bien sécher la peau préserve l'intégrité de la muqueuse et de la peau péristomiale.

⚠ **LERTE CLINIQUE** Il importe d'éviter l'usage de savon pouvant laisser un résidu sur la peau et altérer l'adhérence de la collerette.

11. **ÉVALUATION** Évaluer l'état de la stomie et de la peau péristomiale en se référant aux critères de normalité suivants : a) Coloration : rouge, rosée, luisante. b) Sensibilité : insensible au toucher.	 La peau doit être un peu plus foncée que la muqueuse buccale. Cette insensibilité est due à l'absence de terminaisons nerveuses.

Étapes exécutoires	Justifications
c) Sensation tactile: fraîche et humide.	La muqueuse doit toujours être humide afin d'éviter l'apparition de fissures ou de lésions.
d) Forme: arrondie, ovale ou irrégulière.	Une stomie récente présente de l'œdème; sa forme se modifiera au cours des premières semaines suivant la diminution de l'œdème (de six à huit semaines en phase postopératoire).
e) Positionnement: au niveau de la peau, invaginée, rétractée ou prolapsus.	
f) Volume et consistance des selles.	Une iléostomie produira des selles liquides à visqueuses très irritantes pour la peau et pouvant atteindre de 1 000 à 1 500 ml en phase postopératoire immédiate, et de 500 à 800 ml quelques semaines plus tard.
	Une colostomie ascendante ou transverse produira des selles semi-liquides à pâteuses, alors qu'une colostomie descendante ou sigmoïdienne produira des selles pâteuses à fermes.

RAPPEL! La présence de signes de déhiscence de la jonction cutanéo-muqueuse, tels que des zones cyanosées, nécrosées ou de la pâleur, indique une diminution ou une absence de vascularisation de la muqueuse. Il est important d'en aviser rapidement le médecin traitant.

12. Mesurer la taille de la stomie à l'aide du gabarit de découpe.	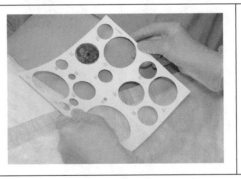	L'ouverture de la nouvelle collerette doit être adaptée à la dimension de la stomie.

ALERTE CLINIQUE Dans le cas d'une colostomie, il faut ajouter 3 mm à la mesure prise afin de permettre à l'intestin de se dilater au passage des selles dans l'ouverture de la collerette. Pour une iléostomie, la nouvelle collerette doit être taillée de la même grandeur que la mesure prise, et ce, afin de préserver l'intégrité de la peau péristomiale.

13. Reproduire la forme mesurée sur la pellicule recouvrant la plaque de protecteur cutané de la collerette et la découper.	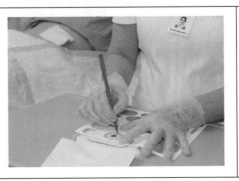	L'ouverture pratiquée dans la plaque de protecteur cutané de la collerette doit reproduire la forme de la stomie.

Étapes exécutoires	Justifications
14. S'assurer que la peau péristomiale est sèche et propre. La nettoyer de nouveau au besoin.	Un écoulement de selles peut se produire pendant la procédure. Il est important de nettoyer la région péristomiale avant d'appliquer un nouveau sac collecteur.
15. Retirer la pellicule recouvrant la partie centrale de la plaque de protecteur cutané de la collerette. Au besoin, appliquer une mince couche de protecteur cutané en pâte autour de l'ouverture. 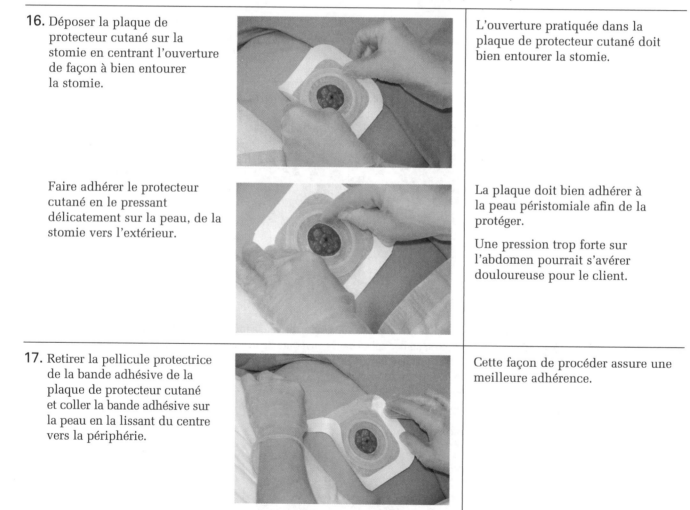	Le protecteur cutané en pâte permet à la collerette d'épouser le contour de la stomie et d'assurer une protection contre les fuites.

⚠ **ALERTE CLINIQUE** En présence d'irritation de la peau, il ne faut pas appliquer de protecteur cutané en pâte, car celui-ci contient de l'alcool. On doit utiliser plutôt un protecteur cutané sans alcool, par exemple : Cavilon^MD de 3M , Sureprep^MD de Medline ou bande de pâte Coloplast^MD.

Étapes exécutoires	Justifications
16. Déposer la plaque de protecteur cutané sur la stomie en centrant l'ouverture de façon à bien entourer la stomie.	L'ouverture pratiquée dans la plaque de protecteur cutané doit bien entourer la stomie.
Faire adhérer le protecteur cutané en le pressant délicatement sur la peau, de la stomie vers l'extérieur.	La plaque doit bien adhérer à la peau péristomiale afin de la protéger. Une pression trop forte sur l'abdomen pourrait s'avérer douloureuse pour le client.
17. Retirer la pellicule protectrice de la bande adhésive de la plaque de protecteur cutané et coller la bande adhésive sur la peau en la lissant du centre vers la périphérie.	Cette façon de procéder assure une meilleure adhérence.

Étapes exécutoires		Justifications
18. Adapter un nouveau sac sur la collerette en orientant l'ouverture vers le bas (client ambulatoire) ou de façon perpendiculaire à la cuisse (client alité). S'assurer que le sac est bien fixé en le tirant légèrement vers le bas.		Cette mesure facilite l'écoulement des selles par gravité et contribue au confort du client.
19. Ouvrir le fermoir et placer sa partie interne sur le sac, à environ 3 cm de son extrémité. Replier le sac sur la languette et rabattre la patte du fermoir afin de le fermer.		Le fermoir ainsi placé assure l'étanchéité du sac.
20. Retirer les gants et les jeter dans le sac à déchets.		Jeter les gants dans un tel sac évite la propagation de microorganismes pathogènes.

Étapes postexécutoires	Justifications
21. Effectuer les étapes postexécutoires communes décrites au début de cette section (page 71).	
22. Le cas échéant, retirer la blouse de protection et la jeter dans un sac à déchets biomédicaux. Procéder de la même façon pour le sac à déchets fixé à la table et le piqué.	Jeter ces articles dans un tel sac évite la propagation de microorganismes pathogènes.

📁 Éléments à consigner dans les notes d'évolution rédigées par l'infirmière

- La date et l'heure des soins de stomie.
- La présence de douleur ou d'écoulement au pourtour de la stomie.
- Les caractéristiques des selles et leur quantité.
- La réaction du client et sa collaboration.
- Toute réaction anormale ou indésirable survenue pendant les soins ou à la suite de ceux-ci. **Il faut également transmettre cette donnée au médecin traitant et à l'infirmière responsable du client.**

Exemple

2011-05-14 10:00 *Soins de colostomie effectués : peau péristomiale exempte de rougeur ou de lésion. Aucune douleur manifestée. Présence de selles liquides 125 ml. Client refuse de regarder sa stomie, dit qu'il n'est pas encore prêt à effectuer ses soins de stomie.*

▶ CHAPITRE 53
Système gastro-intestinal

▶ CHAPITRE 56
Troubles du tractus gastro-intestinal supérieur

▶ CHAPITRE 57
Troubles du tractus gastro-intestinal inférieur

MS 3.5

MS 3.5

Vidange d'un sac de colostomie ou d'iléostomie

BUT

Vidanger les selles contenues dans le sac collecteur d'une colostomie ou d'une iléostomie et les jeter selon les normes en vigueur.

Prévenir le décollement prématuré de la collerette et du sac collecteur.

MATÉRIEL

- Contenant
- Seringue à irrigation de 60 ml
- Eau du robinet tiède ou à température ambiante
- Débarbouillette ou lingette

- Papier hygiénique
- Piqué jetable
- Bassin de lit ou tasse graduée
- Gants non stériles

NOTIONS DE BASE

La vidange du sac devrait s'effectuer dès que le sac est rempli au tiers ou lorsqu'il est gonflé de gaz intestinaux afin d'éviter un décollement accidentel causé par le poids des selles ou la pression des gaz.

En d'autres occasions, il est préférable de vidanger le sac le matin, alors que le client est à jeun, ou deux ou trois heures après les repas afin d'éviter que des selles soient évacuées pendant la procédure.

Il n'est pas nécessaire de retirer le sac collecteur pour le vidanger, et ce, qu'il s'agisse d'un appareil à une ou à deux pièces.

Étapes préexécutoires	Justifications
1. **Effectuer les étapes préexécutoires communes décrites au début de cette section (page 70).**	
2. Installer le client en position semi-Fowler ou en position de décubitus dorsal.	Une position adaptée à la méthode de soins facilite la procédure et prévient la fatigue et l'inconfort ressentis par le client.

Étapes exécutoires	Justifications
3. Remplir le contenant avec de l'eau du robinet tiède ou à la température de la pièce. Le déposer sur la table de chevet du client.	Il ne faut pas utiliser d'eau chaude, car cela favoriserait l'adhérence des selles aux parois du sac et endommagerait le recouvrement interne anti-odeur du sac.

Étapes exécutoires	Justifications
4. Mettre des gants non stériles.	Le port de gants évite les contacts directs avec les liquides biologiques du client et la transmission de microorganismes pathogènes.
5. Placer un piqué jetable sur le lit du client, du côté de l'appareil collecteur.	Le piqué protège le client et le lit en cas d'écoulement de matières fécales pendant la procédure.
6. ÉVALUATION Évaluer la présence d'infiltration d'eau ou de fuite au joint stomie-plaque de protecteur cutané. Le cas échéant, retirer l'appareil et en réinstaller un nouveau ▶ **MS 3.4** .	La présence d'une fuite ou d'eau sous la collerette diminue son adhérence et peut mener à son décollement accidentel. De plus, les fuites peuvent altérer l'intégrité de la peau péristomiale.
7. Effectuer l'étape 8 ou 9, selon le cas. ▶ 8. Vidanger le sac de l'appareil une pièce. ▶ 9. Vidanger le sac de l'appareil deux pièces.	
8. Vidanger le sac de l'appareil une pièce.	
8.1 Retirer le fermoir du sac collecteur et le placer à la portée de la main.	Le fermoir sera réutilisé pour refermer le sac après la vidange.
8.2 Replier le rebord du sac collecteur sur lui-même sur une longueur de 2 ou 3 cm.	Replier le rebord évite de le souiller de matières fécales.
8.3 Placer le sac collecteur au-dessus du bassin de lit ou de la tasse graduée et laisser les selles s'écouler dans le récipient.	Les selles s'écoulent par gravité.

Étapes exécutoires	Justifications
8.4 Si les selles sont difficiles à déloger, remplir une seringue à irrigation avec l'eau du contenant et irriguer l'intérieur du sac pour le rincer.	L'eau tiède ou à la température de la pièce favorise le décollement des matières fécales.
8.5 Frotter les parois du sac l'une contre l'autre au besoin, en dirigeant les selles vers le bassin de lit ou la tasse graduée. Si les selles sont trop difficiles à déloger, changer l'appareil collecteur au complet.	Cette procédure aide à déloger les matières fécales adhérant au sac.
8.6 Essuyer l'extrémité du sac collecteur avec du papier hygiénique et déplier le rebord.	Cette précaution évite que des matières fécales souillent l'extérieur du sac, créant ainsi des odeurs nauséabondes.
8.7 Ouvrir le fermoir et placer sa partie interne sur le sac, à environ 3 cm de son extrémité. Replier le sac sur la languette et rabattre la patte du fermoir afin de le fermer. Passer à l'étape 10.	Le fermoir ainsi placé assure l'étanchéité du sac.

9. Vidanger le sac de l'appareil deux pièces.

9.1 Retirer le sac collecteur de la collerette. Retirer le fermoir du sac collecteur et le placer à la portée de la main.	Le fermoir sera réutilisé pour refermer le sac après la vidange.
9.2 Déposer le sac dans le bassin de lit sans le vidanger.	
9.3 Nettoyer délicatement la stomie avec une débarbouillette ou une lingette imbibée d'eau tiède afin de déloger les matières fécales présentes.	L'eau tiède aide à déloger les selles. Une friction excessive pourrait causer des saignements à la muqueuse intestinale compte tenu qu'elle est très vascularisée.
9.4 Vidanger les selles contenues dans le sac dans une tasse graduée si elles doivent être mesurées ; sinon, les jeter dans la toilette. Au besoin, frotter les parois du sac l'une contre l'autre. Jeter le sac en présence de selles très adhérentes et difficiles à déloger ou lorsque les parois deviennent malodorantes.	Frotter les parois du sac aide à déloger les matières fécales adhérant au sac. À la longue, les odeurs dégagées par les selles imprègnent les parois du sac.

Étapes exécutoires	Justifications
9.5 Remettre le sac ou en adapter un nouveau sur la collerette en orientant l'ouverture vers le bas (client ambulatoire) ou de façon perpendiculaire à la cuisse (client alité). S'assurer que le sac est bien fixé en le tirant légèrement vers le bas.	
9.6 Ouvrir le fermoir et placer sa partie interne sur le sac, à environ 3 cm de son extrémité. Replier le sac sur la languette et rabattre la patte du fermoir afin de le fermer.	Le fermoir ainsi placé assure l'étanchéité du sac.
10. **ÉVALUATION** Évaluer les caractéristiques des selles et leur quantité.	Cette évaluation permet d'anticiper un problème d'élimination (p. ex., de la constipation, de la diarrhée ou de la déshydratation) et de consigner au dossier les renseignements liés à l'élimination intestinale du client.
11. Si l'on doit faire le bilan des ingesta et des excreta, mesurer la quantité de selles.	
12. Jeter les selles et le papier hygiénique utilisé dans la toilette.	Jeter les selles et le papier hygiénique dans la toilette évite la propagation de microorganismes pathogènes.
13. Retirer les gants et le piqué, et les jeter dans un sac à déchets biomédicaux.	Jeter les gants et le piqué dans un tel sac évite la propagation de microorganismes pathogènes.
Étapes postexécutoires	**Justifications**
14. Effectuer les étapes postexécutoires communes décrites au début de cette section (page 71).	

Éléments à consigner dans les notes d'évolution rédigées par l'infirmière

■ La date, l'heure et la fréquence de la vidange du sac de stomie.
■ Les caractéristiques des selles et leur quantité (à inscrire aussi au bilan des ingesta et des excreta, s'il y a lieu).
■ La réaction du client et sa collaboration.
■ Toute réaction anormale ou indésirable survenue pendant les soins ou à la suite de ceux-ci. **Il faut également transmettre cette donnée au médecin traitant et à l'infirmière responsable du client.**

Exemple
2011-05-14 10:00   Vidange du sac de colostomie: selles semi-liquides verdâtres 200 ml. Aucune douleur manifestée. Client pose des questions sur la façon d'effectuer ses soins et manifeste le désir de collaborer.

MS 3.6

Irrigation d'une colostomie

BUT

Favoriser la régularité et le contrôle de l'élimination intestinale.

Préparer l'intestin en prévision d'un examen diagnostique.

NOTIONS DE BASE

L'irrigation d'une colostomie descendante (gauche, transverse ou sigmoïdienne) consiste à instiller un certain volume d'eau ou d'une autre solution – selon l'ordonnance médicale – dans l'intestin, par l'orifice de la stomie.

Il est recommandé de procéder à l'irrigation en suivant un horaire fixe, selon les besoins du client et la recommandation du médecin. Il est préférable d'effectuer l'irrigation toujours à la même heure et après un repas, car l'alimentation stimule le péristaltisme.

Il est à noter que l'irrigation d'une colostomie ascendante ou d'une iléostomie doit être pratiquée uniquement par un médecin ou un stomothérapeute, puisqu'elle comporte des risques cliniques.

MATÉRIEL

- Gants non stériles
- Nécessaire pour irriguer : sac d'irrigation avec tubulure, cône, bassin de lit (client alité)
- Eau tiède ou solution d'irrigation prescrite

- Débarbouillettes
- Piqué jetable
- Lubrifiant hydrosoluble
- Ruban adhésif
- Ciseaux

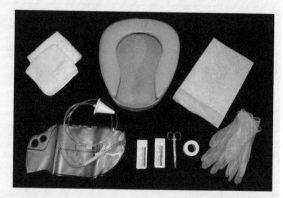

Étapes préexécutoires	Justifications
1. Effectuer les étapes préexécutoires communes décrites au début de cette section (page 70).	
2. ÉVALUATION Évaluer la présence de malaise ou de douleur au site d'insertion de la stomie. En cas de douleur, aviser le médecin avant de procéder à l'irrigation afin de prévenir les risques de blessures à la muqueuse intestinale.	
3. Procéder à l'examen clinique abdominal du client. Vérifier auprès de lui : • ses habitudes d'élimination ; • le degré de contrôle de son élimination par la stomie ; • la date de la dernière selle ; • la présence de douleurs abdominales, d'irritation ou de lésion au site de la stomie ; • sa capacité à se déplacer.	Ces renseignements complètent l'évaluation initiale ou en cours, et permettent de déterminer s'il est nécessaire ou non d'administrer un lavement.

Étapes exécutoires	Justifications
4. Fermer le presse-tube à glissière de la tubulure du sac d'irrigation.	La fermeture du presse-tube évite l'écoulement du liquide pendant le remplissage du sac.
5. Remplir le sac d'irrigation avec 500 ml (ou la quantité requise) d'eau tiède ou de la solution d'irrigation prescrite.	L'eau chaude risque de brûler la muqueuse intestinale ; l'eau froide peut causer des crampes abdominales. La quantité de solution à administrer peut varier selon l'âge, l'état de santé et les habitudes d'élimination du client.
6. Régler la hauteur de la tige à perfusion de manière que le sac se trouve à environ 45 à 60 cm au-dessus du site de la stomie.	Si le sac se trouve à plus de 60 cm de la stomie, l'administration de la solution sera trop rapide, ce qui pourrait provoquer l'expulsion de la canule rectale et causer des crampes abdominales.
7. Suspendre le sac d'irrigation à la tige à perfusion. Ouvrir le presse-tube à glissière. Procéder au vide d'air de la tubulure. Refermer le presse-tube à glissière et se rendre au chevet du client.	L'administration de l'air contenu dans la tubulure pourrait provoquer des crampes ou de la distension abdominale chez le client.
8. Mettre des gants non stériles.	Le port de gants évite les contacts directs avec les selles du client et diminue la transmission de microorganismes pathogènes.
9. Installer le client en position semi-Fowler ou en position de décubitus dorsal s'il ne peut se déplacer. Si le client peut se déplacer, lui demander de se rendre aux toilettes avec la tige à perfusion.	Une position adaptée à la méthode de soins facilite la procédure et prévient la fatigue et l'inconfort ressentis par le client. Le client pourra s'asseoir sur la toilette en plaçant le sac d'irrigation entre ses jambes pour vidanger la solution d'irrigation et les selles directement dans la toilette.
10. Placer un piqué jetable sur le lit du client, du côté de la stomie. Y déposer le bassin de lit.	Le piqué protège le client et le lit en cas d'écoulement de matières fécales pendant la procédure. Le bassin de lit servira à recevoir les selles drainées du côlon si le client ne peut pas se rendre aux toilettes.

MS 3.6

Étapes exécutoires	Justifications
11. Retirer l'appareil collecteur en place (appareil une pièce) ou le sac collecteur (appareil deux pièces). Nettoyer la région péristomiale au besoin ▶ MS 3.4 .	Le sac collecteur sera remplacé par le sac d'irrigation.
12. Selon le type d'appareil, fixer le sac d'irrigation à la stomie comme suit: a) Appareil une pièce: placer le sac d'irrigation au site de la stomie et le maintenir en place à l'aide de la ceinture fournie à cet effet. b) Appareil deux pièces: adapter le sac d'irrigation directement sur la collerette de l'appareil.	
13. Replier l'ouverture inférieure du sac d'irrigation et le fermer à l'aide du fermoir.	
14. Adapter la tubulure du sac d'irrigation au cône de protection.	Insérer la tubulure directement dans la stomie sans utiliser le cône pourrait provoquer une lésion de la muqueuse intestinale.
15. Lubrifier l'extrémité du cône et l'introduire délicatement dans l'ouverture de la stomie en le faisant rouler entre ses doigts. Afin de faciliter l'insertion du cône, laisser couler un peu de solution d'irrigation.	Le lubrifiant facilite l'insertion du cône, évitant ainsi d'irriter la muqueuse intestinale.

ALERTE CLINIQUE Il ne faut jamais forcer l'insertion du cône s'il y a résistance, en raison du risque de lésion à la muqueuse de la stomie.

16. Tout en maintenant le cône en place, ouvrir le presse-tube à glissière et laisser la solution pénétrer lentement (pendant 5 à 10 minutes environ) dans la stomie.	Une administration rapide peut provoquer l'expulsion du cône et causer des crampes abdominales.

ALERTE CLINIQUE En présence de crampes, cesser temporairement l'irrigation et attendre que le client ne ressente plus de crampes avant de reprendre la procédure.

Étapes exécutoires	Justifications
17. Une fois l'irrigation terminée, fermer le presse-tube à glissière, attendre quelques secondes, puis retirer le cône.	Cette façon de procéder permet d'éviter que la solution d'irrigation et les selles soient rejetées trop rapidement.
18. Replier l'ouverture supérieure du sac d'irrigation et la fermer au moyen de la bande rigide ou d'un ruban adhésif en l'absence de cette dernière.	Le repli évite les éclaboussures du liquide de retour.
19. Retirer le fermoir fixé antérieurement à l'extrémité du sac d'irrigation.	Cette ouverture permet à la solution et aux selles de s'écouler dans le bassin de lit ou la toilette.
20. Laisser la solution et les selles s'écouler dans le bassin de lit ou la toilette pendant environ 15 minutes.	Cette opération permet la vidange des selles de l'intestin.
21. Replacer le fermoir sur la partie inférieure du sac d'irrigation et demander au client de masser son abdomen de la droite vers la gauche, en suivant le sens du côlon, pendant les 30 à 45 minutes qui suivent.	Le massage stimule le péristaltisme intestinal et favorise l'élimination.
22. Retirer le sac d'irrigation et nettoyer le site de la stomie et la région péristomiale au besoin ▶ MS 3.4 .	Le retour d'irrigation peut causer des souillures ou des infiltrations de selles sous la collerette.
23. Mettre en place un nouvel appareil collecteur (appareil une pièce) ou fixer un nouveau sac collecteur à la collerette (appareil deux pièces).	

RAPPEL! Dans le cas de l'appareil deux pièces, en présence d'infiltrations de selles sous la plaque de protecteur cutané, il faut procéder au changement de celle-ci avant d'y installer le nouveau sac ▶ MS 3.4 .

Étapes postexécutoires	Justifications
24. Effectuer les étapes postexécutoires communes décrites au début de cette section (page 71).	
25. ÉVALUATION Évaluer les caractéristiques des selles et leur quantité, si possible.	Cette évaluation permet d'anticiper un problème d'élimination (p. ex., selles dures ou trop liquides, présence de sang) et de consigner au dossier les renseignements liés à l'élimination intestinale du client.
26. Vider, nettoyer et ranger le bassin de lit et le sac d'irrigation réutilisable. Jeter le matériel jetable dans un sac à déchets biomédicaux.	Nettoyer le matériel ou le jeter dans un tel sac évite la propagation de microorganismes pathogènes.

Étapes postexécutoires	Justifications
27. Retirer les gants et les jeter dans le sac à déchets biomédicaux.	Jeter les gants dans un tel sac évite la propagation de microorganismes pathogènes.

📁 Éléments à consigner dans les notes d'évolution rédigées par l'infirmière

- La date et l'heure de l'irrigation.
- La quantité et le type de solution administrée.
- Les caractéristiques des selles et leur quantité.
- La réaction du client et sa collaboration.
- Toute réaction anormale ou indésirable survenue pendant les soins ou à la suite de ceux-ci. **Il faut également transmettre cette donnée au médecin traitant et à l'infirmière responsable du client.**

Exemple

2011-05-16   14:00   Irrigation de colostomie avec 50 ml d'eau tiède: selles pâteuses, environ 100 ml. Aucune douleur manifestée pendant la procédure; collabore aux soins.

▶ **CHAPITRE 68**
Troubles rénaux et urologiques

MS 3.7

Soins de néphrostomie, de cystostomie et d'urétérostomie

- **Retrait de l'appareil collecteur d'un conduit iléal ou d'une urétérostomie**
- **Retrait d'un pansement de néphrostomie ou de cystostomie**
- **Nettoyage d'une cystostomie ou d'une néphrostomie**
- **Installation d'un nouvel appareil collecteur sur un conduit iléal ou une urétérostomie**
- **Réfection d'un pansement de néphrostomie ou de cystostomie**

BUT

Favoriser le fonctionnement optimal de la stomie.

Maintenir l'intégrité de la stomie et de la peau péristomiale.

NOTIONS DE BASE

Une dérivation urinaire consiste en une ouverture temporaire ou permanente pratiquée dans la peau qui permet de dériver l'élimination urinaire. Cette chirurgie est consécutive à une ablation de la vessie ou à un fonctionnement inadéquat des voies urinaires. Il existe plusieurs types de dérivations urinaires. Les principales sont la néphrostomie, l'urétérostomie, le conduit iléal, la cystostomie et le réservoir continent avec stomie (poche d'Indiana).

La procédure propre est d'usage pour les soins de stomie. Cependant, si les cathéters urétéraux sont encore en place dans le conduit iléal (de 7 à 14 jours postopératoires), la procédure stérile est requise afin d'éviter toute infection aux reins. On utilise également une technique stérile dans le cas d'une néphrostomie et d'une cystostomie afin d'éviter une infection de la vessie.

Afin de maintenir l'intégrité de la peau péristomiale, on doit bien adapter l'appareil collecteur à la stomie et le changer dès qu'une fuite apparaît.

MATÉRIEL

Conduit iléal ou urétérostomie

- Appareil collecteur adapté au type de stomie (une pièce ou deux pièces)
- Gabarit de découpe
- Adaptateur de la tubulure du système de drainage
- Débarbouillettes
- Tasse graduée
- Piqué jetable
- Sac à déchets
- Ciseaux
- Stylo
- Protecteur cutané en pâte
- Eau tiède
- Gants non stériles

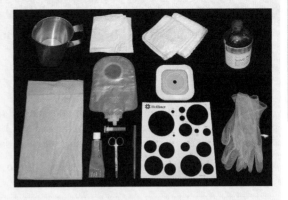

Conduit iléal avec cathéters urétéraux en place

- Contenant stérile
- Gants stériles
- Solution de NaCl 0,9 %
- Tasse graduée
- Compresses de gaze stériles 10 × 10 cm

Néphrostomie ou cystostomie

- Gants non stériles
- Gants stériles
- Compresses de gaze stériles 10 × 10 cm
- Tiges montées imbibées de chlorhexidine 2 % et d'alcool 70 %
- Compresses à drain stériles
- Solution de NaCl 0,9 %
- Ruban hypoallergénique transparent microperforé de type Transpore^{MD}
- Sac à déchets
- Contenant stérile
- Tasse graduée
- Matériel pour fixer le pansement (ruban adhésif, pansement adhésif extensible [Hypafix^{MD}, Mefix^{MD}], dispositif de stabilisation, etc.)

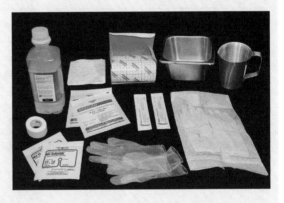

Étapes préexécutoires	Justifications
1. **Effectuer les étapes préexécutoires communes décrites au début de cette section (page 70).**	
2. Installer le client en position semi-Fowler ou en position de décubitus dorsal.	Une position adaptée à la méthode de soins facilite la procédure et prévient la fatigue et l'inconfort ressentis par le client.

Étapes exécutoires	Justifications
3. Fixer le sac à déchets à la table du client.	La proximité du sac permet de jeter le matériel souillé sans contaminer l'environnement de travail.
4. Mettre des gants non stériles.	Le port de gants évite les contacts directs avec l'urine du client et la transmission de microorganismes pathogènes.

Étapes exécutoires	Justifications
5. Placer un piqué jetable sur le lit du client, du côté de l'appareil collecteur.	Le piqué protège le client et le lit en cas d'écoulement d'urine pendant la procédure.
6. **ÉVALUATION** Évaluer la qualité de l'urine contenue dans le sac collecteur (couleur, odeur, présence de sang ou de mucosités, etc.). À l'aide d'une tasse graduée, mesurer la quantité d'urine contenue dans le sac et la jeter dans la toilette. Consigner les renseignements obtenus au dossier du client et dans le bilan des ingesta et des excreta.	Cette évaluation permet d'anticiper un problème d'élimination urinaire (p. ex., de la rétention urinaire ou une infection).
7. Effectuer l'étape 8 ou 9, selon le cas. ▶ 8. Retirer l'appareil collecteur d'un conduit iléal ou d'une urétérostomie. ▶ 9. Retirer le pansement recouvrant la néphrostomie ou la cystostomie.	
8. Retirer l'appareil collecteur d'un conduit iléal ou d'une urétérostomie.	
8.1 De la main dominante, décoller délicatement la partie supérieure de la collerette en exerçant, de l'autre main, une légère pression sur la peau à proximité de la stomie.	Une légère pression sur l'abdomen réduit la tension sur la stomie et la région péristomiale au moment du retrait de la collerette, ce qui diminue l'inconfort du client.
8.2 Si de l'urine s'écoule, l'essuyer avec une débarbouillette.	Cette mesure permet de préserver l'intégrité de la peau en évitant les risques de macération et d'irritation.
8.3 Retirer les gants et les jeter dans le sac à déchets. En présence de cathéters urétéraux dans le conduit iléal, effectuer les étapes 8.4 à 8.9. En l'absence de cathéters urétéraux, passer à l'étape 10.	Jeter les gants dans un tel sac évite la propagation de microorganismes pathogènes.
8.4 Ouvrir le contenant stérile et y déposer des compresses de gaze stériles tout en en préservant la stérilité.	Le contenant stérile constitue une surface de travail stérile.
8.5 Ouvrir la bouteille de solution de NaCl 0,9 % et en verser sur les compresses.	
8.6 Mettre des gants stériles.	Le port de gants stériles permet de manipuler le matériel stérile sans le contaminer.
8.7 Prendre une compresse imbibée de solution de NaCl 0,9 % et nettoyer un des cathéters urétéraux, en allant de la base de la stomie vers le haut du cathéter. Répéter l'opération pour chacun des autres cathéters en changeant de compresse à chaque cathéter. Terminer en nettoyant la peau péristomiale avec une autre compresse de gaze stérile imbibée de solution de NaCl 0,9 %.	Ce nettoyage prévient l'introduction de microorganismes pathogènes par les cathéters urétéraux. Un nettoyage de la base de la stomie vers le haut évite de recontaminer la partie nettoyée.

Étapes exécutoires	Justifications
8.8 Jeter les compresses dans le sac à déchets.	Jeter les compresses dans un tel sac évite la propagation de microorganismes pathogènes.
8.9 Retirer les gants et les jeter dans le sac à déchets. Passer à l'étape 10.	Jeter les gants dans un tel sac évite la propagation de microorganismes pathogènes.
9. Retirer le pansement recouvrant la néphrostomie ou la cystostomie.	
9.1 Retirer la bande autocollante qui maintient le pansement en la tirant parallèlement à la peau en direction de la stomie.	Le fait de tirer la bande autocollante vers la stomie réduit la tension exercée sur les lèvres de la stomie et incommode moins le client.
9.2 Retirer le pansement une couche à la fois, en veillant à ne pas déloger le cathéter de la stomie. Si le pansement adhère à la stomie, l'imprégner de solution de NaCl 0,9 % et le laisser s'imbiber quelques minutes avant de le retirer doucement.	Enlever le pansement une couche à la fois réduit le risque de retrait accidentel du cathéter. Imbiber le pansement de solution de NaCl 0,9 % facilite son décollement et évite d'abîmer les tissus sous-jacents, ce qui retarderait le processus de cicatrisation.

ALERTE CLINIQUE Il faut éviter d'utiliser des ciseaux pour couper le pansement, car on risque de couper le cathéter accidentellement.

Étapes exécutoires	Justifications
9.3 **ÉVALUATION** Évaluer la nature et la quantité de l'écoulement imbibé dans le pansement, puis le jeter dans le sac à déchets.	Jeter le pansement dans un tel sac évite la propagation de microorganismes pathogènes.
9.4 Retirer les gants et les jeter dans le sac à déchets.	Jeter les gants dans un tel sac évite la propagation de microorganismes pathogènes.
10. Nettoyer une cystostomie ou une néphrostomie.	
10.1 Ouvrir le contenant stérile et y déposer des compresses de gaze stériles tout en en préservant la stérilité.	Le contenant stérile constitue une surface de travail stérile.
10.2 Ouvrir la bouteille de solution de NaCl 0,9 % et en verser sur les compresses.	La solution de NaCl 0,9 % permet de nettoyer l'exsudat au pourtour de la stomie.
10.3 Mettre des gants stériles.	Le port de gants stériles prévient la contamination de la stomie par infection nosocomiale ou autre.

Étapes exécutoires	Justifications
10.4 Prendre une compresse imbibée de solution de NaCl 0,9 % et la tordre. Nettoyer délicatement la peau péristomiale, en allant de la stomie vers la périphérie. Jeter la compresse souillée dans le sac à déchets. Au besoin, répéter la procédure avec une nouvelle compresse.	La solution de NaCl 0,9 % aide à déloger les croûtes et les dépôts, le cas échéant. Jeter les compresses dans un tel sac évite la propagation de microorganismes pathogènes.
10.5 Au moyen de tiges montées imbibées de chlorhexidine 2 % et d'alcool 70 %, aseptiser le site d'insertion du cathéter de néphrostomie ou de cystostomie, en allant du centre vers la périphérie. Changer de tige ou la retourner à chaque étape et procéder comme suit : • Soulever délicatement le cathéter avec la main non dominante. • De la main dominante, prendre une tige et aseptiser le site d'insertion du cathéter en effectuant un premier demi-cercle. Retourner la tige et effectuer l'autre demi-cercle. • Agrandir la surface aseptisée en répétant la procédure avec une nouvelle tige, jusqu'à couvrir un diamètre de 10 cm. Jeter les tiges dans le sac à déchets.	Aseptiser le site prévient l'introduction de microorganismes pathogènes dans la stomie. Aseptiser la peau du centre de la stomie vers la périphérie évite de recontaminer la partie aseptisée. Jeter les tiges dans un tel sac évite la propagation de microorganismes pathogènes.
10.6 De la main dominante, saisir une compresse imbibée de solution de NaCl 0,9 % et nettoyer le cathéter, en allant du site d'insertion du cathéter vers le haut. Jeter la compresse dans le sac à déchets.	Le cathéter doit être nettoyé avant d'être déposé sur la région aseptisée. Jeter la compresse dans un tel sac évite la propagation de microorganismes pathogènes.
10.7 Retirer les gants et les jeter dans le sac à déchets.	Jeter les gants dans un tel sac évite la propagation de microorganismes pathogènes.

Étapes exécutoires	Justifications
11. Effectuer l'étape 12 ou 13, selon le cas.	
▶ 12. Installer un nouvel appareil collecteur sur un conduit iléal ou une urétérostomie.	
▶ 13. Refaire le pansement recouvrant la néphrostomie ou la cystostomie.	
12. Installer un nouvel appareil collecteur sur un conduit iléal ou une urétérostomie.	
12.1 Mettre des gants non stériles.	Le port de gants évite les contacts directs avec l'urine du client et la transmission de microorganismes pathogènes.
12.2 Nettoyer délicatement la peau péristomiale avec une débarbouillette imbibée d'eau tiède. Bien la sécher.	L'eau tiède facilite le retrait des croûtes ou des dépôts présents sur la peau péristomiale. Une friction excessive peut causer des lésions. Bien sécher la peau préserve son intégrité et prévient la macération.
12.3 Retirer les gants et les jeter dans le sac à déchets.	Jeter les gants dans un tel sac évite la propagation de microorganismes pathogènes.
12.4 Mesurer la taille de la stomie à l'aide du gabarit de découpe.	L'ouverture de la nouvelle collerette doit être adaptée à la dimension de la stomie.
12.5 Reproduire la forme mesurée sur la pellicule recouvrant la plaque de protecteur cutané de la collerette et la découper.	L'ouverture pratiquée dans la plaque doit reproduire la forme de la stomie.
12.6 Retirer la pellicule recouvrant la plaque de protecteur cutané. Au besoin, appliquer une mince couche de protecteur cutané en pâte autour de l'ouverture.	Le protecteur cutané en pâte permet à la collerette d'épouser le contour de la stomie et d'assurer une protection contre les fuites.

ALERTE CLINIQUE En présence d'irritation de la peau, il ne faut pas appliquer de protecteur cutané en pâte, car celui-ci contient de l'alcool. On doit utiliser plutôt un protecteur cutané sans alcool, par exemple : Cavilon^MD de 3M ou Sureprep^MD de Medline.

Étapes exécutoires	Justifications
12.7 Mettre des gants non stériles.	Le port de gants évite les contacts directs avec l'urine du client et la transmission de microorganismes pathogènes.

Étapes exécutoires	Justifications

12.8 Saisir la plaque de protecteur cutané par la bande adhésive et aligner l'ouverture de la collerette au-dessus de la stomie. Déposer la collerette sur la stomie. Faire adhérer le protecteur cutané en le pressant délicatement sur la peau, de la stomie vers l'extérieur.

L'ouverture pratiquée dans la plaque de protecteur cutané doit bien entourer la stomie.

La plaque doit bien adhérer à la peau péristomiale afin de la protéger.

Une pression trop forte sur l'abdomen pourrait s'avérer douloureuse pour le client.

12.9 Retirer la pellicule protectrice de la bande adhésive de la plaque de protecteur cutané et coller la bande adhésive sur la peau en la lissant du centre vers la périphérie.

Cette façon de procéder assure une meilleure adhérence.

12.10 Adapter un nouveau sac sur la collerette en orientant l'ouverture vers le bas (client ambulatoire),

ou de façon perpendiculaire à la cuisse (client alité).

S'assurer que le sac est bien fixé en le tirant légèrement vers le bas.

L'orientation appropriée facilite la vidange du sac collecteur. Si le sac collecteur est mal fermé, l'urine s'écoulera et souillera le client et ses vêtements.

12.11 Selon le type de drainage prévu, procéder comme suit:

a) Client ambulatoire: s'assurer que le robinet est en position « fermé ».

Si le robinet est en position « ouvert », l'urine s'écoulera du sac collecteur de la stomie et souillera le client et ses vêtements.

Étapes exécutoires	Justifications
b) Client alité : ajointer l'adaptateur de la tubulure du système de drainage au robinet et mettre ce dernier en position « ouvert ».	Le robinet doit être ouvert pour permettre l'écoulement de l'urine du sac collecteur de la stomie dans le sac de drainage.
12.12 Retirer les gants et les jeter dans le sac à déchets. Passer à l'étape 14.	Jeter les gants dans un tel sac évite la propagation de microorganismes pathogènes.
13. Refaire le pansement recouvrant la néphrostomie ou la cystostomie.	
13.1 Mettre des gants stériles.	Le port de gants stériles prévient la contamination de la stomie.
13.2 Prendre une première compresse à drain stérile de la main dominante et la déposer de manière à entourer le cathéter en plaçant l'ouverture vers le haut. Déposer une deuxième compresse en plaçant l'ouverture vers le bas.	Cette façon de procéder évite que les compresses se déplacent au moment de la mobilisation du client, ce qui assure l'étanchéité du pansement.
13.3 Placer une ou plusieurs compresses 10 × 10 cm sur les compresses à drain de façon à recouvrir le cathéter.	Le nombre de compresses à appliquer dépend de la quantité d'écoulement.
13.4 Retirer les gants et les jeter dans le sac à déchets.	Jeter les gants dans un tel sac évite la propagation de microorganismes pathogènes.

Étapes exécutoires	Justifications
13.5 Tailler deux bandes de pansement adhésif extensible (Hypafix^MD ou Mefix^MD).	Les bandes assurent le maintien du pansement en place.
13.6 Appliquer une première bande sur le pansement. Bien la fixer. Appliquer la deuxième bande en chevauchant la première. S'assurer de bien recouvrir le cathéter.	Cette précaution assure la stabilité du cathéter et le maintient en place.
13.7 Sécuriser le cathéter sur l'abdomen à l'aide d'un dispositif de stabilisation ou d'une bande adhésive hypoallergénique.	Fixer le cathéter ainsi diminue le risque de traction accidentelle.

Étapes postexécutoires	Justifications
14. Effectuer les étapes postexécutoires communes décrites au début de cette section (page 71).	
15. ÉVALUATION Évaluer l'état de la stomie et de la peau péristomiale tous les quarts de travail.	Cette évaluation permet d'anticiper une atteinte à l'intégrité de la stomie ou de la région péristomiale et ainsi d'intervenir rapidement.
16. Jeter le sac à déchets fixé à la table dans un sac à déchets biomédicaux.	Jeter le sac à déchets dans un tel sac évite la propagation de microorganismes pathogènes.

Éléments à consigner dans les notes d'évolution rédigées par l'infirmière

- La date et l'heure des soins de stomie.
- La présence de douleur ou d'écoulement au pourtour de la stomie.
- Les caractéristiques de l'urine recueillie et la quantité.
- La réaction du client et sa collaboration.
- Toute réaction anormale ou indésirable survenue pendant les soins ou à la suite de ceux-ci. **Il faut également transmettre cette donnée au médecin traitant et à l'infirmière responsable du client.**

Exemple

2011-05-14 10:00 Soins de stomie effectués : peau péristomiale exempte de rougeur ou de lésion. Aucune douleur manifestée pendant les soins. Présence d'urine citrin foncé, 200 ml.

MS 3.8

Irrigation d'un cathéter de néphrostomie

MS 3.8

- **Technique sans robinet**
- **Technique avec robinet**

BUT

Assurer la perméabilité du cathéter de néphrostomie.

Favoriser l'élimination des caillots, des mucosités ou des autres débris tissulaires susceptibles d'obstruer le cathéter de néphrostomie.

NOTIONS DE BASE

Une technique stérile rigoureuse est requise pour l'irrigation d'un cathéter de néphrostomie en raison du risque important de propagation de microorganismes pouvant causer une infection rénale.

L'irrigation doit être faite une ou deux fois par jour, selon l'ordonnance médicale, avec une solution de NaCl 0,9 % sans agent de conservation, ce dernier pouvant irriter le rein et causer une pyélonéphrite.

Il est important de ne pas irriguer avec plus de 5 ml de solution, étant donné que la capacité du bassinet varie entre 4 et 8 ml.

MATÉRIEL

Technique sans robinet

- Champ stérile
- Gants non stériles
- Deux paires de gants stériles
- Solution de NaCl 0,9 % (fiole unidose sans agent de conservation ou fiole multidose avec bactériostatique)
- Seringue de 10 ml ou plus

- Aiguille de calibre 20
- Sac à déchets
- Compresses de gaze stériles 5 × 5 cm et 10 × 10 cm
- Contenant stérile
- Bouteille d'alcool 70 %
- Tasse graduée

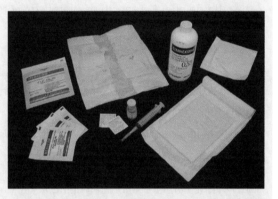

Technique avec robinet

- Gants non stériles
- Solution de NaCl 0,9 % (fiole unidose sans agent de conservation ou fiole multidose avec bactériostatique)
- Seringue de 10 ml ou plus
- Aiguille de calibre 20

- Tampons d'alcool 70 %
- Sac à déchets
- Compresse de gaze stérile 10 × 10 cm
- Tasse graduée

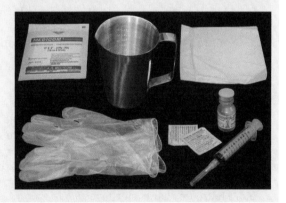

Étapes préexécutoires	Justifications
1. **Effectuer les étapes préexécutoires communes décrites au début de cette section (page 70).**	
2. Vérifier l'ordonnance médicale au dossier du client.	L'ordonnance indique le type et la quantité de solution d'irrigation à utiliser, et la fréquence d'irrigation.

Étapes préexécutoires	Justifications
3. Vérifier l'emplacement de la tubulure du sac collecteur et s'assurer que celle-ci n'est pas coudée.	Une tubulure coudée provoquerait une rétention d'urine dans le bassinet, ce qui pourrait entraîner une hydronéphrose aiguë, une pyélonéphrite, une septicémie, etc.
4. Vérifier le type de cathéter de néphrostomie utilisé (avec ou sans robinet, avec ou sans voie d'irrigation, avec ou sans raccord en Y) et apporter le matériel requis au chevet du client.	
5. Fixer le sac à déchets à la table du client.	La proximité du sac permet de jeter le matériel souillé sans contaminer l'environnement de travail.
6. Mettre des gants non stériles. Vider le sac collecteur dans une tasse graduée. Mesurer la quantité d'urine et la jeter dans la toilette. Retirer les gants et les jeter dans le sac à déchets.	Cette mesure permet d'évaluer, par la suite, la quantité de liquide de retour éliminé par rapport au liquide administré.
7. Installer le client en position latérale du côté opposé à la néphrostomie et découvrir le site de néphrostomie.	Une position adaptée à la méthode de soins facilite la procédure et prévient la fatigue et l'inconfort ressentis par le client.

Étapes exécutoires	Justifications
8. Effectuer l'étape 9 ou 10, selon le cas. ▶ 9. Irriguer le cathéter selon la technique sans robinet. ▶ 10. Irriguer le cathéter selon la technique avec robinet.	
9. Irriguer le cathéter selon la technique sans robinet.	
9.1 Ouvrir le champ stérile et y disposer le matériel stérile : trois compresses de gaze 5×5 cm (deux d'un côté du champ et une de l'autre), une seringue, une aiguille de calibre 20. Déposer le contenant stérile à l'extérieur du champ.	Deux compresses serviront à nettoyer la jonction cathéter de néphrostomie-sac collecteur, tandis que la troisième permettra de tenir la fiole de solution de NaCl 0,9 % en évitant de contaminer le gant.
9.2 Retirer le capuchon protecteur de la fiole de solution de NaCl 0,9 % et déposer cette dernière à l'extérieur du champ stérile.	Il est important de maintenir la stérilité du champ.
9.3 Ouvrir la bouteille d'alcool et en verser dans le contenant stérile.	
9.4 Mettre des gants stériles.	La technique sans robinet exige une asepsie rigoureuse en raison du risque de propagation de microorganismes au moment de l'ouverture de la jonction cathéter de néphrostomie-sac collecteur.
9.5 Déposer les compresses stériles dans le contenant d'alcool.	
9.6 Prendre la seringue de la main dominante et y ajointer l'aiguille. Retirer le capuchon protecteur et le déposer sur le champ stérile.	Cette précaution évite de contaminer le capuchon, lequel sera ultérieurement remis sur l'aiguille.

Étapes exécutoires	Justifications
9.7 Saisir la fiole de solution de NaCl 0,9 % de la main non dominante au moyen d'une compresse et prélever 5 ml (ou la quantité prescrite par le médecin) de solution de NaCl 0,9 %. 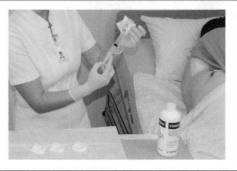	Chez certains clients ou les enfants, le médecin pourrait prescrire une quantité inférieure à 5 ml.
9.8 Remettre le capuchon sur l'aiguille avec la main non dominante et déposer la seringue sur le champ stérile.	
9.9 Jeter la fiole de solution de NaCl 0,9 % et la compresse dans le sac à déchets.	
9.10 Désinfecter la jonction cathéter de néphrostomie-sac collecteur comme suit : • Avec la main non dominante, saisir la partie de la tubulure à proximité du sac et soulever la jonction. La maintenir élevée pendant toute la procédure. 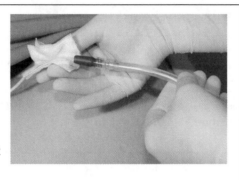 • Avec la main dominante, entourer la jonction avec une compresse imbibée d'alcool 70 % et la désinfecter pendant 15 secondes, en allant de la jonction vers le cathéter de néphrostomie. Prendre une nouvelle compresse imbibée d'alcool 70 % et désinfecter la jonction pendant 15 secondes, en allant de la jonction vers le sac collecteur. 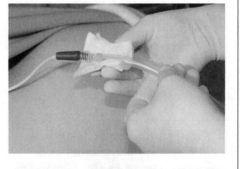 Laisser sécher au moins 30 secondes. Placer la compresse de gaze stérile 10 × 10 cm sous la jonction cathéter-sac collecteur et y déposer la jonction. 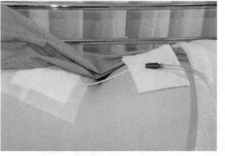	La désinfection de la jonction avant de disjoindre la tubulure du sac prévient la contamination du cathéter. Un délai minimal de 30 secondes est nécessaire pour que l'alcool produise son effet désinfectant.
9.11 Retirer les gants et les jeter dans le sac à déchets.	Jeter les gants dans un tel sac évite la propagation de microorganismes pathogènes.

Étapes exécutoires	Justifications
9.12 Mettre une autre paire de gants stériles.	La main dominante étant contaminée, changer de gants évite toute contamination de la jonction pendant l'ouverture du circuit.
9.13 Disjoindre la tubulure du sac collecteur du cathéter de néphrostomie.	
9.14 Ajointer la seringue contenant la solution d'irrigation au cathéter de néphrostomie et injecter lentement les 5 ml de solution.	L'utilisation d'une seringue de 10 ml ou plus et une injection lente de la solution évitent de provoquer une pression trop forte qui pourrait endommager le bassinet.

ALERTE CLINIQUE Dans le cas d'une néphrostomie, il ne faut jamais aspirer le liquide injecté dans le bassinet du rein.

Étapes exécutoires	Justifications
9.15 Retirer la seringue, la jeter dans le sac à déchets et ajointer à nouveau le cathéter de néphrostomie à la tubulure du sac collecteur.	Cette façon de procéder ferme le circuit et permet de recueillir le liquide de drainage.
9.16 Retirer les gants et les jeter dans le sac à déchets. Passer à l'étape 11.	Jeter les gants dans un tel sac évite la propagation de microorganismes pathogènes.
10. Irriguer le cathéter selon la technique avec robinet.	
10.1 Ouvrir l'emballage d'une compresse de gaze stérile 10×10 cm et le déposer à proximité en laissant celle-ci dans l'emballage.	La compresse servira de champ stérile pour y déposer le capuchon.
10.2 Prendre la seringue de la main dominante et y ajointer l'aiguille. Retirer le capuchon protecteur et le déposer sur la compresse stérile.	Cette précaution évite de contaminer le capuchon, lequel sera ultérieurement remis sur l'aiguille.
10.3 Saisir la fiole de solution de NaCl 0,9 % de la main non dominante et prélever 5 ml (ou la quantité prescrite par le médecin) de solution de NaCl 0,9 %.	Chez certains clients ou les enfants, le médecin pourrait prescrire une quantité inférieure à 5 ml.
10.4 Remettre le capuchon sur l'aiguille.	
10.5 S'assurer que le robinet est fermé du côté du site d'injection.	Cette précaution évite l'introduction d'air dans le circuit au moment de la procédure en l'absence de bouchon à injections intermittentes comme le CLAVE[MD] ou le CLC2000[MD].

Étapes exécutoires	Justifications
10.6 Désinfecter le dessus du bouchon avec un tampon d'alcool 70 % pendant 15 secondes. Prendre un autre tampon d'alcool et désinfecter le pourtour du bouchon pendant 15 secondes. Laisser sécher au moins 30 secondes.	La désinfection du site évite l'introduction de microorganismes pathogènes dans le circuit. Un délai minimal de 30 secondes est nécessaire pour que l'alcool produise son effet désinfectant.
10.7 Retirer l'aiguille de la seringue et ajointer celle-ci au bouchon à injections intermittentes. Jeter l'aiguille dans un contenant biorisque.	Jeter l'aiguille dans un tel contenant évite la propagation de microorganismes pathogènes.
10.8 Tourner la manette du robinet de façon à ouvrir la voie d'irrigation et à fermer la voie du sac collecteur. Injecter lentement les 5 ml de solution.	L'utilisation d'une seringue de 10 ml ou plus et une injection lente de la solution évitent de provoquer une pression trop forte qui pourrait endommager le bassinet.
10.9 Dès que l'irrigation est terminée, placer la manette du robinet de façon à fermer la voie d'irrigation et à ouvrir la voie vers le sac collecteur. Laisser le liquide de drainage s'écouler.	Cette procédure évite une rétention d'urine dans le bassinet pouvant causer une hydronéphrose aiguë, une pyélonéphrite, etc.
10.10 Retirer la seringue et la jeter dans un contenant biorisque.	Jeter la seringue dans un tel contenant évite la propagation de microorganismes pathogènes.
10.11 En l'absence de retour de liquide, demander au client de tousser ou de se tourner dans son lit.	La toux ou la mobilisation augmentent temporairement la pression dans le rein, favorisant l'écoulement de l'urine par la néphrostomie.

ALERTE CLINIQUE En présence de résistance à l'irrigation, de douleur, de malaise ou d'un écoulement au site d'insertion, il faut arrêter la procédure, rouvrir la voie vers le sac collecteur et aviser immédiatement le médecin.

Étapes postexécutoires	Justifications
11. Effectuer les étapes postexécutoires communes décrites au début de cette section (page 71).	
12. **ÉVALUATION** Évaluer les caractéristiques du liquide de retour. Noter la présence de caillots, de mucus ou de dépôts urinaires.	Cette vérification permet d'assurer un suivi adapté à l'état du client.
13. Jeter le sac à déchets fixé à la table dans un sac à déchets biomédicaux.	Jeter le sac à déchets dans un tel sac évite la propagation de microorganismes pathogènes.

Éléments à consigner dans les notes d'évolution rédigées par l'infirmière

- La date et l'heure de l'irrigation.
- Le nom de la solution et la quantité utilisée pour l'irrigation.
- Les caractéristiques du liquide drainé.
- La réaction du client et sa collaboration.
- Toute réaction anormale ou indésirable survenue pendant les soins ou à la suite de ceux-ci. **Il faut également transmettre cette donnée au médecin traitant et à l'infirmière responsable du client.**

Exemple

2011-05-16 14:00 Irrigation de néphrostomie droite avec 5 ml de solution de NaCl 0,9 % sans agent de conservation. Draine liquide citrin trouble. Accuse douleur sous forme de pincement à 2/10 pendant l'irrigation, aucune douleur par la suite.

Notes personnelles

_____

_____

_____

_____

_____

_____

_____

_____

_____

_____

_____

_____

_____

_____

_____

_____

_____

_____

Méthodes liées à la thérapie intraveineuse par voie centrale

Étapes préexécutoires et postexécutoires communes de la section 4

Ces étapes constituent les considérations et les actions préexécutoires et postexécutoires communes aux méthodes liées à la thérapie intraveineuse par voie centrale. Elles assurent l'application appropriée des principes de soins et sont regroupées en début de section afin d'alléger le texte de chacune des méthodes.

Types de cathéters intraveineux par voie centrale

Cathéter veineux central percutané	Cathéter veineux central tunnellisé (Broviac[MD], Hickman[MD], Leonard[MD], Quinton[MD])	Cathéter veineux central introduit par voie périphérique ou CVCIVP (en anglais, *PICC Line*)	Cathéter veineux central avec chambre implantable sous-cutanée (Port-a-Cath[MD], Vital-Port[MD], BardPort[MD])
Nombre de voies : 1 à 3	**Nombre de voies : 1 à 3**	**Nombre de voies : 1 ou 2**	**Nombre de voies : 1 ou 2**

Définition			
• Cathéter dont l'extrémité distale se situe au niveau du tiers inférieur de la veine cave supérieure • Généralement introduit par la veine jugulaire ou sous-clavière	• Cathéter introduit au niveau antérieur du thorax en créant un tunnel sous-cutané d'environ 10 cm, dirigé ensuite vers la veine sous-clavière jusqu'à la veine cave supérieure • Muni de 1 ou 2 manchons en fibres de polyester et de dacron. La fibrine se forme dans les manchons du cathéter, entraînant sa fixation aux tissus avoisinants, ce qui réduit la migration bactérienne le long du cathéter	• Cathéter inséré dans une veine périphérique du bras, de la basilique ou de la céphalique jusqu'à la veine cave supérieure • Cathéter à bout ouvert ou muni d'une valve bidirectionnelle antireflux (Groshong[MD], PASV[MD] – *Pressure-Activated Safety Valve*) • Limiter les efforts avec le bras dans lequel est inséré le cathéter et éviter toute traction sur celui-ci • Aucune prise de pression artérielle dans le bras dans lequel est inséré le CVCIVP	• Cathéter introduit par la veine jugulaire ou sous-clavière jusqu'à la veine cave supérieure et relié à un dispositif implanté sous la peau sans accès visible à l'extérieur • Dispositif composé d'un boîtier en titane, en acier inoxydable ou en plastique, muni d'une membrane gélatineuse imperméable appelée « septum » • Requiert l'introduction d'une aiguille de Huber à pointe coudée à usage unique pour l'administration des médicaments et des solutions, les prélèvements sanguins et l'entretien

Site d'insertion			
• Cou : veine jugulaire • Thorax : veine sous-clavière • Aine : veine fémorale	• Thorax : veine sous-clavière	• Bras : veine périphérique, soit la basilique ou la céphalique • Espace antécubital : veine basilique ou céphalique • Jambe : veine fémorale	• Cou : veine jugulaire • Thorax : veine sous-clavière • Veine jugulaire ou sous-clavière • Veine iliaque, veine cave inférieure • Intrapéritonéal – Peut être installé dans la veine basilique ou céphalique

Cathéter veineux central percutané	Cathéter veineux central tunnellisé (Broviac^{MD}, Hickman^{MD}, Leonard^{MD}, Quinton^{MD})	Cathéter veineux central introduit par voie périphérique ou CVCIVP (en anglais, *PICC Line*)	Cathéter veineux central avec chambre implantable sous-cutanée (Port-a-Cath^{MD}, Vital-Port^{MD}, BardPort^{MD})
Indication			
• Administration intraveineuse de médicament, de solution intraveineuse (perfusion) et de produits sanguins • Ponctions veineuses • Hémodialyse • Alimentation parentérale totale • Monitorage de la tension veineuse centrale	• Administration intraveineuse de médicament, de solution intraveineuse (perfusion) et de produits sanguins • Ponctions veineuses • Hémodialyse • Alimentation parentérale totale • Chimiothérapie	• Administration intraveineuse de médicament, de solution intraveineuse (perfusion) et de produits sanguins (si calibre supérieur à 22 Fr) • Ponctions veineuses • Chimiothérapie • Thérapie intraveineuse à domicile	• Administration intraveineuse de médicament, de solution intraveineuse (perfusion) et de produits sanguins • Ponctions veineuses • Alimentation parentérale totale • Chimiothérapie
Durée			
Courte durée : de quelques jours à quelques semaines	Longue durée : de 6 mois à 2 ans	Longue durée : de 9 mois à 1 an	Longue durée : jusqu'à 2 ans
Complications possibles			
• Infection, septicémie • Microthrombus obstruant la lumière du cathéter • Arythmie cardiaque (extrasystoles ventriculaires si cathéter se déplace vers le ventricule) • Hématome • Embolie gazeuse • Dysfonctionnement et retrait accidentel	• Infection, septicémie • Endocardite • Microthrombus obstruant la lumière du cathéter • Thrombus sur l'extrémité du cathéter • Hématome • Embolie gazeuse • Dysfonctionnement et retrait accidentel	• Infection, septicémie • Microthrombus obstruant la lumière du cathéter • Hématome • Embolie gazeuse • Dysfonctionnement et retrait accidentel	• Infection, septicémie • Microthrombus obstruant la lumière du cathéter • Occlusion à la suite de la formation de thrombus • Hématome • Embolie gazeuse • Dysfonctionnement
Irrigation et héparinisation			

• Cathéter sans valve : aux 24 h avec héparine 100 unités/ml
 	
• Cathéter avec valve : aux 7 jours avec NaCl 0,9 % si le cathéter est non utilisé
 	
  – Si muni d'un bouchon à pression positive, aux 7 jours avec NaCl 0,9 %
	• De façon sporadique : 1 fois par quart de travail
	
	• Si utilisé en continu : lorsque la perfusion est cessée
	
	• Si non utilisé : aux 7 jours
	
	  – Adulte :
	    NaCl 0,9 %, 10 ml par voie
	    Héparine, 100 unités/ml, 3 ml par voie
	
	  – Enfant :
	    NaCl 0,9 %, 5 ml par voie
	    Héparine, 100 unités/ml, 1 ml par voie
		Aux 7 jours si non utilisé ou après chaque utilisation
		
		• Cathéter avec valve antireflux
		
		  – Adulte :
		    NaCl 0,9 %, 10 ml par voie
		
		  – Enfant :
		    NaCl 0,9 %, 5 ml par voie
		
		• Cathéter sans valve antireflux
		
		  – Adulte :
		    NaCl 0,9 %, 10 ml par voie
		    Héparine, 100 unités/ml, 3 ml par voie
		
		  – Enfant :
		    NaCl 0,9 %, 5 ml par voie
		    Héparine, 100 unités/ml, 1 ml par voie
			• Si non utilisé : aux 4 semaines
			
			• Si utilisé : irriguer avant l'administration de médicaments ou d'une perfusion, et irriguer et hépariniser après l'administration de médicaments et d'une perfusion, puis avant de retirer l'aiguille
			
			• Aux 7 jours
			
			  – Adulte :
			    NaCl 0,9 %, 10 ml par voie
			    Héparine, 100 unités/ml, 5 ml par voie
			
			  – Enfant :
			    NaCl 0,9 %, 5 ml par voie
			    Héparine, 100 unités/ml, 3 ml par voie

Types de voie		
Voie proximale	**Voie médiane**	**Voie distale**
• Voie externe la plus longue • Cathéter à bout ouvert unique : voie ayant le plus petit calibre • Administration de perfusions et prélèvements sanguins	• Voie externe centrale • Alimentation parentérale totale	• Voie externe la plus courte • Cathéter à bout ouvert unique : voie ayant le plus gros calibre • Administration de perfusions et de médicaments et monitorage de la tension veineuse centrale

Étapes préexécutoires communes	Justifications
1. **Effectuer les étapes préexécutoires générales décrites au début du guide (pages 1 et 2).**	
2. Vérifier le but pour lequel la perfusion doit être administrée : intervention chirurgicale, examen diagnostique invasif, administration de produits sanguins, etc.	Cette vérification guide l'infirmière quant au choix de la voie d'administration.
3. Vérifier la compatibilité des solutions avec les médicaments à administrer, le cas échéant.	Des solutions ou des médicaments incompatibles peuvent être administrés simultanément en utilisant différentes voies du même cathéter (sauf si à bout ouvert).

RAPPEL! Le calibre de chacune des voies est indiqué par un chiffre inscrit sur l'extension de chacune d'elles. Selon le fabricant, le calibre est indiqué en Gauge (G) ou en French (Fr). Si le calibre est indiqué en Gauge, plus le chiffre est élevé, plus la voie est petite. Si le calibre est indiqué en French, plus le chiffre est élevé, plus la voie est grande.

4. Vérifier la perméabilité de la voie d'administration. En l'absence de retour veineux ou en présence de résistance, ne rien administrer par cette voie et en aviser le médecin.	L'absence de retour veineux indique que la voie est obstruée ou infiltrée.
5. Vérifier la présence de bulles d'air dans la tubulure. Le cas échéant, donner des chiquenaudes sur celle-ci afin de les faire remonter jusqu'à la chambre compte-gouttes.	La présence d'air dans la tubulure accroît le risque d'embolie gazeuse.
6. **ÉVALUATION** Inspecter et palper le site d'insertion du cathéter tous les quarts de travail afin de déceler la présence de rougeur, de chaleur, d'induration, de douleur, d'écoulement ou d'œdème. Prendre la température du client.	La présence de rougeur, de chaleur, d'induration ou de douleur au site d'insertion peut être un signe précurseur de phlébite. La présence d'écoulement ou d'œdème est un signe d'infiltration. La présence de fièvre est un signe d'infection.
7. **ÉVALUATION** Évaluer l'intégrité du pansement. Ce dernier doit être propre, sec, occlusif et bien adhésif. Dans le cas contraire, le changer.	Cet examen permet de déceler toute complication et de prévenir la contamination du pansement par prolifération bactérienne.

Étapes préexécutoires communes	Justifications

S'assurer de toujours fermer portes et fenêtres afin de réduire le nombre de microorganismes aérobies ambiants et les courants d'air au moment du changement de perfusion.

Il faut également toujours procéder à l'hygiène des mains.

8. Vérifier les antécédents d'allergies du client : médicaments, type de pansement ou de ruban adhésif.	Cette précaution évite de mettre le client en contact avec des allergènes à potentiel élevé.

Les allergies aux médicaments et à certains produits (p. ex., latex, Proviodine[MD]) doivent être inscrites au dossier du client et au plan de soins et de traitements infirmiers (PSTI). Il faut également inscrire au plan thérapeutique infirmier (PTI) toute allergie pouvant avoir une incidence sur le traitement du client au cours de son hospitalisation.

Le client doit porter un bracelet qui indique les médicaments auxquels il est allergique.

Les cathéters veineux centraux sont faits de silicone ou de polyuréthane et ne contiennent aucun latex.

Étapes postexécutoires communes	Justifications
1. Effectuer les étapes postexécutoires générales décrites au début du guide (pages 3 et 4).	
2. Compléter le bilan des ingesta et des excreta en calculant les quantités de perfusions et de médicaments I.V. reçues. Consulter aussi les bilans des journées précédentes.	Le bilan permet d'évaluer le risque de surcharge ou de déficit liquidiens. La consultation des bilans précédents oriente l'infirmière quant au choix du calibre du perfuseur ou à la nécessité d'utiliser une pompe volumétrique.

Il n'est généralement pas nécessaire de tenir compte des solutions d'irrigation (NaCl 0,9 % ou héparine) dans le calcul des ingesta. Cependant, il peut être opportun de le faire dans le cas de la clientèle pédiatrique, ou des personnes présentant une surcharge cardiaque ou un problème néphrétique.

3. Vérifier le débit de perfusion selon la solution à administrer toutes les heures.	Cette vérification permet d'assurer le respect du débit prescrit et prévient la surcharge liquidienne.

Notes personnelles

_____

_____

_____

_____

_____

_____

_____

_____

_____

Section 4

MS 4.1

Installation d'une perfusion

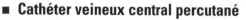 Vidéo

- Cathéter veineux central percutané
- Cathéter veineux central tunnellisé
- Cathéter veineux central introduit par voie périphérique (CVCIVP ; en anglais, *PICC Line*)
- Cathéter veineux central avec chambre implantable sous-cutanée

BUT

Permettre l'administration intraveineuse d'une solution avec ajout ou non de médicaments, de chimiothérapie, de produits sanguins, d'alimentation parentérale totale ou autre.

NOTIONS DE BASE

L'infirmière doit faire preuve d'une asepsie rigoureuse pendant l'installation d'une perfusion intraveineuse afin d'éviter l'introduction de microorganismes pathogènes dans le système sanguin.

Sauf avis contraire, il faut utiliser une pompe volumétrique pour l'administration de solutions par voie centrale.

MATÉRIEL

Cathéter central percutané, cathéter central tunnellisé, CVCIVP

- Cathéter en place
- Solution de perfusion I.V. selon l'ordonnance
- Dispositif de perfusion pour pompe volumétrique
- Tubulure de rallonge de type Interlink^MD
- Tampons d'alcool 70 %
- Seringue de 10 ml

- Compresses de gaze stériles 10 × 10 cm
- Deux masques de protection
- Pompe volumétrique
- Solution de NaCl 0,9 % (fiole unidose sans agent de conservation ou fiole multidose avec bactériostatique)
- Étiquettes d'identification

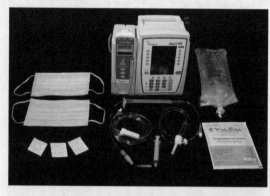

Chambre implantable sous-cutanée

- Seringue d'irrigation préparée
  ou
  Matériel pour seringue d'irrigation :
  - Aiguille de calibre 20 (2,5 cm)
  - Seringue de 10 ml
  - Solution de NaCl 0,9 % (fiole unidose sans agent de conservation ou fiole multidose avec bactériostatique)
- Tiges montées imbibées de chlorhexidine 2 % et d'alcool 70 %

- Compresses de gaze stériles 5 × 5 cm, 10 × 10 cm et 10 × 20 cm, au besoin
- Gants stériles
- Deux masques de protection
- Aiguille de Huber à pointe coudée avec tubulure
- Champ stérile
- Pellicule transparente adhésive stérile de type Tegaderm^MD ou IV3000^MD
- Ruban adhésif

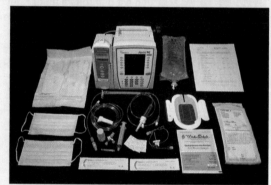

- Bouchon à injections intermittentes sans aiguille
- Feuille d'administration des médicaments (FADM)
- Étiquettes d'identification

Étapes préexécutoires	Justifications
1. Effectuer les étapes préexécutoires communes décrites au début de cette section (pages 120 et 121).	

Étapes préexécutoires	Justifications
2. Vérifier, au dossier du client, l'ordonnance médicale afin de connaître le type de solution à administrer. Sélectionner la tubulure selon la pompe volumétrique utilisée et la solution à administrer.	Cette vérification permet de s'assurer que le type de perfusion correspond bien à l'ordonnance médicale et que le dispositif d'administration est adéquat.
3. Vérifier la compatibilité de la solution avec les médicaments à administrer.	Une incompatibilité pourrait produire un précipité et occlure le cathéter.
4. Appliquer les principes d'administration sécuritaire des médicaments, communément appelés les « 5 bons » : • le bon médicament ; • à la bonne dose ; • au bon client ; • par la bonne voie d'administration ; • au bon moment.	Le respect des « 5 bons » est recommandé afin d'assurer l'administration sécuritaire et adéquate d'un médicament.

RAPPEL! À cette liste de cinq « bons », plusieurs infirmières en ajoutent un sixième et même un septième. Le sixième « bon » correspond à une bonne documentation (exactitude de l'inscription de l'administration du médicament sur la FADM ou au dossier du client), et le septième, à une bonne surveillance des effets attendus et des effets secondaires des médicaments administrés.

Étapes préexécutoires	Justifications
5. Informer le client au sujet des positions à éviter pour ne pas exercer de pression sur le cathéter en place.	Lorsque le client tourne la tête du côté où est installée sa voie centrale (jugulaire), cette dernière peut avoir tendance à bloquer. Cette information favorise la collaboration du client et l'incite à signaler tout ralentissement ou arrêt de la perfusion.
6. Apposer une étiquette sur le sac de solution indiquant : nom du client, type de solution, médicament ajouté le cas échéant, débit de la perfusion, date, heure et vos initiales. Apposer une étiquette sur la tubulure indiquant : date et heure de l'installation et vos initiales. 	Ces étiquettes permettent de prévoir la date du prochain changement de sac et de tubulure et de s'assurer que la solution utilisée est bien celle prévue pour le client.
7. Suspendre le sac de perfusion à la tige à perfusion et placer la tubulure à la portée de la main.	Cette façon de faire permet un accès rapide à la tubulure au moment de l'installation de la perfusion.
8. En présence d'infection des voies respiratoires (chez l'infirmière ou le client), mettre un masque et en donner un au client. Lui demander de tourner la tête du côté opposé au cathéter pendant la procédure.	Cette précaution évite que de fines gouttelettes de salive provenant de l'infirmière ou du client contaminent le site de la jonction tubulure-cathéter au moment de l'ouverture de ce dernier.

Étapes exécutoires	Justifications
9. Effectuer l'étape 10, 11, 12 ou 13, selon le cas.	
▶ **10.** Installer une perfusion sur un cathéter veineux central percutané.	
▶ **11.** Installer une perfusion sur un cathéter veineux central tunnellisé (Broviac^MD, Hickman^MD, Leonard^MD, Quinton^MD).	
▶ **12.** Installer une perfusion sur un cathéter veineux central introduit par voie périphérique (CVCIVP).	
▶ **13.** Installer une perfusion sur un cathéter veineux central avec chambre implantable sous-cutanée (Port-a-Cath^MD, Vital-Port^MD, BardPort^MD).	
10. Installer une perfusion sur un cathéter veineux central percutané.	
10.1 S'assurer que le presse-tube à glissière de la voie du cathéter est fermé.	Cette précaution permet d'éviter l'entrée d'air dans la circulation au moment où l'on branchera la perfusion au cathéter central.
10.2 Ouvrir l'emballage d'une compresse de gaze stérile 10 × 10 cm et le déposer à proximité.	La compresse servira de champ stérile pour déposer la voie du cathéter, au besoin.
10.3 De la main non dominante, saisir la voie sur laquelle sera installée la perfusion (habituellement la voie distale) et désinfecter le dessus du bouchon à injections intermittentes avec un tampon d'alcool 70 % pendant 15 secondes. Prendre un autre tampon d'alcool et désinfecter le pourtour du bouchon pendant 15 secondes. Laisser sécher au moins 30 secondes. Tenir la voie entre les doigts ou la déposer sur la compresse stérile.	La désinfection évite l'introduction de microorganismes pathogènes dans la circulation sanguine. Un délai minimal de 30 secondes est nécessaire pour que l'alcool produise son effet désinfectant. Cette mesure permet de préserver la désinfection de la voie.
10.4 Si la voie du cathéter n'était pas utilisée, l'irriguer avec 10 ml de solution de NaCl 0,9 % en employant la technique avec turbulence ▶ MS 4.4 . Désinfecter à nouveau le bouchon avant d'y ajointer la tubulure.	
10.5 Demander au client d'inspirer profondément et de retenir son inspiration.	Retenir l'inspiration évite que l'air pénètre dans le cathéter dans l'éventualité où le presse-tube à glissière serait défectueux.

Étapes exécutoires	Justifications
10.6 Retirer l'aiguille insérée sur l'embout raccord mâle de la tubulure de perfusion et ajointer rapidement ce dernier au site d'injection du bouchon à injections intermittentes. Bien visser le verrou de sécurité.	 Le verrou de sécurité évite la disjonction accidentelle de la tubulure de perfusion.
10.7 Dire au client de respirer normalement. Ouvrir le presse-tube à glissière de la voie du cathéter et le régulateur de débit de la nouvelle tubulure de perfusion. Amorcer la perfusion selon le débit prescrit. Passer à l'étape 14.	La nouvelle tubulure étant en place, le risque d'entrée d'air dans le circuit est éliminé. Cette opération permet d'amorcer la perfusion. Le débit doit respecter l'ordonnance médicale.
11. Installer une perfusion sur un cathéter veineux central tunnellisé (Broviac^MD, Hickman^MD, Leonard^MD, Quinton^MD).	Ce type de cathéter est généralement utilisé pour l'alimentation parentérale totale.
11.1 S'assurer que le presse-tube à glissière de la voie du cathéter est fermé.	Cette précaution permet d'éviter l'entrée d'air dans la circulation au moment où l'on branchera la perfusion au cathéter central.
11.2 Ouvrir l'emballage d'une compresse de gaze stérile 10 × 10 cm et le déposer à proximité.	La compresse servira de champ stérile pour déposer la voie du cathérer, au besoin.
11.3 De la main non dominante, saisir la voie du cathéter central tunnellisé sur laquelle sera installée la perfusion et désinfecter le dessus du bouchon à injections intermittentes avec un tampon d'alcool 70% pendant 15 secondes. Prendre un autre tampon d'alcool et désinfecter le pourtour du bouchon pendant 15 secondes. Laisser sécher au moins 30 secondes. Tenir la voie entre les doigts ou la déposer sur la compresse stérile.	La désinfection évite l'introduction de microorganismes pathogènes dans la circulation sanguine. Un délai minimal de 30 secondes est nécessaire pour que l'alcool produise son effet désinfectant. Cette mesure permet de préserver la désinfection de la voie.

11.4 Ajointer une seringue de 10 ml à la voie du cathéter central tunnellisé.

11.5 Ouvrir le presse-tube à clamp de la voie et aspirer 3 ml (1 ml chez l'enfant) ou la quantité recommandée selon le protocole en vigueur dans l'établissement.	L'aspiration permet de retirer l'héparine présente dans le cathéter avant d'amorcer la perfusion.

11.6 Fermer le presse-tube à clamp et demander au client d'inspirer profondément et de retenir son inspiration.

Retirer ensuite la seringue et ajointer rapidement l'embout raccord mâle de la tubulure de perfusion au bouchon à injections intermittentes de la voie du cathéter.

Bien visser le verrou de sécurité.

Retenir l'inspiration évite que l'air pénètre dans le cathéter dans l'éventualité où le presse-tube à clamp serait défectueux.

Le verrou de sécurité évite la disjonction accidentelle de la tubulure de perfusion.

11.7 Dire au client de respirer normalement.

Ouvrir le presse-tube à clamp de la voie du cathéter et le régulateur de débit de la nouvelle tubulure de perfusion. Amorcer la perfusion selon le débit prescrit.

Passer à l'étape 14.

La nouvelle tubulure étant en place, le risque d'entrée d'air dans le circuit est éliminé.

Cette opération permet d'amorcer la perfusion. Le débit doit respecter l'ordonnance médicale.

12. Installer une perfusion sur un cathéter veineux central introduit par voie périphérique (CVCIVP).

12.1 S'assurer que le presse-tube à glissière de la tubulure de rallonge de type Interlink^MD est fermé.

Cette précaution permet d'éviter l'entrée d'air dans la circulation au moment où l'on branchera la perfusion au cathéter central.

Étapes exécutoires	Justifications
12.2 Ouvrir l'emballage d'une compresse de gaze stérile 10 × 10 cm et le déposer à proximité.	La compresse servira de champ stérile pour déposer la voie du cathéter, au besoin.
12.3 De la main non dominante, saisir la tubulure de rallonge de type Interlink^{MD} et désinfecter le dessus du bouchon à injections intermittentes avec un tampon d'alcool 70 % pendant 15 secondes. Prendre un autre tampon d'alcool et désinfecter le pourtour du bouchon pendant 15 secondes. Laisser sécher au moins 30 secondes. Tenir la tubulure de rallonge entre les doigts ou la déposer sur la compresse stérile.	La désinfection évite l'introduction de microorganismes pathogènes dans la circulation sanguine. Un délai minimal de 30 secondes est nécessaire pour que l'alcool produise son effet désinfectant. Cette mesure permet de préserver la désinfection de la tubulure.
12.4 Selon le type de cathéter, procéder comme suit: a) Cathéter CVCIVP sans valve antireflux: demander au client d'inspirer profondément et de retenir son inspiration. b) Cathéter CVCIVP avec valve antireflux: laisser le client respirer normalement.	Retenir l'inspiration évite que l'air pénètre dans le cathéter dans l'éventualité où le presse-tube à glissière serait défectueux.
12.5 Si la voie du cathéter n'était pas utilisée, l'irriguer avec 10 ml de solution de NaCl 0,9 % en employant la technique avec turbulence ▶ **MS 4.4** . Désinfecter à nouveau le bouchon avant d'y ajointer la tubulure.	
12.6 Retirer l'aiguille insérée sur l'embout raccord mâle de la tubulure de perfusion et ajointer rapidement ce dernier au bouchon à injections intermittentes de la tubulure de rallonge de type Interlink^{MD}. Bien visser le verrou de sécurité.	Le verrou de sécurité évite la disjonction accidentelle de la tubulure de perfusion.
12.7 Si le client avait dû retenir son inspiration, lui dire de respirer normalement.	La nouvelle tubulure étant en place, le risque d'entrée d'air dans le circuit est éliminé.
12.8 Ouvrir le presse-tube à glissière de la tubulure de rallonge de type Interlink^{MD} et le régulateur de débit de la nouvelle tubulure de perfusion. Amorcer la perfusion selon le débit prescrit. Passer à l'étape 14.	Cette opération permet d'amorcer la perfusion. Le débit doit respecter l'ordonnance médicale. Dans le cas d'un cathéter avec valve antireflux, la voie ne comporte pas de presse-tube à glissière.

Étapes exécutoires	Justifications

13. Installer une perfusion sur un cathéter veineux central avec chambre implantable sous-cutanée (Port-a-Cath^MD, Vital-Port^MD, BardPort^MD).

RAPPEL! Il est recommandé d'utiliser une pompe volumétrique pour l'administration d'une perfusion par cathéter avec chambre implantable sous-cutanée afin d'assurer un débit constant et d'éviter le reflux de sang dans la chambre implantable, ce qui pourrait l'obstruer.

Étapes exécutoires	Justifications
13.1 ÉVALUATION Palper la chambre implantable. 	La palpation permet de localiser la zone d'implantation.
13.2 Mettre un masque de protection.	
13.3 Ouvrir un champ stérile et y déposer le matériel stérile sans le contaminer.	Le matériel doit être déposé sur une surface stérile afin de demeurer stérile.
13.4 Retirer le capuchon protecteur de la fiole de solution de NaCl 0,9 % et déposer celle-ci à l'extérieur du champ stérile.	La fiole doit être facilement accessible sans toutefois contaminer le champ stérile.
13.5 Mettre des gants stériles.	Le port de gants stériles permet de manipuler le matériel stérile sans le contaminer.
13.6 Procéder au vide d'air de l'aiguille de Huber à pointe coudée et de sa tubulure de la façon suivante : 1° Saisir la seringue de 10 ml de la main dominante, y ajointer l'aiguille de calibre 20 (2,5 cm) et retirer le capuchon protecteur. 2° De la main non dominante, prendre une compresse de gaze stérile 5 × 5 cm et saisir la fiole de solution de NaCl 0,9 %. Prélever 10 ml de solution de NaCl 0,9 %. 	Tenir la fiole avec une compresse stérile évite de contaminer les gants stériles. La solution de NaCl 0,9 % sera utilisée pour faire le vide d'air de l'aiguille de Huber.

Étapes exécutoires	Justifications

3° Remettre le capuchon sur l'aiguille, disjoindre celle-ci de la seringue et la déposer sur la table, hors du champ stérile.

L'aiguille ne sera plus utilisée et sera jetée plus tard dans un contenant biorisque.

4° Ajointer la seringue contenant la solution de NaCl 0,9 % à la tubulure de l'aiguille de Huber. Ou, le cas échéant, à un bouchon à injections intermittentes, puis ajointer celui-ci à la tubulure de l'aiguille de Huber.

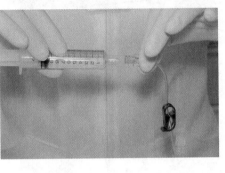

RAPPEL! Changer le bouchon à injections intermittentes au besoin. Le changement de bouchon se fait généralement au moment du remplacement de la tubulure ou du pansement du site d'insertion du cathéter de perfusion, soit toutes les 72 heures ou selon le protocole en vigueur dans l'établissement.

5° Ouvrir le presse-tube à clamp de la tubulure et injecter suffisamment de solution de NaCl 0,9 % pour effectuer le vide d'air de la tubulure et de la dérivation en Y.

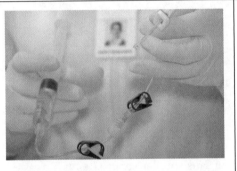

6° Refermer le presse-tube à clamp et déposer le tout sur le champ stérile en laissant la seringue ajointée.

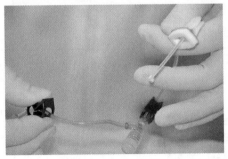

Maintenir la seringue à l'extrémité de la tubulure préserve la stérilité de l'aiguille et de la tubulure. La solution restante dans la seringue sera utilisée ultérieurement pour irriguer la chambre implantable.

Étapes exécutoires	Justifications
13.7 À l'aide de tiges montées imbibées de chlorhexidine 2 % et d'alcool 70 %, aseptiser la peau au-dessus de la chambre implantable en exerçant une friction comme suit :	Aseptiser le site prévient l'introduction de microorganismes pathogènes au site d'insertion du cathéter.
1° Saisir une tige montée et effectuer des mouvements horizontaux, du haut vers le bas.	
2° Retourner la tige et effectuer des mouvements verticaux, de gauche à droite.	Cette façon de procéder permet d'utiliser les deux surfaces stériles des tiges montées.
3° Prendre une autre tige montée et effectuer un mouvement en spirale, du centre vers la périphérie.	Aseptiser la peau du centre vers la périphérie évite de recontaminer la partie aseptisée.
Couvrir une surface de 5 cm de diamètre et attendre au moins 30 secondes pour qu'elle sèche entièrement (cela peut prendre jusqu'à 2 minutes), sans agiter la main, et sans souffler sur le site ou l'éponger avec une compresse de gaze. Ne pas toucher la région aseptisée.	Une surface de 5 cm de diamètre est suffisante pour garder le site aseptique au moment des manipulations.
13.8 Déposer le champ stérile sur le thorax du client, près du site aseptisé.	La tubulure à laquelle est ajointée la seringue de NaCl reposera sur cette surface stérile au moment de l'insertion de l'aiguille de Huber.
13.9 Saisir les ailettes de l'aiguille de Huber avec le pouce et l'index de la main dominante et retirer le capuchon protecteur de l'aiguille avec la main non dominante.	Les ailettes facilitent l'introduction de l'aiguille de Huber.

Étapes exécutoires	Justifications
13.10 Demander au client d'inspirer profondément et de retenir son inspiration.	Retenir l'inspiration permet au client de durcir sa cage thoracique et facilite l'insertion de l'aiguille de Huber.
13.11 De la main non dominante, placer le pouce et l'index de chaque côté de la chambre implantable et maintenir la peau tendue. Appuyer la paume de la main dominante sur le champ stérile ou sur la compresse stérile et tenir fermement le dispositif de fixation (Gripper^MD) avec le pouce et l'index. 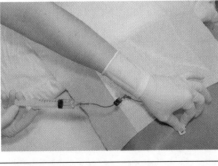	Étant donné que le septum est difficile à perforer, le fait de prendre appui prévient les tremblements et les faux mouvements pendant l'insertion.
Enfoncer l'aiguille fermement à travers le septum, selon un mouvement continu, jusqu'à ce que la pointe de l'aiguille touche la paroi postérieure de la chambre implantable.	L'aiguille est suffisamment insérée dès que l'on sent la résistance de la paroi postérieure de la chambre implantable.
13.12 Retirer légèrement l'aiguille de Huber.	La pointe de l'aiguille ne doit pas appuyer sur la paroi postérieure de la chambre implantable.

> ⚠ **ALERTE CLINIQUE** Pendant l'insertion, on doit éviter tout mouvement latéral de l'aiguille dans le septum auto-obturant afin de ne pas l'abîmer et de prévenir l'apparition de fuites de liquide.

Étapes exécutoires	Justifications
13.13 Dire au client de respirer normalement.	La nouvelle tubulure étant en place, le risque d'entrée d'air dans le circuit est éliminé.
13.14 Ouvrir le presse-tube à clamp de la tubulure de l'aiguille de Huber. Au moyen de la seringue de solution de NaCl 0,9 % déjà ajointée, aspirer jusqu'à ce que la tubulure de l'aiguille de Huber soit remplie de sang.	Le retour sanguin confirme la perméabilité de l'accès vasculaire.
13.15 Injecter le contenu de la seringue en employant la technique avec turbulence ▶ **MS 4.4**. Lorsqu'il reste environ 1 ml de solution dans la seringue, fermer le presse-tube à clamp de façon à exercer une pression positive. 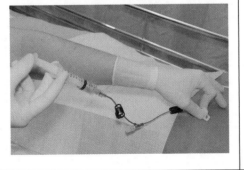	L'irrigation avec turbulence crée un mouvement circulaire permettant d'irriguer toute la chambre implantable.

Étapes exécutoires	Justifications

⚠ ALERTE CLINIQUE

En présence de résistance au moment de l'irrigation, il est important de vérifier si la chambre implantable est obstruée et non perméable. Dans ce cas :

- repousser l'aiguille afin de s'assurer qu'elle est bien implantée dans le septum ;
- demander au client de changer de position légèrement ;
- demander au client de retenir sa respiration ;
- tenter d'irriguer à nouveau.

Si le problème persiste, aviser le médecin. Celui-ci peut prescrire un agent fibrinolytique comme l'alteplase afin de désobstruer le cathéter.

Étapes exécutoires	Justifications
13.16 Retirer le dispositif de fixation (Gripper^{MD}) le cas échéant et fixer l'aiguille avec une pellicule transparente adhésive stérile comme suit : 1° Retirer le papier protecteur blanc sans contaminer la pellicule. 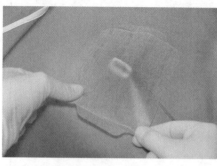	La pellicule transparente stabilise l'aiguille et protège le site des microorganismes pathogènes.
2° Placer la pellicule sur l'aiguille de Huber. Recouvrir une partie de la tubulure de l'aiguille en prenant soin de ne pas inclure le presse-tube ni le raccord de la tubulure. 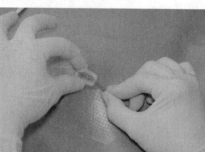	Cette façon de faire permet de dégager la partie stérile qui sera placée directement sur la peau et le cathéter, et donc de pouvoir accéder en tout temps au raccord de la tubulure.
13.17 Inscrire la date et l'heure de l'installation ainsi que vos initiales sur un ruban adhésif. Coller ce ruban sur la bande de la pellicule transparente.	Cette information indique la date du dernier changement de pansement.
13.18 Retirer la seringue et désinfecter le dessus du bouchon à injections intermittentes avec un tampon d'alcool 70 % pendant 15 secondes. Prendre un autre tampon d'alcool et désinfecter le pourtour du bouchon pendant 15 secondes. Laisser sécher au moins 30 secondes.	La désinfection évite l'introduction de microorganismes pathogènes dans la circulation sanguine. Un délai minimal de 30 secondes est nécessaire pour que l'alcool produise son effet désinfectant.
13.19 Ajointer l'embout raccord mâle de la tubulure de perfusion au raccord de la tubulure de l'aiguille de Huber. Bien visser le verrou de sécurité.	Le verrou de sécurité évite la disjonction accidentelle de la tubulure de perfusion.
13.20 Ouvrir le presse-tube à clamp de la tubulure de l'aiguille de Huber et le régulateur de débit de la tubulure de perfusion. Amorcer la perfusion selon le débit prescrit.	Cette opération permet d'amorcer la perfusion. Le débit doit respecter l'ordonnance médicale.
13.21 Retirer les gants et les jeter avec le piqué et le matériel souillé dans le sac à déchets approprié.	Jeter ces articles dans le sac approprié évite la propagation de microorganismes pathogènes.

Étapes postexécutoires	Justifications
14. Effectuer les étapes postexécutoires communes décrites au début de cette section (page 121).	
15. Vérifier régulièrement le site de raccordement de la tubulure de perfusion à la tubulure de la voie du cathéter.	Tout écoulement de liquide signifie que le raccordement n'est pas étanche et qu'il doit être changé.
16. Si la perfusion n'est pas administrée par pompe volumétrique, s'assurer toutes les heures que le débit de la perfusion est conforme à celui prescrit.	Cette vérification prévient une administration inadéquate de la perfusion.

📁 Éléments à consigner dans les notes d'évolution rédigées par l'infirmière

- La date et l'heure de l'ouverture de la voie centrale et de l'installation de la perfusion.
- La réaction du client et sa collaboration.
- Toute réaction anormale ou indésirable survenue pendant les soins ou à la suite de ceux-ci. **Il faut également transmettre cette donnée au médecin traitant et à l'infirmière responsable du client.**

📁 Élément à consigner dans la feuille de dosage du client

- La quantité de solution administrée.

📁 Élément à consigner dans la feuille d'enregistrement des solutions I.V.

- Le type de solution, le débit, la date, l'heure et le site d'installation de la perfusion.

Exemple

2011-05-20 11:00 Aiguille de Huber à pointe coudée installée sur Port-a-Cath. Site d'accès vasculaire rosé, aucun œdème ou exsudat. Légère douleur à l'insertion de l'aiguille dans la chambre implantable. Accès vasculaire perméable, irrigué avec 10 ml de solution de NaCl 0,9 % avec turbulence. Mixte 0,45 % installé au site d'injection de l'aiguille de Huber sur pompe à un débit de 100 ml/h.

Notes personnelles

_____

_____

_____

_____

_____

_____

_____

_____

_____

_____

MS 4.2

Changement de pansement au site d'insertion d'un cathéter veineux central

Vidéo

- Cathéter veineux central percutané
- Cathéter veineux central tunnellisé
- Cathéter veineux central introduit par voie périphérique (CVCIVP ; en anglais, *PICC Line*)
- Cathéter veineux central avec chambre implantable sous-cutanée

BUT

Assurer une protection du site d'insertion du cathéter veineux central et en prévenir la contamination par des microorganismes pathogènes.

NOTIONS DE BASE

La réfection du pansement au site d'insertion d'un cathéter veineux central est une méthode de soins qui requiert une asepsie rigoureuse.

Les pellicules transparentes adhésives permettent à l'infirmière d'observer le site d'insertion du cathéter, fixent le cathéter et assurent le maintien de son intégrité et de sa stérilité. Ces pellicules peuvent demeurer en place sept jours. Toutefois, il est recommandé de changer le pansement une première fois, 24 heures après l'insertion du cathéter.

Le pansement avec compresse de gel à base de gluconate de chlorhexidine permet un contact étroit avec la peau tout en exerçant un effet antimicrobien.

Il est recommandé de ne pas plier ni enrouler les voies du cathéter ou le cathéter sur lui-même au moment de l'application de la pellicule transparente. Il est préférable de positionner les voies ou le cathéter en ligne droite, ou encore en forme de « S » ou de « U », afin de prévenir toute obstruction par formation d'un coude.

MATÉRIEL

- Masques de protection
- Gants non stériles
- Gants stériles
- Tampons d'alcool 70 %
- Tiges montées imbibées de chlorhexidine 2 % et d'alcool 70 %
- Eau stérile
- Compresses de gaze stériles 10 × 10 cm
- Bandage tubulaire en filet de type Retelast^{MD}

- Pellicule transparente adhésive stérile appropriée selon le cathéter (de type Tegaderm^{MD} ou IV3000^{MD})
- Ruban adhésif (2,5 cm)
- Champ stérile
- Piqué jetable
- Sac à déchets
- Dispositif de stabilisation de type StatLock^{MD}
- Ruban à mesurer

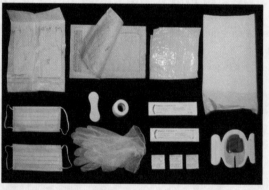

- Écouvillon pour culture avec contenant, au besoin

Étapes préexécutoires	Justifications
1. **Effectuer les étapes préexécutoires communes décrites au début de cette section (pages 120 et 121).**	
2. Vérifier, au dossier du client, si la réfection du pansement est assujettie à une ordonnance médicale individuelle.	L'ordonnance individuelle pourrait comporter des directives différentes de celles de l'ordonnance collective.
3. Installer le client en position de décubitus dorsal, tête de lit baissée, avec au plus un oreiller.	Cette position facilite l'accès au site du pansement.

Étapes préexécutoires	Justifications
4. En présence d'infection des voies respiratoires (chez l'infirmière ou le client), mettre un masque et en donner un au client. Lui demander de tourner la tête du côté opposé au cathéter pendant la procédure.	Cette précaution évite que de fines gouttelettes de salive provenant de l'infirmière ou du client contaminent le site de la jonction tubulure-cathéter.
5. Fixer le sac à déchets à la table du client.	La proximité du sac permet de jeter le matériel souillé sans contaminer l'environnement de travail.
6. Placer un champ stérile sur la table de chevet du client.	

ALERTE CLINIQUE Afin de réduire les risques de contamination, il faut jeter le matériel et les pansements souillés avant d'ouvrir le matériel stérile.

Étapes exécutoires	Justifications
7. Effectuer l'étape 8, 9 ou 10, selon le cas. ▶ 8. Changer le pansement au site d'insertion d'un cathéter veineux central percutané ou d'un cathéter veineux central tunnellisé. ▶ 9. Changer le pansement au site d'insertion d'un cathéter veineux central introduit par voie périphérique (CVCIVP). ▶ 10. Changer le pansement au site d'insertion d'un cathéter veineux central avec chambre implantable sous-cutanée.	
8. Changer le pansement au site d'insertion d'un cathéter veineux central percutané ou d'un cathéter veineux central tunnellisé.	
8.1 Retirer les bandes de ruban adhésif de la pellicule adhésive servant à stabiliser le cathéter. Les imbiber d'alcool avec un tampon d'alcool 70 % s'il y a résistance au moment du retrait.	L'alcool facilite le décollement des bandes de ruban adhésif.

ALERTE CLINIQUE Il ne faut jamais utiliser de ciseaux pour couper les bandes de ruban, car on risque de couper le cathéter accidentellement.

8.2 Mettre des gants non stériles.	Le port de gants évite les contacts directs avec les liquides biologiques du client et la transmission de microorganismes pathogènes.
8.3 **ÉVALUATION** Inspecter et palper le site d'insertion du cathéter afin de déceler la présence de rougeur, de chaleur, d'induration, de douleur, d'écoulement, d'œdème ou de lésion cutanée.	Cet examen permet de prévenir l'apparition de complications.

Étapes exécutoires	Justifications
8.4 Décoller partiellement de la peau les languettes situées dans le haut de la pellicule en les ramenant vers l'extérieur.	Cette façon de procéder facilite le retrait de la pellicule transparente adhésive.
8.5 Appuyer délicatement sur la pellicule transparente au-dessus du site d'insertion du cathéter avec le pouce ou l'index de la main non dominante, pour le stabiliser.	Cette précaution évite d'exercer une traction sur le cathéter et de le retirer accidentellement.
8.6 Retirer la pellicule transparente adhésive en l'étirant de chaque côté parallèlement à la peau, en direction du site d'insertion. La jeter dans le sac à déchets fixé à la table.	La pellicule se décolle plus facilement lorsqu'elle est étirée. Jeter la pellicule dans un tel sac évite la propagation de microorganismes pathogènes.

ALERTE CLINIQUE

En présence de rougeur, d'œdème, de chaleur ou d'écoulement, ou si le client se plaint de douleur ou de sensibilité au site d'insertion, il faut:
- nettoyer le point d'insertion du cathéter avec de l'eau stérile pour enlever les bactéries mortes;
- effectuer un prélèvement pour culture et antibiogramme;
- nettoyer le site avec une compresse stérile imbibée de NaCl 0,9 %;
- aviser le médecin.

8.7 Retirer les gants et les jeter dans le sac à déchets fixé à la table.	Jeter les gants dans un tel sac évite la propagation de microorganismes pathogènes.
8.8 Procéder à l'hygiène des mains.	Cette mesure évite la transmission de microorganismes pathogènes en provenance des mains. De plus, une asepsie rigoureuse est requise.
8.9 Ouvrir les emballages des tiges montées imbibées de chlorhexidine 2 % et d'alcool 70 % et celui de la pellicule transparente, puis les déposer sur le champ stérile.	
8.10 Mettre des gants stériles.	Le port de gants stériles permet de manipuler le matériel stérile sans le contaminer.

Étapes exécutoires	Justifications

8.11 À l'aide des tiges montées imbibées de chlorhexidine 2 % et d'alcool 70 %, aseptiser le site comme suit :

1° Saisir une tige montée et effectuer des mouvements verticaux, en allant du site d'insertion du cathéter vers le côté droit.

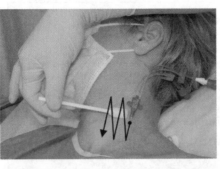

L'asepsie doit être rigoureusement respectée afin d'éviter la contamination par des microorganismes pathogènes en provenance de l'environnement.

2° Retourner la tige et répéter les mouvements verticaux, en allant du site d'insertion vers le côté gauche.

Cette façon de procéder permet d'utiliser les deux surfaces stériles des tiges montées.

3° Prendre une autre tige montée et effectuer des mouvements horizontaux, en allant du site d'insertion vers le bas.

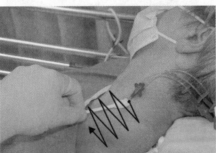

4° Retourner la tige et effectuer des mouvements de demi-cercle, en allant du site d'insertion vers le haut et en passant sous la partie libre du cathéter.

Le mouvement en demi-cercle évite de contaminer le site aseptisé par des microorganismes pathogènes se trouvant à proximité du site d'insertion du cathéter et d'aseptiser deux fois le même endroit.

5° Prendre une autre tige montée et effectuer des mouvements horizontaux, en allant du site d'insertion du cathéter vers le haut et en passant **sous** le cathéter.

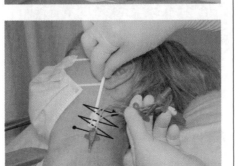

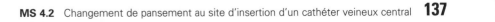

Étapes exécutoires	Justifications
6° Prendre une autre tige et répéter les mouvements en passant **sur** le cathéter. Aseptiser au moins la surface comprise sous la pellicule transparente adhésive stérile.	Comme la surface supérieure de la tige a pu toucher au cathéter pendant la désinfection précédente et donc avoir été contaminée, une nouvelle tige doit être utilisée pour compléter la désinfection.
Laisser sécher au moins 30 secondes.	Un délai minimal de 30 secondes est nécessaire pour que l'antiseptique produise son effet désinfectant. De plus, le site doit être complètement sec, sinon la pellicule n'adhérera pas à la peau.
8.12 Retirer les gants et les jeter dans le sac à déchets.	Jeter les gants dans un tel sac évite la propagation de microorganismes pathogènes.
8.13 Prendre la pellicule transparente adhésive et retirer le feuillet protecteur. Le cas échéant, centrer la compresse de gel de gluconate de chlorhexidine sur le site d'insertion du cathéter.	Certains pansements comportent une compresse de gel de gluconate de chlorhexidine.
8.14 Apposer la pellicule transparente sur le site d'insertion du cathéter en plaçant la fente du côté de la tubulure de rallonge et en recouvrant l'embase du cathéter. Les voies du cathéter doivent être dégagées.	Cette façon de procéder permet de dégager les voies du cathéter central tout en assurant l'étanchéité du site d'insertion.
8.15 Superposer légèrement les languettes supérieures de la pellicule sous les voies du cathéter.	Cette mesure assure une meilleure étanchéité du pansement et une protection plus efficace du site d'insertion contre l'entrée de microorganismes pathogènes.

Étapes exécutoires	Justifications

8.16 Retirer délicatement le cadre d'application tout en lissant la pellicule du centre vers la périphérie.

Cette façon de procéder permet une meilleure adhérence de la pellicule transparente.

La chaleur des mains augmente le pouvoir adhésif de la pellicule.

8.17 Appliquer une première bande de ruban adhésif sous le cathéter, le plus près possible du site d'insertion.

Appliquer une deuxième bande sur le cathéter, légèrement au-dessus de la première.

Cette mesure accroît la stabilité du cathéter en fixant les voies à l'ouverture de la pellicule prévue à cette fin.

8.18 Inscrire vos initiales ainsi que la date et l'heure de l'installation sur une bande de ruban adhésif. Coller ce ruban sur la bande supérieure de la pellicule transparente.

Passer à l'étape 11.

Cette information indique la date du dernier changement de pansement.

---

9. Changer le pansement au site d'insertion d'un cathéter veineux central introduit par voie périphérique (CVCIVP).

9.1 Placer un piqué jetable sous le bras du client. | Le piqué évite de souiller la literie.

Étapes exécutoires	Justifications
9.2 Retirer le bandage tubulaire en filet.	Si le bandage tubulaire est propre, il peut être réutilisé.
9.3 Mesurer la portion externe du cathéter, du site d'insertion jusqu'à la jonction de la tubulure de rallonge, avec un ruban à mesurer. Comparer cette mesure avec celle inscrite au dossier du client.	
9.4 Retirer les bandes de ruban adhésif de la pellicule servant à stabiliser le cathéter. Les imbiber d'alcool avec un tampon d'alcool 70 % s'il y a résistance au moment du retrait.	L'alcool facilite le décollement des bandes de ruban adhésif.
9.5 Mettre des gants non stériles.	Le port de gants évite les contacts directs avec les liquides biologiques et la transmission de microorganismes pathogènes.
9.6 Décoller partiellement de la peau les languettes supérieures de la pellicule transparente en les ramenant vers l'extérieur.	Cette façon de procéder facilite le retrait de la pellicule transparente adhésive.
9.7 Appuyer délicatement sur la pellicule transparente au-dessus du site d'insertion du cathéter avec le pouce ou l'index de la main non dominante, pour le stabiliser.	Cette précaution évite d'exercer une traction sur le cathéter et de le retirer accidentellement.

Étapes exécutoires	Justifications
9.8 Retirer la pellicule adhésive en l'étirant de chaque côté parallèlement à la peau, en direction du site d'insertion. La jeter dans le sac à déchets fixé à la table.	La pellicule se décolle plus facilement lorsqu'elle est étirée. Jeter la pellicule dans un tel sac évite la propagation de microorganismes pathogènes.
9.9 Retirer le dispositif de stabilisation. Pour éviter que le cathéter se déplace, le fixer au pouce du client au moyen d'un ruban adhésif.	Le ruban prévient le retrait accidentel du cathéter et évite d'exercer une tension sur celui-ci.
9.10 **ÉVALUATION** Examiner le site d'insertion du cathéter afin de déceler tout signe d'infiltration ou d'inflammation.	Cet examen permet de prévenir l'apparition de complications.

ALERTE CLINIQUE

En présence de rougeur, d'œdème, de chaleur ou d'écoulement, ou si le client se plaint de douleur ou de sensibilité au site d'insertion, il faut:

- nettoyer le point d'insertion du cathéter avec de l'eau stérile pour enlever les bactéries mortes;
- effectuer un prélèvement pour culture et antibiogramme;
- nettoyer le site avec une compresse stérile imbibée de NaCl 0,9 %;
- aviser le médecin.

Étapes exécutoires	Justifications
9.11 Retirer les gants et les jeter dans le sac à déchets fixé à la table.	Jeter les gants dans un tel sac évite la propagation de microorganismes pathogènes.
9.12 Procéder à l'hygiène des mains.	Cette mesure évite la transmission de microorganismes pathogènes en provenance des mains. De plus, une asepsie rigoureuse est requise.
9.13 Mesurer de nouveau la longueur du cathéter.	Cette mesure permet de vérifier si le cathéter s'est déplacé au moment du retrait du pansement.
9.14 Ouvrir les emballages des tiges montées imbibées de chlorhexidine 2 % et d'alcool 70 %.	
9.15 Mettre des gants stériles.	Le port de gants stériles permet de manipuler le matériel stérile sans le contaminer.
9.16 À l'aide des tiges montées imbibées de chlorhexidine 2 % et d'alcool 70 %, aseptiser le site comme suit:	L'asepsie doit être rigoureusement respectée afin d'éviter la contamination par des microorganismes pathogènes en provenance de l'environnement.

MS 4.2

1° Saisir une tige montée et effectuer des mouvements verticaux, en allant du site d'insertion du cathéter vers le côté droit.

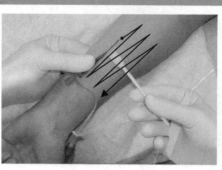

2° Retourner la tige et répéter les mouvements verticaux, en allant du site d'insertion vers le côté gauche.

Cette façon de procéder permet d'utiliser les deux surfaces stériles des tiges montées.

3° Prendre une autre tige montée et effectuer des mouvements horizontaux, en allant du site d'insertion vers le haut.

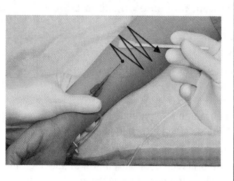

4° Retourner la tige et répéter les mouvements horizontaux, en allant du site d'insertion vers le bas.

5° Prendre une autre tige montée et effectuer des mouvements de demi-cercle, en allant du site d'insertion vers le haut, puis redescendre jusqu'à la jonction de la tubulure de rallonge.

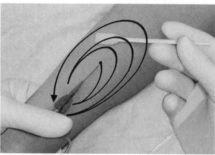

Aseptiser au moins la surface comprise sous la pellicule transparente adhésive stérile.

Le mouvement en demi-cercle évite de contaminer le site aseptisé par des microorganismes pathogènes se trouvant à proximité du site d'insertion du cathéter et d'aseptiser deux fois le même endroit.

9.17 De la main non dominante, soulever légèrement le cathéter et aseptiser comme suit :

1° De la main dominante, saisir une tige montée imbibée de chlorhexidine 2 % et d'alcool 70 % et passer **sous** le cathéter, en allant du site d'insertion du cathéter, vers la jonction de la tubulure de rallonge.

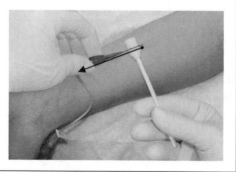

Étapes exécutoires	Justifications
2° Retourner la tige et répéter le mouvement en passant **sur** le cathéter. Laisser sécher au moins 30 secondes.	Un délai minimal de 30 secondes est nécessaire pour que l'antiseptique produise son effet désinfectant. De plus, le site doit être complètement sec, sinon la pellicule n'adhérera pas à la peau.
9.18 Retirer les gants et les jeter dans le sac à déchets.	Jeter les gants dans un tel sac évite la propagation de microorganismes pathogènes.
9.19 Ouvrir l'emballage de la pellicule transparente adhésive stérile de type Tegaderm^{MD} et saisir celle-ci de la main non dominante.	
9.20 Retirer le feuillet protecteur couvrant la surface adhésive de la pellicule transparente.	
9.21 Apposer la pellicule transparente sur le site d'insertion du cathéter en plaçant la fente du côté de la tubulure de rallonge et en recouvrant l'embase du cathéter. Les voies du cathéter doivent être dégagées.	Cette façon de procéder permet de dégager le cathéter tout en assurant l'étanchéité du site d'insertion.
9.22 Superposer légèrement les languettes supérieures de la pellicule sous le cathéter.	Cette mesure assure une meilleure étanchéité du pansement et une protection plus efficace du site d'insertion contre l'entrée de microorganismes pathogènes.

Étapes exécutoires	Justifications
9.23 Retirer délicatement le cadre d'application tout en lissant la pellicule du centre vers la périphérie et en exerçant une pression ferme pour assurer une meilleure adhérence.	Cette façon de procéder permet une meilleure adhérence de la pellicule transparente. La chaleur des mains augmente le pouvoir adhésif de la pellicule.
9.24 Appliquer une première bande de ruban adhésif sous le cathéter, le plus près possible du site d'insertion. Appliquer une deuxième bande sur le cathéter, légèrement au-dessus de la première.	Cette façon de faire stabilise la jonction cathéter-tubulure de rallonge et en diminue le risque de déplacement accidentel.
9.25 Installer un nouveau dispositif de stabilisation.	Ce dispositif stabilise la tubulure de rallonge et diminue le risque de retrait accidentel du cathéter.
9.26 Insérer la tubulure de rallonge dans le dispositif de stabilisation et faire une boucle avec le reste de la tubulure. 	

Étapes exécutoires	Justifications
9.27 Placer le presse-tube à glissière de la tubulure de rallonge de façon à éviter qu'il soit fermé accidentellement.	
9.28 Apposer une bande de ruban adhésif sur le côté extérieur de la pellicule transparente indiquant vos initiales ainsi que la date et l'heure de l'installation.	Cette information indique la date du dernier changement de pansement.
9.29 Replacer le bandage tubulaire en filet en faisant une ou deux boucles avec le cathéter et la tubulure de rallonge. Passer à l'étape 11.	Le filet retient le cathéter et empêche une traction directe sur celui-ci.
10. Changer le pansement au site d'insertion d'un cathéter veineux central avec chambre implantable sous-cutanée.	Le changement du pansement se fait habituellement en même temps que le changement de l'aiguille de Huber à pointe coudée, soit tous les sept jours. Cependant, il arrive que le pansement doive être changé plus tôt, notamment s'il se décolle, est souillé ou est partiellement retiré accidentellement.
10.1 Mettre des gants non stériles.	Le port de gants évite les contacts directs avec les liquides biologiques du client et la transmission de microorganismes pathogènes.
10.2 Avec un tampon d'alcool 70 %, frotter la pellicule transparente adhésive stérile de type IV3000^{MD} déjà en place en suivant le trajet du cathéter.	L'alcool facilite le décollement de la pellicule adhésive.
10.3 Appuyer délicatement sur la pellicule transparente au-dessus de l'aiguille de Huber avec le pouce ou l'index de la main non dominante, pour la stabiliser. Retirer la pellicule transparente en l'étirant de chaque côté parallèlement à la peau, en direction du site d'insertion. La jeter dans le sac à déchets fixé à la table.	Cette précaution évite d'exercer une traction sur l'aiguille de Huber et de la retirer accidentellement. La pellicule se décolle plus facilement lorsqu'elle est étirée. Jeter la pellicule dans un tel sac évite la propagation de microorganismes pathogènes.
10.4 **ÉVALUATION** Inspecter et palper le site d'insertion du cathéter afin de déceler la présence de rougeur, de chaleur, d'induration, de douleur, d'écoulement, d'œdème ou de lésion cutanée.	Cet examen permet de prévenir l'apparition de complications.

Étapes exécutoires	Justifications
10.5 Ouvrir les emballages des tiges montées imbibées de chlorhexidine 2 % et d'alcool 70 %.	
10.6 À l'aide des tiges montées imbibées de chlorhexidine 2 % et d'alcool 70 %, aseptiser le site d'insertion de l'aiguille en reprenant l'étape 8.11 précédente.	L'asepsie doit être rigoureusement respectée afin d'éviter la contamination par des microorganismes pathogènes.
10.7 Retirer les gants et les jeter dans le sac à déchets fixé à la table.	Jeter les gants dans un tel sac évite la propagation de microorganismes pathogènes.
10.8 Ouvrir l'emballage de la pellicule transparente adhésive stérile de type IV 3000MD et saisir celle-ci de la main non dominante.	
10.9 Retirer le papier protecteur blanc sans contaminer la pellicule.	La pellicule doit rester stérile, car elle sera apposée sur la peau, l'aiguille de Huber et la tubulure de rallonge.
10.10 Apposer la pellicule transparente sur l'aiguille de Huber en recouvrant une partie de la tubulure, sans toutefois recouvrir le Y de dérivation et la jonction de la tubulure de rallonge et de la tubulure de la perfusion ou du bouchon à injections intermittentes. Retirer le papier protecteur transparent de la pellicule.	Cette façon de procéder permet d'accéder en tout temps à la jonction de la tubulure de rallonge et de la tubulure de la perfusion ou du bouchon.
10.11 Inscrire vos initiales ainsi que la date et l'heure de l'installation sur une bande de ruban adhésif. Coller ce ruban sur l'un des côtés de la pellicule transparente.	Cette information indique la date du dernier changement de pansement.
Étapes postexécutoires	**Justifications**
11. Jeter le sac à déchets fixé à la table dans un sac à déchets biomédicaux.	Jeter le sac à déchets dans un tel sac évite la propagation de microorganismes pathogènes.
12. Effectuer les étapes postexécutoires communes décrites au début de cette section (page 121).	

Éléments à consigner dans les notes d'évolution rédigées par l'infirmière

- L'apparence du site d'insertion du cathéter ou de la chambre implantable sous-cutanée.
- La date et l'heure du changement de pansement ainsi que le type de pansement utilisé.
- La réaction du client et sa collaboration.
- Toute réaction anormale ou indésirable survenue pendant les soins ou à la suite de ceux-ci. **Il faut également transmettre cette donnée au médecin traitant et à l'infirmière responsable du client.**

Élément à consigner dans les formulaires de suivi des cathéters intravasculaires

- La date et l'heure du changement de pansement ou la prochaine date de changement et vos initiales.

Exemple

2011-05-07 10:00   Pansement Tegaderm changé au site d'insertion du cathéter CVCIVP. Site intact.

MS 4.3

MS 4.3 Changement du sac de perfusion et de la tubulure

BUT

Assurer la continuité de l'administration d'une perfusion intraveineuse.

NOTIONS DE BASE

Les sacs de perfusion intraveineuse (I.V.) doivent être changés toutes les 24 heures.

Les tubulures doivent, quant à elles, être changées toutes les 72 heures dans le cas de perfusions continues, et toutes les 24 heures pour les perfusions intermittentes, ou avant, au besoin.

Chaque établissement doit établir des protocoles quant aux règles de remplacement des cathéters des tubulures de perfusion et de tout autre matériel pouvant y être ajouté (bouchon à injections intermittentes, tubulure de mini-perfuseur, etc.).

MATÉRIEL

- Solution de perfusion I.V. prescrite et tubulure
- Bouchon à injections intermittentes sans aiguille, au besoin
- Tampons d'alcool 70 %
- Compresse de gaze stérile 10 × 10 cm
- Étiquettes d'identification autocollantes
- Dispositif d'injection sans aiguille

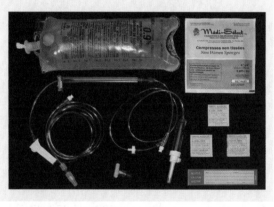

Étapes préexécutoires	Justifications
1. **Effectuer les étapes préexécutoires communes décrites au début de cette section (pages 120 et 121).**	
2. Vérifier la date et l'heure du dernier changement du sac de perfusion et de la tubulure au dossier du client ou au PSTI. Remplacer toute tubulure:	
• dont le perforateur est contaminé au moment du changement du sac de perfusion;	Un perforateur contaminé risque de transmettre des microorganismes pathogènes à la perfusion.
• perforée;	Une tubulure perforée entraînera une fuite de liquide et une contamination bactérienne.
• dont les membranes en Y sont perméables;	Ces membranes constituent une porte d'entrée pour les bactéries.
• contaminée par débranchement accidentel.	Une tubulure contaminée représente un risque de septicémie pour le client.
3. Préparer un nouveau sac de perfusion dès qu'il ne reste qu'environ 100 ml de solution dans le sac précédent. Si celui-ci est préparé par la pharmacie, s'assurer qu'il a été reçu.	Cette précaution évite l'arrêt de l'administration de la perfusion. Cela prévient aussi l'occlusion du cathéter par formation de thrombus causé par une quantité insuffisante de solution de perfusion dans le cathéter.

Étapes préexécutoires	Justifications
4. Vérifier les éléments suivants :	
• le type de solution inscrit sur le sac ;	Le type de solution inscrit sur le sac doit correspondre à l'ordonnance médicale.
• la quantité de solution ;	La quantité de liquide contenue dans le sac doit correspondre à celle inscrite sur le sac. Une quantité inférieure signifie que le sac présente une fuite. Il faut alors le jeter à la poubelle et en prendre un nouveau.
• la limpidité et la couleur de la solution ;	La solution doit être limpide. Une solution trouble ou présentant des dépôts est considérée comme contaminée et ne doit pas être administrée.
• la date d'expiration de la solution ;	Les propriétés d'une solution dont la date limite d'utilisation est dépassée sont ou peuvent être altérées ; ne pas l'administrer.
• la compatibilité des solutions.	
5. Sélectionner la tubulure adaptée au mode d'administration.	
6. Déposer le sac de perfusion sur une surface propre et y insérer la fiche perforante de la tubulure. Suspendre le sac à la tige. Remplir la chambre compte-gouttes jusqu'à la moitié de façon à dégager l'orifice de stillation. Procéder au vide d'air.	La chambre compte-gouttes doit être à moitié remplie afin de permettre le réglage de la vitesse d'administration.
7. Vérifier la présence de bulles d'air dans la tubulure. Le cas échéant, donner des chiquenaudes sur celle-ci afin de les faire remonter jusqu'à la chambre compte-gouttes.	La présence d'air dans la tubulure accroît le risque d'embolie gazeuse.
8. Apposer une étiquette sur le sac de solution indiquant : nom du client, type de solution, médicament ajouté le cas échéant, débit de la perfusion, date, heure et vos initiales. Apposer une étiquette sur la tubulure indiquant : date et heure de l'installation.	Ces étiquettes permettent de prévoir la date du prochain changement de sac et de tubulure.

Étapes exécutoires	Justifications
9. Ouvrir l'emballage d'une compresse de gaze stérile 10 × 10 cm et le déposer à proximité.	La compresse servira de champ stérile pour déposer la voie du cathéter.
10. Fermer le régulateur de débit de la tubulure de perfusion et le presse-tube à glissière de la voie du cathéter central ou de la tubulure de rallonge où est installée la perfusion. Le cas échéant, fermer la pompe volumétrique.	Ces mesures permettent d'éviter que de l'air pénètre dans la circulation sanguine au moment du débranchement de la tubulure de perfusion.

Étapes exécutoires	Justifications
11. Demander au client d'inspirer profondément et de retenir son inspiration.	Retenir l'inspiration évite que l'air pénètre dans le cathéter dans l'éventualité où le presse-tube serait défectueux.
12. Retirer rapidement la tubulure de la voie du cathéter central ou de la tubulure de rallonge. Dire au client de respirer normalement. 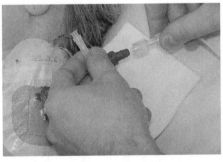	La nouvelle tubulure étant en place, le risque d'entrée d'air dans le circuit est éliminé.
13. Désinfecter le dessus du bouchon à injections intermittentes pendant 15 secondes avec un tampon d'alcool 70 %. Prendre un autre tampon d'alcool et désinfecter le pourtour du bouchon pendant 15 secondes. Laisser sécher au moins 30 secondes.	La désinfection évite l'introduction de microorganismes pathogènes dans la circulation sanguine. Un délai minimal de 30 secondes est nécessaire pour que l'alcool produise son effet désinfectant.

RAPPEL! Changer le bouchon à injections intermittentes au besoin. Le changement de bouchon se fait généralement au moment du remplacement de la tubulure ou du pansement du site d'insertion du cathéter de perfusion, soit toutes les 72 heures ou selon le protocole en vigueur dans l'établissement.

Étapes exécutoires	Justifications
14. Retirer le capuchon protecteur ou l'aiguille de l'embout raccord mâle.	
15. Ajointer rapidement la nouvelle tubulure de perfusion. Bien visser le verrou de sécurité.	Le verrou de sécurité évite la disjonction accidentelle de la tubulure de perfusion.

ALERTE CLINIQUE Si la tubulure a été contaminée, clamper la voie du cathéter veineux central et y ajointer la tubulure précédente, si cette dernière n'est pas contaminée. Sinon, utiliser un bouchon à injections intermittentes et reprendre la procédure.
Si l'embout du cathéter a été contaminé accidentellement pendant la manœuvre, le désinfecter en l'insérant dans l'enveloppe d'un tampon de chlorhexidine pendant au moins 30 secondes.

Étapes exécutoires	Justifications
16. Ouvrir le presse-tube à glissière de la voie du cathéter central ou de la tubulure de rallonge ainsi que le régulateur de débit de la nouvelle perfusion.	

MS 4.3

Étapes exécutoires	Justifications
17. Amorcer la perfusion ou programmer la pompe volumétrique selon le débit prescrit.	Le débit de la perfusion doit respecter l'ordonnance médicale.

Étapes postexécutoires	Justifications
18. **Effectuer les étapes postexécutoires communes décrites au début de cette section (page 121).**	
19. Vérifier régulièrement le site de raccordement de la tubulure de perfusion à la tubulure de la voie du cathéter.	Tout écoulement de liquide signifie que le raccordement n'est pas étanche et qu'il doit être changé.
20. Si la perfusion n'est pas administrée par pompe volumétrique, s'assurer toutes les heures que le débit de la perfusion est conforme à celui prescrit.	Cette vérification prévient une administration inadéquate de la perfusion.

 Éléments à consigner dans les notes d'évolution rédigées par l'infirmière

- La date et l'heure d'exécution de la méthode.
- Le débit de la perfusion.
- La réaction du client et sa collaboration.
- Toute réaction anormale ou indésirable survenue pendant les soins ou à la suite de ceux-ci. **Il faut également transmettre cette donnée au médecin traitant et à l'infirmière responsable du client.**

Élément à consigner dans la feuille de dosage du client

- La quantité de solution administrée.

Élément à consigner dans la feuille d'enregistrement des solutions I.V.

- Le type de solution, le débit, la date, l'heure et le site d'installation de la perfusion.

Exemple

2011-05-15 14:30 Tubulure de cathéter veineux central changée. Débit du dextrose 5 % dans l'eau ajusté à 80 ml/h sur pompe volumétrique. Site d'insertion du cathéter veineux central intact.

Notes personnelles

MS 4.4

Irrigation et héparinisation d'un cathéter veineux central

BUT

Maintenir la perméabilité des voies non utilisées d'un cathéter veineux central.

NOTIONS DE BASE

L'irrigation précède toujours l'héparinisation. L'irrigation doit être faite avant et après l'administration d'une solution ou d'un médicament incompatible avec la solution primaire ou un autre médicament.

La fréquence des irrigations avec une solution de NaCl 0,9 % et des héparinisations de même que la quantité de solution utilisée varient selon le type de cathéter utilisé et le protocole en vigueur dans l'établissement.

L'irrigation est recommandée pour maintenir la perméabilité des voies non utilisées et après :

- l'administration d'un médicament incompatible avec la perfusion en cours ;
- l'administration d'une perfusion d'alimentation parentérale totale ;
- un prélèvement sanguin ;
- l'administration de produits sanguins.

MATÉRIEL

- Aiguilles de calibre 20 (2,5 cm)
- Seringues de 10 ml (2 par voie à hépariniser)
- Solution de NaCl 0,9 % (fiole unidose sans agent de conservation ou fiole multidose avec bactériostatique)
- Fiole d'héparine dosée à 100 unités/ml
- Tampons d'alcool 70 %
- Compresse de gaze stérile 10 × 10 cm

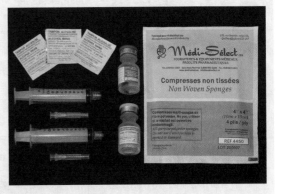

Étapes préexécutoires	Justifications
1. **Effectuer les étapes préexécutoires communes décrites au début de cette section (pages 120 et 121).**	
2. Préparer une seringue de 10 ml contenant une solution de NaCl 0,9 % et une autre contenant de l'héparine dosée à 100 unités/ml (dose selon l'ordonnance collective de l'établissement) pour chacune des voies du cathéter à irriguer et à hépariniser.	Le NaCl 0,9 % sert à irriguer et à nettoyer la voie, alors que l'héparine en maintient la perméabilité. La quantité de solution de NaCl 0,9 % et d'héparine varie selon le type de cathéter et le protocole en vigueur dans l'établissement. Il faut donc s'y référer afin de connaître la quantité à utiliser.

 L'utilisation de seringues de 10 ml est recommandée pour l'irrigation des cathéters veineux centraux, des cathéters périphériques et des chambres implantables sous-cutanées, en raison du niveau de pression qu'elles génèrent. En effet, une seringue de plus petit calibre pourrait exercer une trop grande pression sur le cathéter et l'endommager. La pression de l'irrigation ne doit pas dépasser 25 livres au pouce carré (psi).

Étapes exécutoires	Justifications
3. Ouvrir l'emballage d'une compresse de gaze stérile 10 × 10 cm et le déposer à proximité.	La compresse servira de champ stérile pour déposer la voie du cathéter, au besoin.
4. De la main non dominante, saisir la voie à irriguer et désinfecter le dessus du bouchon à injections intermittentes avec un tampon d'alcool 70 % pendant 15 secondes. Prendre un autre tampon d'alcool et désinfecter le pourtour du bouchon pendant 15 secondes. Laisser sécher au moins 30 secondes. Tenir la voie entre les doigts ou la déposer sur la compresse stérile.	La désinfection évite l'introduction de microorganismes pathogènes dans la circulation sanguine. Un délai minimal de 30 secondes est nécessaire pour que l'alcool produise son effet désinfectant.

ALERTE CLINIQUE

En présence de résistance en début d'irrigation :
- retirer la seringue ;
- indiquer sur le cathéter, au dossier du client et au kardex que la voie est dysfonctionnelle ;
- aviser le médecin.

Étapes exécutoires	Justifications
5. Effectuer l'étape 6 ou 7, selon le cas.	
▶ 6. Irriguer et hépariniser par bouchon à injections intermittentes sans aiguille.	
▶ 7. Irriguer et hépariniser par bouchon à injections intermittentes avec aiguille.	
6. Irriguer et hépariniser par bouchon à injections intermittentes sans aiguille.	
6.1 Retirer l'aiguille de la seringue de solution de NaCl 0,9 % et ajointer la seringue au bouchon à injections intermittentes.	Les bouchons à injections intermittentes sans membrane sont des systèmes utilisés sans aiguille.
6.2 Ouvrir le presse-tube à glissière fermant la voie du cathéter et injecter la solution de NaCl 0,9 % par petits coups saccadés (turbulence).	L'irrigation avec turbulence consiste à administrer la solution d'irrigation à l'aide d'une seringue de façon séquentielle (départ-arrêt), environ 1 ml à la fois. Cela permet de déloger les particules adhérant à la paroi du cathéter.
6.3 Lorsque la solution de NaCl 0,9 % est entièrement injectée, fermer le presse-tube à glissière et retirer la seringue.	Cette mesure protège le circuit d'une entrée d'air au moment du retrait de la seringue.

Étapes exécutoires	Justifications
6.4 Désinfecter le dessus du bouchon à injections intermittentes avec un tampon d'alcool 70 % pendant 15 secondes. Prendre un autre tampon d'alcool et désinfecter le pourtour du bouchon pendant 15 secondes. Laisser sécher au moins 30 secondes.	La désinfection évite l'introduction de microorganismes pathogènes dans la circulation sanguine. Un délai minimal de 30 secondes est nécessaire pour que l'alcool produise son effet désinfectant.
6.5 Retirer l'aiguille de la seringue contenant l'héparine et ajointer la seringue au bouchon à injections intermittentes.	Les bouchons à injections intermittentes sans membrane sont des systèmes utilisés sans aiguille.
6.6 Ouvrir le presse-tube à glissière fermant la voie et injecter l'héparine de façon continue. Lorsqu'il reste environ 1 ml dans la seringue, fermer le presse-tube à glissière tout en continuant de pousser sur le piston de la seringue afin de créer une pression positive. Retirer la seringue.	La pression positive évite le reflux de sang dans le cathéter.

RAPPEL! Il existe plusieurs types de bouchons à injections intermittentes, et la méthode permettant de créer une pression positive varie d'un à l'autre. Par exemple, les cathéters munis d'une valve antireflux ou d'un raccord CLC2000MD génèrent automatiquement cette pression positive. Il est donc conseillé de se référer aux indications du fabricant afin de connaître la méthode correspondant au bouchon à injections intermittentes utilisé dans l'établissement.

6.7 Répéter la procédure pour les autres voies du cathéter. Passer à l'étape 8.	
7. Irriguer et hépariniser par bouchon à injections intermittentes avec aiguille.	
7.1 Retirer le capuchon protecteur de l'aiguille de la seringue de solution de NaCl 0,9 % et insérer l'aiguille au centre du site d'injection du bouchon à injections intermittentes avec membrane. 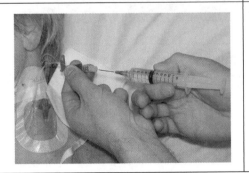	Les bouchons à injections intermittentes avec membrane requièrent l'utilisation d'une seringue munie d'une aiguille. La membrane est plus mince à cet endroit et plus facile à perforer avec l'aiguille.

MS 4.4

Étapes exécutoires		Justifications
7.2 Ouvrir le presse-tube à glissière fermant la voie du cathéter et injecter la solution de NaCl 0,9 % par petits coups saccadés (turbulence).	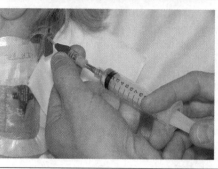	L'irrigation avec turbulence consiste à administrer la solution d'irrigation à l'aide d'une seringue de façon séquentielle (départ-arrêt), environ 1 ml à la fois. Cela permet de déloger les particules adhérant à la paroi du cathéter.
7.3 Lorsque la solution de NaCl 0,9 % est entièrement injectée, fermer le presse-tube à glissière et retirer la seringue. La jeter dans un contenant biorisque sans remettre le capuchon.		Cette mesure protège le circuit d'une entrée d'air au moment du retrait de la seringue. Remettre le capuchon sur l'aiguille augmente le risque de piqûre accidentelle.
7.4 Désinfecter le dessus du bouchon à injections intermittentes avec un tampon d'alcool 70 % pendant 15 secondes. Au besoin, désinfecter le pourtour du bouchon pendant 15 secondes avec un autre tampon d'alcool. Laisser sécher au moins 30 secondes.		L'alcool n'a pas de propriété rémanente et son effet désinfectant se dissipe immédiatement. Un délai minimal de 30 secondes est nécessaire pour que l'alcool produise son effet désinfectant.
7.5 Retirer le capuchon protecteur de l'aiguille de la seringue contenant l'héparine et insérer l'aiguille au centre du site d'injection du bouchon à injections intermittentes avec membrane.		Les bouchons à injections intermittentes avec membrane requièrent l'utilisation d'une seringue munie d'une aiguille. La membrane est plus mince à cet endroit et plus facile à perforer avec l'aiguille.
7.6 Ouvrir le presse-tube à glissière fermant la voie et injecter l'héparine de façon continue. Lorsqu'il reste environ 1 ml dans la seringue, fermer le presse-tube à glissière tout en continuant de pousser sur le piston de la seringue afin de créer une pression positive. Retirer la seringue.		La pression positive évite le reflux de sang dans le cathéter.
7.7 Répéter la procédure pour les autres voies du cathéter.		
Étapes postexécutoires		**Justifications**
8. **Effectuer les étapes postexécutoires communes décrites au début de cette section (page 121).**		

Éléments à consigner dans les notes d'évolution rédigées par l'infirmière

- La date et l'heure de l'irrigation et de l'héparinisation.
- Le nom du médicament, la dose administrée, la voie d'administration et le site d'injection.
- La réaction du client et sa collaboration.
- Toute réaction anormale ou indésirable survenue pendant les soins ou à la suite de ceux-ci. **Il faut également transmettre cette donnée au médecin traitant et à l'infirmière responsable du client.**

Élément à consigner dans la feuille d'administration des médicaments

- La date et l'heure de l'irrigation des voies du cathéter.

Exemple

2011-05-27 12:45   Irrigation des trois voies de la sous-clavière avec 10 ml de solution de NaCl 0,9 % et 2,5 ml d'héparine 100 unités/ml. Voies perméables ne présentant aucune résistance lors de l'irrigation.

▶ CHAPITRE 17
Déséquilibres hydroélectrolytiques et acidobasiques

MS 4.5

Changement de bouchon à injections intermittentes (à membrane, raccord CLAVE^MD et CLC2000^MD)

BUT

Assurer un accès vasculaire central permettant l'administration de médicaments en l'absence de perfusion intraveineuse continue.

MATÉRIEL

- Solution de NaCl 0,9 % (fiole unidose sans agent de conservation ou fiole multidose avec bactériostatique)
- Fiole d'héparine dosée à 100 unités/ml
- Seringues de 10 ml
- Aiguille de calibre 20 (2,5 cm)

- Bouchon à injections intermittentes (à membrane, raccord CLAVE^MD, CLC2000^MD ou autre)
- Tampons d'alcool 70 %
- Compresse de gaze stérile 10 × 10 cm

NOTIONS DE BASE

Tout comme les cathéters et les tubulures de perfusion, les bouchons à injections intermittentes doivent être changés toutes les 72 à 96 heures (ou selon le protocole en vigueur dans l'établissement), ou avant, s'ils deviennent perméables. Différents types de bouchons à injections intermittentes sont offerts sur le marché, et la procédure d'irrigation varie en fonction du type de bouchon employé. Il est donc important de consulter les directives du fabricant à ce sujet.

Si le cathéter n'est pas utilisé, le bouchon doit être changé tous les 7 jours.

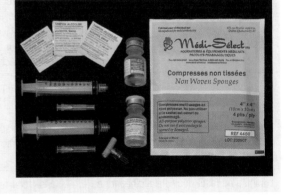

Étapes préexécutoires	Justifications
1. Effectuer les étapes préexécutoires communes décrites au début de cette section (pages 120 et 121).	
2. Vérifier la date et l'heure du dernier changement du bouchon à injections intermittentes.	Le changement du bouchon à injections intermittentes se fait généralement au moment du remplacement de la tubulure ou du pansement du site d'insertion du cathéter de perfusion, soit toutes les 72 à 96 heures, ou selon le protocole en vigueur dans l'établissement.
3. Préparer le matériel nécessaire à l'irrigation et à l'héparinisation du bouchon comme suit :	

Procédure d'irrigation et d'héparinisation d'un bouchon à injections intermittentes

Bouchon à membrane	Raccord CLAVE^MD	CLC2000^MD
Désinfecter le dessus du bouchon avec un tampon d'alcool 70 % pendant 15 secondes. Laisser sécher au moins 30 secondes.	Désinfecter le dessus du bouchon avec un tampon d'alcool 70 % pendant 15 secondes. Prendre un autre tampon d'alcool et désinfecter le pourtour du bouchon pendant 15 secondes. Laisser sécher au moins 30 secondes.	Désinfecter le dessus du bouchon avec un tampon d'alcool 70 % pendant 15 secondes. Prendre un autre tampon d'alcool et désinfecter le pourtour du bouchon pendant 15 secondes. Laisser sécher au moins 30 secondes.
	Retirer l'aiguille de la seringue de NaCl 0,9 %.	Retirer l'aiguille de la seringue de NaCl 0,9 %.
Insérer l'aiguille de la seringue de NaCl 0,9 % au centre du bouchon et injecter le NaCl par petits coups saccadés (turbulence).	Insérer la seringue dans le bouchon et injecter le NaCl par petits coups saccadés (turbulence).	Insérer la seringue dans le bouchon et injecter le NaCl par petits coups saccadés (turbulence).
Retirer la seringue.	Retirer la seringue.	Retirer la seringue.
Désinfecter à nouveau le dessus du bouchon avec un tampon d'alcool 70 % pendant 15 secondes et laisser sécher au moins 30 secondes.	Désinfecter à nouveau le dessus du bouchon avec un tampon d'alcool 70 % pendant 15 secondes. Au besoin, désinfecter le pourtour du bouchon avec un autre tampon. Laisser sécher au moins 30 secondes.	Désinfecter à nouveau le dessus du bouchon avec un tampon d'alcool 70 % pendant 15 secondes. Au besoin, désinfecter le pourtour du bouchon avec un autre tampon. Laisser sécher au moins 30 secondes.
	Retirer l'aiguille de la seringue contenant l'héparine 100 unités/ml.	Retirer l'aiguille de la seringue contenant l'héparine 100 unités/ml.
Insérer l'aiguille de la seringue d'héparine 100 unités/ml dans le bouchon et injecter lentement son contenu.	Insérer la seringue d'héparine dans le bouchon raccord et injecter lentement son contenu.	Insérer la seringue d'héparine dans le bouchon et injecter lentement son contenu.
Lorsqu'il ne reste que 0,1 ml d'héparine, fermer le presse-tube et continuer à appuyer sur le piston tout en retirant l'aiguille pour créer une pression positive. S'il n'y a pas de presse-tube, retirer la seringue en injectant le 0,1 ml d'héparine restant.	Maintenir fermement le piston enfoncé afin d'effectuer une pression positive et retirer la seringue.	Retirer la seringue.

Étapes préexécutoires	Justifications

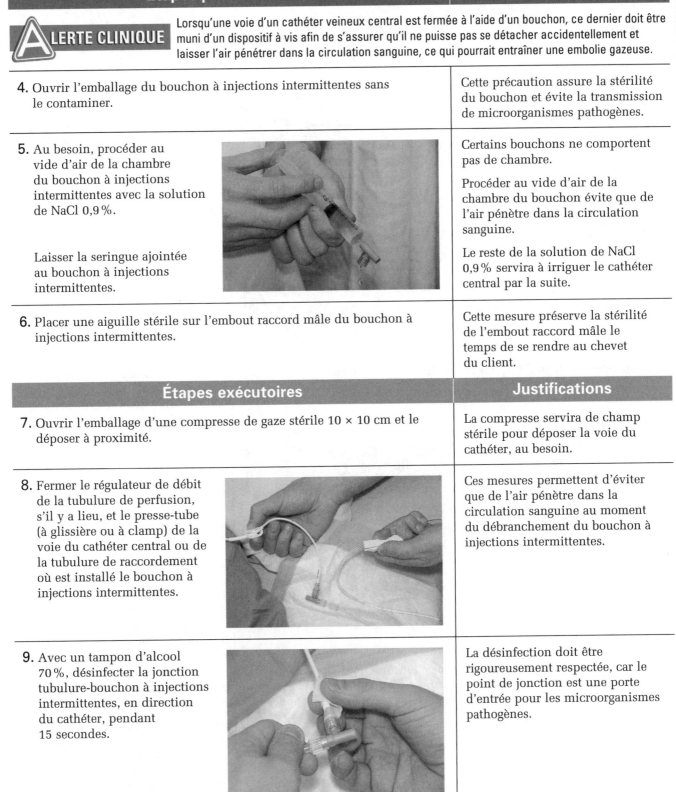

⚠ ALERTE CLINIQUE Lorsqu'une voie d'un cathéter veineux central est fermée à l'aide d'un bouchon, ce dernier doit être muni d'un dispositif à vis afin de s'assurer qu'il ne puisse pas se détacher accidentellement et laisser l'air pénétrer dans la circulation sanguine, ce qui pourrait entraîner une embolie gazeuse.

Étapes préexécutoires	Justifications
4. Ouvrir l'emballage du bouchon à injections intermittentes sans le contaminer.	Cette précaution assure la stérilité du bouchon et évite la transmission de microorganismes pathogènes.
5. Au besoin, procéder au vide d'air de la chambre du bouchon à injections intermittentes avec la solution de NaCl 0,9 %. Laisser la seringue ajointée au bouchon à injections intermittentes.	Certains bouchons ne comportent pas de chambre. Procéder au vide d'air de la chambre du bouchon évite que de l'air pénètre dans la circulation sanguine. Le reste de la solution de NaCl 0,9 % servira à irriguer le cathéter central par la suite.
6. Placer une aiguille stérile sur l'embout raccord mâle du bouchon à injections intermittentes.	Cette mesure préserve la stérilité de l'embout raccord mâle le temps de se rendre au chevet du client.

Étapes exécutoires	Justifications
7. Ouvrir l'emballage d'une compresse de gaze stérile 10 × 10 cm et le déposer à proximité.	La compresse servira de champ stérile pour déposer la voie du cathéter, au besoin.
8. Fermer le régulateur de débit de la tubulure de perfusion, s'il y a lieu, et le presse-tube (à glissière ou à clamp) de la voie du cathéter central ou de la tubulure de raccordement où est installé le bouchon à injections intermittentes.	Ces mesures permettent d'éviter que de l'air pénètre dans la circulation sanguine au moment du débranchement du bouchon à injections intermittentes.
9. Avec un tampon d'alcool 70 %, désinfecter la jonction tubulure-bouchon à injections intermittentes, en direction du cathéter, pendant 15 secondes.	La désinfection doit être rigoureusement respectée, car le point de jonction est une porte d'entrée pour les microorganismes pathogènes.

Étapes exécutoires		Justifications
Avec un nouveau tampon d'alcool 70 %, désinfecter la jonction tubulure-bouchon en direction du bouchon à injections intermittentes, pendant 15 secondes. Laisser sécher au moins 30 secondes.		Un délai minimal de 30 secondes est nécessaire pour que l'alcool produise son effet désinfectant.
10. Déposer la jonction tubulure-bouchon à injections intermittentes désinfectée sur la compresse stérile ou la maintenir entre les doigts. Retirer l'aiguille stérile de l'embout raccord mâle du nouveau bouchon à injections intermittentes sans le contaminer.		Cette mesure permet de préserver la désinfection de la jonction tubulure-bouchon à injections intermittentes.
11. Demander au client d'inspirer profondément et de retenir son inspiration.		Retenir l'inspiration évite que l'air pénètre dans le cathéter dans l'éventualité où le presse-tube serait défectueux.
12. Retirer rapidement la tubulure de la voie du cathéter central et le bouchon à injections intermittentes de la voie du cathéter. Ajointer rapidement le nouveau bouchon à injections intermittentes et bien visser le verrou de sécurité. Dire au client de respirer normalement.		Le verrou de sécurité évite la disjonction accidentelle du bouchon et de la voie du cathéter. La nouvelle tubulure étant en place, le risque d'entrée d'air dans le circuit est éliminé.
13. Désinfecter le dessus du bouchon à injections intermittentes avec un tampon d'alcool 70 % pendant 15 secondes. Prendre un autre tampon d'alcool et désinfecter le pourtour du bouchon pendant 15 secondes. Laisser sécher au moins 30 secondes.		La désinfection évite l'introduction de microorganismes pathogènes dans la circulation sanguine. Un délai minimal de 30 secondes est nécessaire pour que l'alcool produise son effet désinfectant.
14. Procéder à l'irrigation et à l'héparinisation du cathéter ▶ **MS 4.4** ou ajointer la tubulure de la nouvelle perfusion. Dans le cas d'une nouvelle tubulure de perfusion, ouvrir le presse-tube à glissière de la voie et le régulateur de débit de la perfusion et ajuster le débit selon l'ordonnance.		Cette procédure permet de maintenir la perméabilité du cathéter.

Étapes postexécutoires	Justifications
15. **Effectuer les étapes postexécutoires communes décrites au début de cette section (page 121).**	
16. Jeter le matériel utilisé dans un sac à déchets biomédicaux.	Jeter le matériel utilisé dans un tel sac évite la propagation de microorganismes pathogènes.

MS 4.6

📁 Éléments à consigner dans les notes d'évolution rédigées par l'infirmière

- La date et l'heure de l'installation du nouveau bouchon à injections intermittentes.
- Le nom du médicament et la dose administrée au moment de l'irrigation et de l'héparinisation.
- La réaction du client et sa collaboration.
- Toute réaction anormale ou indésirable survenue pendant les soins ou à la suite de ceux-ci. **Il faut également transmettre cette donnée au médecin traitant et à l'infirmière responsable du client.**

Exemple

2011-05-21   12:45   *Bouchon CLC2000 changé sur CVCIVP à bout ouvert. Site rosé, aucun œdème ni exsudat. Cathéter irrigué avec 10 ml de solution de NaCl 0,9 % et 5 ml d'héparine 100 unités/ml. CVCIVP perméable.*

CHAPITRE 17
Déséquilibres hydroélectrolytiques et acidobasiques

Prélèvement sanguin par cathéter veineux central, sauf le cathéter veineux central introduit par voie périphérique

Video

- **Méthode avec barillet sur une voie munie d'une perfusion continue**
- **Méthode avec barillet sur une voie fermée**
- **Méthode avec seringue sur une voie munie d'une perfusion continue**
- **Méthode avec seringue sur une voie fermée**

BUT

Prélever un échantillon de sang à des fins d'analyse.

NOTIONS DE BASE

Le choix d'effectuer un prélèvement sanguin par cathéter veineux central devrait être fait en dernier recours en raison des risques importants que comporte l'utilisation de cette voie.

L'infirmière devrait plutôt privilégier la ponction veineuse par voie périphérique dès que les veines du client présentent un état et un calibre adéquats et sont faciles à stabiliser.

En présence d'un cathéter veineux central à plusieurs voies, il est recommandé d'utiliser la voie proximale pour effectuer les ponctions veineuses.

Les prélèvements sanguins par CVCIVP sont à éviter en raison du petit calibre du cathéter.

MS 4.6 Prélèvement sanguin par cathéter veineux central, sauf le cathéter veineux central introduit par voie périphérique **159**

MATÉRIEL

- Bouchon à injections intermittentes, au besoin
- Tampons d'alcool 70 %
- Tubes à prélèvement
- Étiquettes pour tubes à prélèvement dûment remplies
- Requêtes d'analyse de laboratoire

- Compresse de gaze stérile 10 × 10 cm
- Gants non stériles
- Contenant biorisque
- Sac de transport biorisque

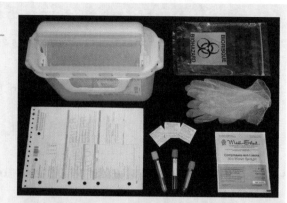

Méthode avec barillet

- Barillet
- Aiguille Vacutainer^{MD} avec adaptateur pour prélèvements multiples
- Seringue de 10 ml avec aiguille

Méthode avec seringue

- Plusieurs seringues de 10 ml (selon la quantité de sang à prélever)
- Plusieurs aiguilles de calibre 20 (2,5 cm)

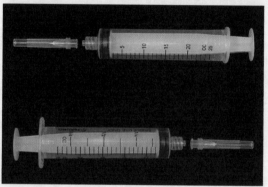

Étapes préexécutoires	Justifications
1. **Effectuer les étapes préexécutoires communes décrites au début de cette section (pages 120 et 121).**	
2. Remplir les requêtes d'analyse de laboratoire.	Les requêtes indiquent les analyses à effectuer. Il convient de choisir la bonne requête en fonction du département du laboratoire (hématologie, biochimie, toxicologie, banque de sang, coagulation). Le fait de remplir les requêtes avant le prélèvement évite les erreurs d'identification du client.

Étapes préexécutoires	Justifications

3. Préparer les tubes à prélèvement en fonction des analyses demandées (peuvent varier selon l'établissement).

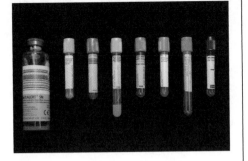

S'assurer d'avoir les bons tubes en main : hématologie, biochimie, toxicologie, banque de sang, coagulation.

Les disposer selon l'ordre de prélèvement recommandé par l'Ordre professionnel des technologistes médicaux du Québec (OPTMQ), comme il est indiqué ci-dessous, ou selon la politique de l'établissement :

Ordre	Flacon ou couleur du bouchon	Tube de prélèvement
1	Flacons d'hémoculture aérobie et anaérobie	Tube pour hémoculture
2	Bleu	Tube avec citrate de sodium, pour épreuve de coagulation
3	Jaune, rouge, rouge marbré	Tube pour sérum avec activateur de caillot, avec ou sans gel séparateur
4	Vert, vert pâle, vert marbré de noir	Tube hépariné, avec ou sans gel séparateur
5	Lavande, mauve, violet, rose, perle	Tube avec EDTA
6	Gris	Tube avec inhibiteur de la glycolyse, oxalate de potassium/fluorure de sodium
7	Noir	Tube avec citrate de sodium, pour analyse de la sédimentation
8	Autres	

ALERTE CLINIQUE Il faut éviter les tests de coagulation par cathéters veineux centraux, car ces voies risquent d'être héparinées, ce qui entraînerait des résultats faussés.

Étapes exécutoires	Justifications
4. Choisir le site de prélèvement en fonction du nombre de voies disponibles. En présence d'un cathéter veineux central à plusieurs voies, utiliser la voie proximale. Si possible, éviter les voies munies de perfusion intraveineuse.	L'utilisation d'une voie sans perfusion est privilégiée en raison du risque d'hémodilution si une perfusion est en cours.

ALERTE CLINIQUE En présence d'un cathéter multilumière, utiliser la voie proximale pour effectuer le prélèvement sanguin, car cela évite de disjoindre la tubulure de perfusion qui est habituellement branchée sur la voie distale. Si le prélèvement est fait à partir d'un cathéter avec chambre implantable sous-cutanée, irriguer celle-ci avec 10 ml de solution de NaCl 0,9 % avant de rebrancher la perfusion.

Ne pas utiliser la voie servant à l'alimentation parentérale totale, car le sang pourrait éventuellement l'obstruer.

5. Mettre des gants non stériles.	Le port de gants évite les contacts directs avec les liquides biologiques du client et la transmission de microorganismes pathogènes.

Étapes exécutoires	Justifications
6. Effectuer l'étape 7, 8, 9 ou 10, selon le cas. ▶ **7.** Faire un prélèvement sanguin au moyen d'un barillet sur une voie munie d'une perfusion continue. ▶ **8.** Faire un prélèvement sanguin au moyen d'un barillet sur une voie fermée. ▶ **9.** Faire un prélèvement sanguin avec une seringue sur une voie munie d'une perfusion continue. ▶ **10.** Faire un prélèvement sanguin avec une seringue sur une voie fermée.	
7. Faire un prélèvement sanguin au moyen d'un barillet sur une voie munie d'une perfusion continue.	
7.1 Préparer le matériel nécessaire à l'irrigation de la voie utilisée du cathéter central ▶ **MS 4.4** .	Cette procédure permettra de maintenir la perméabilité de la voie une fois le prélèvement fait, lorsque aucune perfusion n'est administrée par la suite.
7.2 Ajointer l'aiguille Vacutainer^{MD} avec adaptateur au barillet, sans la contaminer.	
7.3 Fermer le régulateur de débit de la perfusion et le presse-tube à glissière de la voie du cathéter central.	Ces mesures évitent l'écoulement de solution et l'entrée d'air dans le circuit au moment du débranchement de la tubulure de perfusion.

RAPPEL! Toute perfusion doit être cessée pendant une minute avant de prélever l'échantillon sanguin afin d'éviter une hémodilution et de ne pas fausser le résultat des analyses de laboratoire.

7.4 Ouvrir l'emballage d'une compresse de gaze stérile 10 × 10 cm et le déposer à proximité.	La compresse servira de champ stérile pour déposer la voie du cathéter.
7.5 Disjoindre la tubulure de perfusion de la voie centrale, y ajointer une aiguille ou un bouchon stérile, et la déposer sur la compresse stérile. 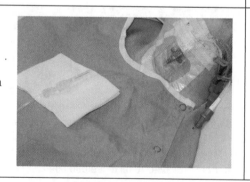	Cette façon de procéder permet de maintenir la stérilité de l'embout raccord mâle de la tubulure.

 **ALERTE CLINIQUE** Si aucun bouchon à injections intermittentes n'est en place sur la voie du cathéter veineux central, il faut en placer un à cette étape. Cela facilitera les manipulations ultérieures et diminuera le risque d'entrée d'air dans le circuit.

Étapes exécutoires	Justifications

7.6 Désinfecter le dessus du bouchon à injections intermittentes avec un tampon d'alcool 70 % pendant 15 secondes. Prendre un autre tampon d'alcool et désinfecter le pourtour du bouchon pendant 15 secondes.

La désinfection évite l'introduction de microorganismes pathogènes dans la circulation sanguine.

Laisser sécher au moins 30 secondes.

Un délai minimal de 30 secondes est nécessaire pour que l'alcool produise son effet désinfectant.

7.7 Ajointer le barillet muni de l'adaptateur au bouchon à injections intermittentes en le poussant et en le tournant vers la droite.

Si l'on tourne le barillet vers la gauche, il se disjoindra de l'aiguille.

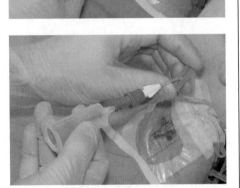

Ouvrir le presse-tube à glissière de la voie du cathéter central.

7.8 Tenir le barillet par le collet avec la main non dominante.

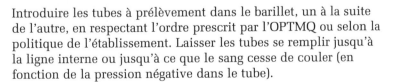

Prélever un premier tube qui sera rejeté :

a) Adulte = de 5 à 7 ml.

b) Enfant = de 1 à 3 ml.

Jeter le tube dans le contenant biorisque.

Le rejet du premier tube a pour but d'éviter que les résultats d'analyse soient faussés par du sang pouvant contenir de l'héparine ou de la solution de NaCl 0,9 %.

Jeter le tube dans un tel contenant évite la propagation de microorganismes pathogènes.

Introduire les tubes à prélèvement dans le barillet, un à la suite de l'autre, en respectant l'ordre prescrit par l'OPTMQ ou selon la politique de l'établissement. Laisser les tubes se remplir jusqu'à la ligne interne ou jusqu'à ce que le sang cesse de couler (en fonction de la pression négative dans le tube).

Laisser chaque tube se remplir suffisamment en fonction de son vacuum interne (pression négative).

Une fois le remplissage des tubes terminé, inverser lentement les tubes afin de mélanger leur contenu.

Étapes exécutoires		Justifications
7.9 Fermer le presse-tube à glissière de la voie du cathéter veineux central.		Cette mesure évite l'entrée d'air dans le circuit en cas de disjonction accidentelle du bouchon à injections intermittentes et de la voie du cathéter veineux central.
7.10 Retirer le barillet en le tournant vers la droite et en le tirant vers soi.		Si l'on tourne le barillet vers la gauche, il se disjoindra de l'aiguille.
7.11 Jeter l'aiguille Vacutainer^{MD} avec adaptateur dans le contenant biorisque.		Jeter ce matériel dans un tel contenant évite la propagation de microorganismes pathogènes.
7.12 Désinfecter le dessus du bouchon à injections intermittentes avec un tampon d'alcool 70 % pendant 15 secondes. Au besoin, désinfecter le pourtour du bouchon pendant 15 secondes avec un autre tampon d'alcool. Laisser sécher au moins 30 secondes.		L'alcool n'a pas de propriété rémanente et son effet désinfectant se dissipe immédiatement. Un délai minimal de 30 secondes est nécessaire pour que l'alcool produise son effet désinfectant.
7.13 Procéder à une irrigation avec turbulence avec une seringue de 10 ml de solution de NaCl 0,9 % ▶ MS 4.4 .		L'irrigation permet de bien rincer la voie par le bouchon à injections intermittentes. Elle permet aussi de déloger les microcaillots et d'éviter l'occlusion de la voie à la suite du prélèvement.
7.14 Désinfecter le dessus du bouchon à injections intermittentes avec un tampon d'alcool 70 % pendant 15 secondes. Au besoin, désinfecter le pourtour du bouchon pendant 15 secondes avec un autre tampon d'alcool. Laisser sécher au moins 30 secondes.		L'alcool n'a pas de propriété rémanente et son effet désinfectant se dissipe immédiatement. Un délai minimal de 30 secondes est nécessaire pour que l'alcool produise son effet désinfectant.

7.15 Retirer l'aiguille de l'embout raccord mâle de la tubulure de perfusion et ajointer l'embout au bouchon à injections intermittentes ou à la voie du cathéter.	
7.16 Ouvrir le régulateur de débit de la perfusion et le presse-tube à glissière de la voie du cathéter central. Réajuster le débit de la perfusion selon l'ordonnance médicale. Passer à l'étape 11.	Ces mesures permettent la reprise de la perfusion.
8. Faire un prélèvement sanguin au moyen d'un barillet sur une voie fermée.	
8.1 Préparer le matériel nécessaire à l'irrigation et à l'héparinisation de la voie utilisée du cathéter veineux central ▶ **MS 4.4** .	Cette procédure permettra de maintenir la perméabilité de la voie une fois le prélèvement fait, lorsque aucune perfusion n'est administrée par la suite.
8.2 Ajointer l'aiguille Vacutainer^{MD} avec adaptateur au barillet, sans la contaminer.	
8.3 Désinfecter le dessus du bouchon à injections intermittentes avec un tampon d'alcool 70 % pendant 15 secondes. Prendre un autre tampon d'alcool et désinfecter le pourtour du bouchon pendant 15 secondes. Laisser sécher au moins 30 secondes.	La désinfection évite l'introduction de microorganismes pathogènes dans la circulation sanguine. Un délai minimal de 30 secondes est nécessaire pour que l'alcool produise son effet désinfectant.
8.4 Ajointer le barillet au bouchon à injections intermittentes en le poussant et en le tournant vers la droite. Ouvrir le presse-tube à glissière de la voie du cathéter central.	Si l'on tourne le barillet vers la gauche, il se disjoindra de l'aiguille.
8.5 Tenir le barillet par le collet avec la main non dominante. Prélever un premier tube qui sera rejeté : a) Adulte = de 5 à 7 ml. b) Enfant = de 1 à 3 ml. Jeter le tube dans le contenant biorisque.	Le rejet du premier tube a pour but d'éviter que les résultats d'analyse soient faussés par du sang pouvant contenir de l'héparine ou de la solution de NaCl 0,9 %. Jeter le tube dans un tel contenant évite la propagation de microorganismes pathogènes.

MS 4.6

Étapes exécutoires	Justifications
Introduire les tubes à prélèvement dans le barillet, un à la suite de l'autre, en respectant l'ordre prescrit par l'OPTMQ ou selon la politique de l'établissement. Laisser les tubes se remplir jusqu'à la ligne interne ou jusqu'à ce que le sang cesse de couler (en fonction de la pression positive dans le tube). Une fois le remplissage des tubes terminé, inverser lentement les tubes afin de mélanger leur contenu.	Laisser chaque tube se remplir suffisamment en fonction de son vacuum interne (pression positive).
8.6 Fermer le presse-tube à glissière de la voie du cathéter veineux central.	Cette mesure évite l'entrée d'air dans le circuit en cas de disjonction accidentelle du bouchon à injections intermittentes et de la voie du cathéter veineux central.
8.7 Retirer le barillet en le tournant vers la droite et en le tirant vers soi.	Si l'on tourne le barillet vers la gauche, il se disjoindra de l'aiguille.
8.8 Jeter l'aiguille Vacutainer^MD avec adaptateur dans le contenant biorisque.	Jeter ce matériel dans un tel contenant évite la propagation de microorganismes pathogènes.
8.9 Désinfecter le dessus du bouchon à injections intermittentes avec un tampon d'alcool 70 % pendant 15 secondes. Au besoin, désinfecter le pourtour du bouchon pendant 15 secondes avec un autre tampon d'alcool. Laisser sécher au moins 30 secondes.	L'alcool n'a pas de propriété rémanente et son effet désinfectant se dissipe immédiatement. Un délai minimal de 30 secondes est nécessaire pour que l'alcool produise son effet désinfectant.
8.10 Procéder à une irrigation avec turbulence avec une seringue de 10 ml de solution de NaCl 0,9 % et à une héparinisation ▶ MS 4.4 . Passer à l'étape 11.	L'irrigation permet de bien rincer la voie par le bouchon à injections intermittentes. Elle permet aussi de déloger les microcaillots et d'éviter l'occlusion de la voie à la suite du prélèvement.
9. Faire un prélèvement sanguin avec une seringue sur une voie munie d'une perfusion continue.	
9.1 Préparer le matériel nécessaire à l'irrigation de la voie utilisée du cathéter central ▶ MS 4.4 .	Cette procédure permettra de maintenir la perméabilité de la voie une fois le prélèvement fait, lorsque aucune perfusion n'est administrée par la suite.
9.2 Fermer le régulateur de débit de la perfusion et le presse-tube à glissière de la voie du cathéter central.	Ces mesures évitent l'écoulement de solution et l'entrée d'air dans le circuit au moment du débranchement de la tubulure de perfusion.

RAPPEL! Toute perfusion doit être cessée pendant une minute avant de prélever l'échantillon sanguin afin d'éviter une hémodilution et de ne pas fausser le résultat des analyses de laboratoire.

Étapes exécutoires	Justifications
9.3 Ouvrir l'emballage d'une compresse de gaze stérile 10 × 10 cm et celui des seringues et les déposer à proximité.	La compresse servira de champ stérile pour déposer la voie du cathéter.
9.4 Disjoindre la tubulure de perfusion de la voie centrale, y ajointer une aiguille, et la déposer sur la compresse stérile.	Cette façon de procéder permet de maintenir la stérilité de l'embout raccord mâle de la tubulure.

ALERTE CLINIQUE Si aucun bouchon à injections intermittentes n'est en place sur la voie du cathéter veineux central, il faut en placer un à cette étape. Cela facilitera les manipulations ultérieures et diminuera le risque d'entrée d'air dans le circuit.

Étapes exécutoires	Justifications
9.5 Désinfecter le dessus du bouchon à injections intermittentes avec un tampon d'alcool 70 % pendant 15 secondes. Prendre un autre tampon d'alcool et désinfecter le pourtour du bouchon pendant 15 secondes. Laisser sécher au moins 30 secondes.	La désinfection évite l'introduction de microorganismes pathogènes dans la circulation sanguine. Un délai minimal de 30 secondes est nécessaire pour que l'alcool produise son effet désinfectant.
9.6 Ajointer une seringue de 10 ml au bouchon à injections intermittentes et ouvrir le presse-tube à glissière de la voie du cathéter central.	Cette opération permet de pouvoir aspirer le sang par la voie du cathéter.
9.7 Prélever une première seringue qui sera rejetée : a) Adulte = de 5 à 7 ml. b) Enfant = de 1 à 3 ml. Fermer le presse-tube à glissière. Retirer la seringue et la jeter dans le contenant biorisque sans contaminer le bouchon à injections intermittentes.	Le rejet de la première seringue a pour but d'éviter que les résultats d'analyse soient faussés par du sang pouvant contenir de l'héparine ou de la solution de NaCl 0,9 %. Jeter la seringue dans un tel contenant évite la propagation de microorganismes pathogènes.

Étapes exécutoires	Justifications

En présence d'un cathéter possédant une valve antireflux, aspirer lentement 1 ou 2 ml, puis arrêter d'aspirer pendant deux secondes afin de permettre l'ouverture de la valve. Continuer par la suite l'aspiration jusqu'à l'obtention du nombre de millilitres requis.

ALERTE CLINIQUE S'il y a contamination du site de prélèvement du bouchon à injections intermittentes, le désinfecter à nouveau et laisser sécher au moins 30 secondes.

9.8 Ajointer une autre seringue de 10 ml au bouchon à injections intermittentes. Ouvrir le presse-tube à glissière et prélever le nombre de millilitres total requis pour les analyses de laboratoire.

Il peut être nécessaire d'utiliser plusieurs seringues de 10 ml afin de remplir tous les tubes à prélèvement.

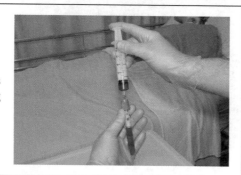

9.9 Fermer le presse-tube à glissière. Retirer la seringue et y ajointer une aiguille de calibre 20 (2,5 cm). Remplir les tubes à prélèvement avec le sang prélevé.

9.10 Une fois le remplissage des tubes terminé, inverser lentement les tubes afin de mélanger leur contenu.

Jeter l'aiguille et la seringue dans le contenant biorisque sans remettre le capuchon.

	Jeter l'aiguille et la seringue dans un tel contenant évite la propagation de microorganismes pathogènes. Remettre le capuchon sur l'aiguille augmente le risque de piqûre accidentelle.

9.11 Désinfecter le dessus du bouchon à injections intermittentes avec un tampon d'alcool 70 % pendant 15 secondes. Au besoin, désinfecter le pourtour du bouchon pendant 15 secondes avec un autre tampon d'alcool.

Laisser sécher au moins 30 secondes.

L'alcool n'a pas de propriété rémanente et son effet désinfectant se dissipe immédiatement.

Un délai minimal de 30 secondes est nécessaire pour que l'alcool produise son effet désinfectant.

9.12 Procéder à une irrigation avec turbulence avec une seringue de 10 ml de solution de NaCl 0,9 % ▶ MS 4.4 .

L'irrigation permet de bien rincer la voie par le bouchon à injections intermittentes. Elle permet aussi de déloger les microcaillots et d'éviter l'occlusion de la voie à la suite du prélèvement.

 **ALERTE CLINIQUE**

L'utilisation de seringues de 10 ml est recommandée pour l'irrigation des cathéters veineux centraux, des cathéters périphériques et des chambres implantables sous-cutanées, en raison du niveau de pression qu'elles génèrent. En effet, une seringue de plus petit calibre pourrait exercer une trop grande pression sur le cathéter et l'endommager. La pression de l'irrigation ne doit pas dépasser 25 livres au pouce carré (psi).

9.13 Retirer l'aiguille de l'embout raccord mâle de la tubulure de perfusion et ajointer l'embout au bouchon à injections intermittentes. 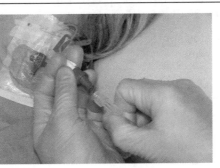	
9.14 Ouvrir le régulateur de débit de la perfusion et le presse-tube à glissière de la voie du cathéter central. Réajuster le débit de la perfusion selon l'ordonnance médicale. Passer à l'étape 11.	Ces mesures permettent la reprise de la perfusion.
10. Faire un prélèvement sanguin avec une seringue sur une voie fermée.	
10.1 Préparer le matériel nécessaire à l'irrigation et à l'héparinisation de la voie utilisée du cathéter central ▶ **MS 4.4** .	Cette procédure permettra de maintenir la perméabilité de la voie une fois le prélèvement fait, lorsque aucune perfusion n'est administrée par la suite.
10.2 Désinfecter le dessus du bouchon à injections intermittentes avec un tampon d'alcool 70 % pendant 15 secondes. Prendre un autre tampon d'alcool et désinfecter le pourtour du bouchon pendant 15 secondes. Laisser sécher au moins 30 secondes.	La désinfection évite l'introduction de microorganismes pathogènes dans la circulation sanguine. Un délai minimal de 30 secondes est nécessaire pour que l'alcool produise son effet désinfectant.
10.3 Ajointer une seringue de 10 ml au bouchon à injections intermittentes et ouvrir le presse-tube à glissière de la voie du cathéter central.	Cette opération permet de pouvoir aspirer le sang par la voie du cathéter.
10.4 Prélever une première seringue qui sera rejetée : a) Adulte = de 5 à 7 ml. b) Enfant = de 1 à 3 ml. Fermer le presse-tube à glissière. Retirer la seringue et la jeter dans le contenant biorisque sans contaminer le bouchon à injections intermittentes.	Le rejet de la première seringue a pour but d'éviter que les résultats d'analyse soient faussés par du sang pouvant contenir de l'héparine ou de la solution de NaCl 0,9 %. Jeter la seringue dans un tel contenant évite la propagation de microorganismes pathogènes.

 **RAPPEL!**

En présence d'un cathéter possédant une valve antireflux, aspirer lentement 1 ou 2 ml, puis arrêter d'aspirer pendant deux secondes afin de permettre l'ouverture de la valve. Continuer par la suite l'aspiration jusqu'à l'obtention du nombre de millilitres requis.

Étapes exécutoires	Justifications

⚠ ALERTE CLINIQUE S'il y a contamination du site de prélèvement du bouchon à injections intermittentes, le désinfecter à nouveau et laisser sécher au moins 30 secondes.

Étapes exécutoires	Justifications
10.5 Ajointer une autre seringue de 10 ml au bouchon à injections intermittentes, ouvrir le presse-tube à glissière et prélever le nombre de millilitres total requis pour les analyses de laboratoire. Il peut être nécessaire d'utiliser plusieurs seringues de 10 ml afin de remplir tous les tubes à prélèvement.	
10.6 Fermer le presse-tube à glissière. Retirer la seringue et y ajointer une aiguille de calibre 20 (2,5 cm). Remplir les tubes à prélèvement avec le sang prélevé.	
10.7 Une fois le remplissage des tubes terminé, inverser lentement les tubes afin de mélanger leur contenu. Jeter l'aiguille et la seringue dans le contenant biorisque sans remettre le capuchon.	Jeter l'aiguille et la seringue dans un tel contenant évite la propagation de microorganismes pathogènes. Remettre le capuchon sur l'aiguille augmente le risque de piqûre accidentelle.
10.8 Désinfecter le dessus du bouchon à injections intermittentes avec un tampon d'alcool 70 % pendant 15 secondes. Prendre un autre tampon d'alcool et désinfecter le pourtour du bouchon pendant 15 secondes. Laisser sécher au moins 30 secondes.	La désinfection évite l'introduction de microorganismes pathogènes dans la circulation sanguine. Un délai minimal de 30 secondes est nécessaire pour que l'alcool produise son effet désinfectant.
10.9 Procéder à une irrigation avec turbulence avec une seringue de 10 ml de solution de NaCl 0,9 % et à une héparinisation ▶ **MS 4.4** .	L'irrigation permet de bien rincer la voie par le bouchon à injections intermittentes. Elle permet aussi de déloger les microcaillots et d'éviter l'occlusion de la voie à la suite du prélèvement.

Étapes postexécutoires	Justifications
11. Effectuer les étapes postexécutoires communes décrites au début de cette section (page 121).	
12. Nettoyer les tubes avec un tampon d'alcool 70 % s'ils sont souillés.	Nettoyer les tubes prévient une contamination avec le sang du client.
13. Apposer une étiquette sur chacun des tubes à prélèvement et les déposer dans le sac de transport biorisque. Acheminer les requêtes et les tubes au laboratoire sans délai.	L'étiquetage des tubes évite les erreurs. Un retard dans l'acheminement des tubes au laboratoire peut entraîner une altération des prélèvements, une modification des résultats d'analyse ou un délai dans l'obtention de ces résultats, puis un retard dans le début du traitement du client.

Étapes postexécutoires	Justifications
14. Vérifier régulièrement le site de raccordement de la tubulure de perfusion à la tubulure de la voie du cathéter.	Tout écoulement de liquide signifie que le raccordement n'est pas étanche et qu'il doit être changé.
15. Retirer les gants et les jeter à la poubelle.	Jeter les gants à la poubelle évite la propagation de microorganismes pathogènes.
16. Vérifier le débit de la perfusion au moins deux fois par quart de travail.	Cette vérification permet de s'assurer de la perméabilité du cathéter.

Éléments à consigner dans les notes d'évolution rédigées par l'infirmière

- La date et l'heure du prélèvement.
- Les analyses demandées.
- Le nombre de tubes prélevés.
- La voie utilisée pour le prélèvement.
- La réaction du client et sa collaboration.
- Toute réaction anormale ou indésirable (p. ex., des vertiges ou des nausées) survenue pendant les soins ou à la suite de ceux-ci. **Il faut également transmettre cette donnée au médecin traitant et à l'infirmière responsable du client.**

Exemple
2011-05-17 15:00 *Prélèvement sanguin par la voie distale du cathéter veineux central à trois voies, pour ALT, AST, GGT, dosage des transaminases, phosphatase alcaline, bilirubine, E+. Irrigation avec solution de NaCl 0,9 %.*

Notes personnelles

Retrait ou fermeture d'un cathéter veineux central

Vidéo

- Retrait d'un cathéter veineux central percutané
- Retrait d'un cathéter veineux central introduit par voie périphérique (CVCIVP; en anglais, *PICC Line*)
- Fermeture d'un cathéter veineux central tunnellisé
- Fermeture d'un cathéter veineux central avec chambre implantable sous-cutanée

BUT

Interrompre temporairement ou définitivement une thérapie intraveineuse par voie centrale.

NOTIONS DE BASE

Une ordonnance médicale est requise pour procéder au retrait d'un cathéter veineux central. Les raisons suivantes justifient ce retrait: le médecin demande de cesser la perfusion; le site d'insertion du cathéter présente des signes d'inflammation, d'occlusion ou d'infection.

Au moment du retrait, l'infirmière doit évaluer l'intégrité des tissus entourant le site d'insertion du cathéter afin de déceler tout signe d'inflammation, d'infection ou d'induration, et doit assurer le suivi, le cas échéant. Elle doit aussi s'assurer que le cathéter retiré est intact. Si une infection est soupçonnée, le microbiologiste demandera une analyse de l'extrémité du cathéter. Pour ce faire, couper l'extrémité du cathéter avec des ciseaux stériles au-dessus d'un contenant stérile. Insérer ce dernier dans un sac de plastique biorisque et l'acheminer au laboratoire aux fins d'analyse.

MATÉRIEL

- Plateau à pansements: bol, ciseaux, pince, compresse
- Tiges montées imbibées de chlorhexidine 2 % et d'alcool 70 %
- Ciseaux à suture, au besoin
- Pince mousse ou pince à griffes stériles, au besoin
- Compresses de gaze stériles 5 × 5 cm et 10 × 10 cm
- Pansement adhésif extensible stérile (de type Hypafix^MD ou Mefix^MD)

- Gants non stériles
- Contenant stérile pour culture et antibiogramme, au besoin
- Deux masques de protection
- Piqué jetable
- Sac à déchets
- Requêtes d'analyse de laboratoire, au besoin
- Ruban à mesurer
- Tampons d'alcool 70 %
- Onguent à base de pétrole

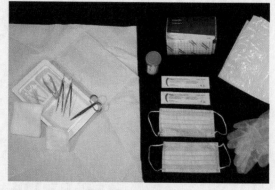

- Pansement adhésif, au besoin

Étapes préexécutoires	Justifications
1. Effectuer les étapes préexécutoires communes décrites au début de cette section (pages 120 et 121).	
2. Vérifier, au dossier du client, s'il y a une ordonnance médicale spécifiant le retrait ou la fermeture du cathéter.	Cette vérification permet de s'assurer de la conformité de la procédure avec l'ordonnance médicale.

Étapes préexécutoires	Justifications
3. Vérifier si le client reçoit des médicaments altérant le processus de coagulation.	Cette vérification permet de planifier une compression plus longue sur le site d'insertion du cathéter au moment du retrait.
4. En cas d'ordonnance médicale pour analyse et culture du cathéter, remplir les requêtes d'analyse de laboratoire correspondantes.	Les requêtes indiquent les analyses à effectuer. Le fait de remplir les requêtes avant le prélèvement évite les erreurs d'identification du client.
5. Installer le client en position semi-Fowler ou de décubitus dorsal sans oreiller.	Ces positions diminuent le risque d'entrée d'air au moment du retrait du cathéter et facilitent l'accès au site d'insertion du cathéter.
6. Procéder à l'hygiène des mains entre les étapes.	Ces mesures évitent la transmission de microorganismes pathogènes en provenance des mains. De plus, une asepsie rigoureuse est requise.
7. Mettre un masque et en donner un au client. Lui demander de tourner la tête du côté opposé au cathéter pendant la procédure.	Cette précaution évite que de fines gouttelettes de salive provenant de l'infirmière ou du client contaminent le site de la jonction tubulure-cathéter au moment de l'ouverture de ce dernier.
8. Fixer le sac à déchets à la table du client.	La proximité du sac permet de jeter le matériel souillé sans contaminer l'environnement de travail.

Étapes exécutoires	Justifications
9. Effectuer l'étape 10, 11, 12 ou 13, selon le cas. ▶ 10. Retirer un cathéter veineux central percutané. ▶ 11. Retirer un cathéter veineux central introduit par voie périphérique (CVCIVP). ▶ 12. Fermer un cathéter veineux central tunnellisé (Broviac[MD], Hickman[MD], Leonard[MD], Quinton[MD]). ▶ 13. Fermer un cathéter veineux central avec chambre implantable sous-cutanée (Port-a-Cath[MD], Vital-Port[MD], BardPort[MD]).	
10. Retirer un cathéter veineux central percutané.	
10.1 Placer un piqué jetable sous la tête du client, du côté du site d'insertion du cathéter.	Le piqué évite de souiller la literie au moment du retrait du cathéter et permet de déposer celui-ci une fois retiré.

Étapes exécutoires		Justifications
10.2 Fermer le presse-tube à glissière de la voie du cathéter et le régulateur de débit de la tubulure de perfusion, le cas échéant.		Ces mesures arrêtent l'écoulement de la perfusion et évitent le reflux de sang dans le cathéter au moment du retrait.
10.3 Mettre des gants non stériles.		Le port de gants évite les contacts directs avec les liquides biologiques du client et la transmission de microorganismes pathogènes.
10.4 Retirer le pansement recouvrant le cathéter veineux central ▶ **MS 4.2, étapes 8.4 à 8.6** et le jeter dans le sac à déchets.		Jeter le pansement dans un tel sac évite la propagation de microorganismes pathogènes.
10.5 Aseptiser le site d'insertion du cathéter à l'aide des tiges montées imbibées de chlorhexidine 2 % et d'alcool 70 % ▶ **MS 4.2, étape 8.11**.		L'asepsie doit être rigoureusement respectée afin d'éviter l'introduction de microorganismes pathogènes dans le site d'insertion du cathéter au moment du retrait de ce dernier.
10.6 Couper et retirer la suture retenant le cathéter à la peau. Veiller à ne pas sectionner le cathéter avec les ciseaux pendant la procédure ▶ **I–MS 11.5**.		
10.7 De la main non dominante, plier une compresse de gaze stérile 10 × 10 cm en quatre, sans la contaminer, et la placer au-dessus du site d'insertion du cathéter. De l'autre main, saisir le cathéter par l'embase.		La compresse doit demeurer stérile afin d'éviter l'introduction de microorganismes pathogènes dans le site d'insertion du cathéter au moment du retrait de ce dernier.

Étapes exécutoires	Justifications
10.8 Demander au client d'inspirer profondément et de retenir son inspiration.	Retenir l'inspiration évite que l'air pénètre dans le cathéter dans l'éventualité où le presse-tube à glissière serait défectueux.

 **ALERTE CLINIQUE** Si le client est incapable de retenir sa respiration, il faut retirer le cathéter à l'expiration. On peut demander au client d'expirer lentement.

10.9 Retirer le cathéter d'un mouvement constant et continu. Dire au client de respirer normalement. Exercer une pression manuelle sur le site d'insertion avec la compresse stérile. En cas de saignements abondants, ajouter d'autres compresses. Maintenir la pression de 5 à 15 minutes ou jusqu'à hémostase. 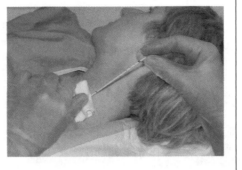	La compression favorise l'hémostase et permet d'éviter la formation d'un hématome au site d'insertion du cathéter.

 **ALERTE CLINIQUE** En cas de résistance au moment du retrait, arrêter la manœuvre, appliquer une compresse humide chaude et reprendre la manœuvre. Si la résistance persiste, arrêter la manœuvre et aviser le médecin.
S'il y a un saignement persistant, appliquer une pression additionnelle pendant cinq minutes.

10.10 Retirer les compresses et faire un pansement occlusif comme suit : • appliquer un onguent à base de pétrole (vaseline stérile, onguent antibiotique, etc.) au site de sortie du cathéter ; • couvrir avec une compresse stérile 5 × 5 cm ; • appliquer une pellicule adhésive transparente ou de type Hypafix^{MD}.	Le pansement occlusif protège le site d'insertion contre les microorganismes pathogènes.

ALERTE CLINIQUE Il faut maintenir le client en position assise ou allongée pendant 30 minutes suivant le retrait du cathéter.

RAPPEL! Changer le pansement aux 24 heures jusqu'à la guérison du site.

10.11 Vérifier l'intégrité de l'extrémité du cathéter et mesurer le cathéter.	Cette vérification permet de s'assurer du retrait complet du cathéter.
10.12 Jeter le cathéter et le piqué dans le sac à déchets fixé à la table. Retirer les gants et les jeter dans ce même sac. Passer à l'étape 14.	Jeter le matériel souillé dans un tel sac évite la propagation de microorganismes pathogènes.

Étapes exécutoires	Justifications
11. Retirer un cathéter veineux central introduit par voie périphérique (CVCIVP).	
11.1 Placer un piqué jetable sous le bras du client.	Le piqué évite de souiller la literie.
11.2 Mettre des gants non stériles.	Le port de gants évite les contacts directs avec les liquides biologiques du client et la transmission de microorganismes pathogènes.
11.3 Fermer le presse-tube à glissière de la tubulure de rallonge et le régulateur de débit de la tubulure de perfusion, le cas échéant.	Ces mesures arrêtent l'écoulement de la perfusion et évitent le reflux du sang dans le cathéter au moment du retrait.
11.4 Retirer le pansement recouvrant le cathéter veineux central ▶ MS 4.2, étapes 8.4 à 8.6 et le jeter dans le sac à déchets.	Jeter le pansement dans un tel sac évite la propagation de microorganismes pathogènes.
11.5 Aseptiser le site d'insertion du cathéter à l'aide des tiges montées imbibées de chlorhexidine 2 % et d'alcool 70 % ▶ MS 4.2, étape 8.11 .	L'asepsie doit être rigoureusement respectée afin d'éviter l'introduction de microorganismes pathogènes dans le site d'insertion du cathéter au moment du retrait de ce dernier.
11.6 Retirer le dispositif de stabilisation du cathéter ou la suture, le cas échéant.	
11.7 Demander au client de placer son bras de façon à former un angle de 90°.	Cette position facilite l'extraction du cathéter.
11.8 De la main non dominante, plier une compresse de gaze stérile 10 × 10 cm en quatre, sans la contaminer, et la placer au-dessus du site d'insertion du cathéter. De l'autre main, saisir le cathéter près de l'embase.	La compresse doit demeurer stérile afin d'éviter l'introduction de microorganismes pathogènes dans le site d'insertion du cathéter au moment du retrait de ce dernier. Il ne faut jamais saisir le cathéter par l'embase, car le cathéter risque de se détacher accidentellement de celle-ci.
11.9 Demander au client d'inspirer profondément et de retenir son inspiration.	Retenir l'inspiration évite que l'air pénètre dans le cathéter dans l'éventualité où le presse-tube à glissière serait défectueux.

Étapes exécutoires	Justifications
11.10 Retirer le cathéter parallèlement à la peau d'un mouvement constant et continu, en l'enroulant dans la main. Dire au client de respirer normalement. 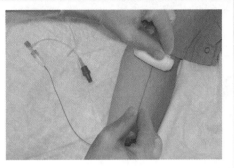 Exercer une pression manuelle sur le site d'insertion avec la compresse stérile. En cas de saignements abondants, ajouter d'autres compresses. Maintenir cette pression de 5 à 15 minutes ou jusqu'à hémostase.	Cette façon de faire évite de briser le cathéter. La compression favorise l'hémostase et permet d'éviter la formation d'un hématome au site d'insertion du cathéter.

 En cas de résistance au moment du retrait, arrêter la manœuvre et placer une compresse stérile sur le site d'insertion du cathéter. Maintenir la traction sur le cathéter en fixant ce dernier sur l'avant-bras. Appliquer une compresse humide chaude du coude jusqu'à l'épaule pour une durée de 10 à 15 minutes afin de provoquer une vasodilatation de la veine. Reprendre ensuite la manœuvre. Si la résistance persiste, arrêter la manœuvre et aviser le médecin.

S'il y a un saignement persistant, appliquer une pression additionnelle pendant cinq minutes.

Étapes exécutoires	Justifications
11.11 Retirer les compresses et faire un pansement occlusif comme suit : • appliquer un onguent à base de pétrole (vaseline stérile, onguent antibiotique, etc.) au site de sortie du cathéter ; • couvrir avec une compresse stérile 5 × 5 cm ; • appliquer une pellicule adhésive transparente ou de type Hypafix^MD.	Le pansement occlusif protège le site d'insertion contre les microorganismes pathogènes.

RAPPEL! Changer le pansement aux 24 heures jusqu'à la guérison du site.

Étapes exécutoires	Justifications
11.12 Vérifier l'intégrité de l'extrémité du cathéter. Mesurer la longueur du cathéter retiré et la comparer à celle inscrite au dossier du client au moment de l'installation.	Ces vérifications permettent de s'assurer du retrait complet du cathéter.
11.13 Jeter le cathéter et le piqué dans le sac à déchets fixé à la table. Retirer les gants et les jeter dans ce même sac. Passer à l'étape 14.	Jeter le matériel souillé dans un tel sac évite la propagation de microorganismes pathogènes.
12. Fermer un cathéter veineux central tunnellisé (Broviac^MD, Hickman^MD, Leonard^MD, Quinton^MD).	Seul le médecin peut enlever ce type de cathéter.
12.1 Préparer le matériel nécessaire à l'irrigation et à l'héparinisation des voies du cathéter ▶ **MS 4.4** .	La fermeture d'un cathéter tunnellisé requiert une irrigation et une héparinisation des voies du cathéter afin d'en préserver la perméabilité.

Étapes exécutoires	Justifications
12.2 Fermer le régulateur de débit de la tubulure de perfusion ou la pompe volumétrique, le cas échéant, et le presse-tube à clamp de la voie du cathéter tunnellisé.	Ces mesures permettent d'éviter que de l'air pénètre dans la circulation sanguine au moment du retrait de la tubulure de perfusion.
12.3 Demander au client d'inspirer profondément et de retenir son inspiration.	Retenir l'inspiration évite que l'air pénètre dans le cathéter dans l'éventualité où le presse-tube à clamp serait défectueux.
12.4 Disjoindre la tubulure de perfusion et la déposer à proximité. Dire au client de respirer normalement.	
12.5 Désinfecter le dessus du bouchon à injections intermittentes avec un tampon d'alcool 70 % pendant 15 secondes. Prendre un autre tampon d'alcool et désinfecter le pourtour du bouchon pendant 15 secondes. Laisser sécher au moins 30 secondes.	La désinfection évite l'introduction de microorganismes pathogènes dans la circulation sanguine. Un délai minimal de 30 secondes est nécessaire pour que l'alcool produise son effet désinfectant.
12.6 Retirer l'aiguille de la seringue de solution de NaCl 0,9 %. Ajointer la seringue au bouchon à injections intermittentes du cathéter tunnellisé.	Les bouchons à injections intermittentes sans membrane sont des systèmes utilisés sans aiguille.

12.7 Ouvrir le presse-tube à clamp de la voie du cathéter et injecter la solution de NaCl 0,9 % par petits coups saccadés (turbulence).		L'irrigation avec turbulence consiste à administrer la solution d'irrigation à l'aide d'une seringue de façon séquentielle (départ-arrêt), environ 1 ml à la fois. Cela permet de déloger les particules adhérant à la paroi du cathéter.
12.8 Fermer le presse-tube à clamp et retirer la seringue. La jeter dans un contenant biorisque.		Cette mesure protège le circuit d'une entrée d'air au moment du retrait de la seringue.
12.9 Désinfecter le dessus du bouchon à injections intermittentes avec un tampon d'alcool 70 % pendant 15 secondes. Au besoin, désinfecter le pourtour du bouchon pendant 15 secondes avec un autre tampon d'alcool. Laisser sécher au moins 30 secondes.		L'alcool n'a pas de propriété rémanente et son effet désinfectant se dissipe immédiatement. Un délai minimal de 30 secondes est nécessaire pour que l'alcool produise son effet désinfectant.

ALERTE CLINIQUE Il importe de toujours désinfecter le site à chaque injection, car l'effet de l'alcool 70 % n'est pas rémanent.

12.10 Retirer l'aiguille de la seringue contenant l'héparine et ajointer la seringue au bouchon à injections intermittentes.		Les bouchons à injections intermittentes sans membrane sont des systèmes utilisés sans aiguille.
12.11 Ouvrir le presse-tube à clamp de la voie du cathéter et injecter l'héparine de façon continue. Lorsqu'il reste environ 1 ml dans la seringue, fermer le presse-tube à clamp tout en continuant de pousser sur le piston de la seringue afin de créer une pression positive.		La pression positive évite le reflux de sang dans le cathéter.

Étapes exécutoires	Justifications
12.12 Retirer la seringue et la jeter dans le contenant biorisque. Passer à l'étape 14.	Jeter la seringue dans un tel contenant évite la propagation de microorganismes pathogènes.
13. Fermer un cathéter veineux central avec chambre implantable sous-cutanée (Port-a-Cath^{MD}, Vital-Port^{MD}, BardPort^{MD}).	
13.1 Préparer le matériel nécessaire à l'irrigation et à l'héparinisation du cathéter ▶ MS 4.4 .	La fermeture d'un cathéter avec chambre implantable sous-cutanée requiert une irrigation et une héparinisation de la chambre implantable afin d'en préserver la perméabilité.
13.2 Mettre des gants non stériles.	Le port de gants évite les contacts directs avec les liquides biologiques du client et la transmission de microorganismes pathogènes.
13.3 Fermer le régulateur de débit de la tubulure de perfusion ou la pompe volumétrique, le cas échéant, et le presse-tube à clamp de la tubulure de l'aiguille de Huber à pointe coudée.	Ces mesures permettent d'éviter que de l'air pénètre dans la circulation sanguine au moment du retrait de la tubulure de perfusion.
13.4 Disjoindre la tubulure de perfusion du bouchon à injections intermittentes.	
13.5 Désinfecter le dessus du bouchon à injections intermittentes avec un tampon d'alcool 70 % pendant 15 secondes. Prendre un autre tampon d'alcool et désinfecter le pourtour du bouchon pendant 15 secondes. Laisser sécher au moins 30 secondes. Maintenir la tubulure entre les doigts.	La désinfection évite l'introduction de microorganismes pathogènes dans la circulation sanguine. Un délai minimal de 30 secondes est nécessaire pour que l'alcool produise son effet désinfectant.
13.6 Retirer l'aiguille de la seringue de solution de NaCl 0,9 % et l'ajointer au bouchon à injections intermittentes.	
13.7 Ouvrir le presse-tube à clamp de la tubulure de l'aiguille de Huber et injecter la solution de NaCl 0,9 % par petits coups saccadés (turbulence).	L'irrigation avec turbulence consiste à administrer la solution d'irrigation à l'aide d'une seringue de façon séquentielle (départ-arrêt), environ 1 ml à la fois. Cela permet de déloger les particules adhérant à la paroi du cathéter.

Étapes exécutoires	Justifications
13.8 Fermer le presse-tube à clamp et retirer la seringue.	Cette mesure protège le circuit d'une entrée d'air au moment du retrait de la seringue.
13.9 Désinfecter le dessus du bouchon à injections intermittentes avec un tampon d'alcool 70 % pendant 15 secondes. Au besoin, désinfecter le pourtour du bouchon pendant 15 secondes avec un autre tampon d'alcool. Laisser sécher au moins 30 secondes.	L'alcool n'a pas de propriété rémanente et son effet désinfectant se dissipe immédiatement. Un délai minimal de 30 secondes est nécessaire pour que l'alcool produise son effet désinfectant.
13.10 Retirer l'aiguille de la seringue contenant l'héparine et ajointer la seringue au site de raccordement de la tubulure de l'aiguille de Huber.	
13.11 Ouvrir le presse-tube à clamp de la tubulure de l'aiguille de Huber et injecter l'héparine de façon continue. Lorsqu'il reste environ 1 ml dans la seringue, fermer le presse-tube à clamp tout en continuant de pousser sur le piston de la seringue afin de créer une pression positive. 	La pression positive évite le reflux de sang dans le cathéter.
13.12 Retirer la seringue et la jeter dans un contenant biorisque.	Jeter la seringue dans un tel contenant évite la propagation de microorganismes pathogènes.
13.13 Avec un tampon d'alcool 70 %, frotter la pellicule transparente adhésive en suivant le trajet du cathéter.	La pellicule se dissout et se décolle sous l'action de l'alcool, ce qui facilite son retrait.
13.14 Avec le pouce ou l'index de la main non dominante, appuyer sur la pellicule transparente au-dessus de l'aiguille de Huber pour la stabiliser. Retirer la pellicule transparente en l'étirant parallèlement à la peau et la jeter dans le sac à déchets fixé à la table. 	Cette précaution évite une traction accidentelle sur l'aiguille de Huber. La pellicule se décolle plus facilement lorsqu'elle est étirée. Jeter la pellicule dans un tel sac évite la propagation de microorganismes pathogènes.
13.15 Stabiliser la chambre implantable entre le pouce et l'index de la main non dominante.	Cette façon de faire immobilise la chambre implantable pendant la manœuvre.

Étapes exécutoires	Justifications
13.16 Saisir fermement le dispositif de fixation de l'aiguille de Huber entre le pouce et l'index de la main dominante en appuyant légèrement l'avant-bras sur le thorax du client.	Cette façon de procéder stabilise la main dominante, empêche la main de rebondir au moment du retrait de l'aiguille et diminue le risque de piqûre.
13.17 De la main dominante, retirer l'aiguille en effectuant un mouvement de flexion vers le haut. Jeter l'aiguille dans un contenant biorisque.	Ce mouvement empêche la main de rebondir au moment du retrait de l'aiguille et diminue le risque de piqûre. Jeter l'aiguille dans un tel contenant évite la propagation de microorganismes pathogènes.
13.18 ÉVALUATION Examiner le site d'insertion de l'aiguille de Huber afin de déceler tout signe d'infiltration ou d'inflammation.	Cet examen permet de prévenir l'apparition de complications.
13.19 Avec une tige montée imbibée de chlorhexidine 2 % et d'alcool 70 %, aseptiser le site d'insertion de l'aiguille de Huber en effectuant un mouvement en spirale, du centre vers la périphérie. Laisser sécher au moins 30 secondes.	Le mouvement en spirale évite de contaminer le site aseptisé par des microorganismes pathogènes se trouvant à proximité du site d'insertion du cathéter et d'aseptiser deux fois le même endroit. Un délai minimal de 30 secondes est nécessaire pour que l'antiseptique produise son effet désinfectant. De plus, le site doit être complètement sec afin de conserver l'effet rémanent de la chlorhexidine.
13.20 Faire un pansement occlusif comme suit : • appliquer un onguent à base de pétrole (vaseline stérile, onguent antibiotique, etc.) au site de sortie de l'aiguille ; • couvrir avec une compresse stérile 5 × 5 cm ; • appliquer une pellicule adhésive transparente ou de type Hypafix^{MD}. Le laisser en place pendant 24 heures.	Le pansement occlusif protège le site d'insertion contre les microorganismes pathogènes.
13.21 Retirer les gants et les jeter dans le sac à déchets fixé à la table.	Jeter les gants dans un tel sac évite la propagation de microorganismes pathogènes.

Étapes postexécutoires	Justifications
14. Jeter le sac à déchets dans un sac à déchets biomédicaux.	Jeter le sac à déchets dans un tel sac évite la propagation de microorganismes pathogènes.
15. **Effectuer les étapes postexécutoires communes décrites au début de cette section (page 121).**	
16. **ÉVALUATION** Évaluer la présence d'écoulement ou de saignement sur le pansement du site d'insertion du cathéter central. Surveiller les signes vitaux toutes les quatre heures.	Ces manifestations sont des signes possibles d'infiltration ou d'hémorragie. Cette surveillance continue permet de déceler rapidement les signes d'infection.

Éléments à consigner dans les notes d'évolution rédigées par l'infirmière

■ La date et l'heure d'exécution de la méthode.
■ Les caractéristiques du site d'insertion.
■ L'intégrité du cathéter.
■ Les mesures prises en présence de résistance marquée au moment du retrait.
■ La réaction du client et sa collaboration.
■ Toute réaction anormale ou indésirable survenue pendant les soins ou à la suite de ceux-ci. **Il faut également transmettre cette donnée au médecin traitant et à l'infirmière responsable du client.**

2011-05-03 15:15 *CVCIVP retiré, intègre 20 cm de long. Site d'insertion rosé, aucun œdème, aucun exsudat. Client tendu pendant le retrait, mais aucune plainte de douleur. Pansement sec posé sur site.*

Notes personnelles

_____
_____
_____
_____
_____
_____
_____
_____
_____
_____
_____
_____
_____

SECTION 5

Méthode liée à l'alimentation parentérale totale

Préparation et installation d'une perfusion d'acides aminés, de lipides et d'insuline

BUT

Compenser un déficit nutritionnel par une alimentation intraveineuse équilibrée.

Favoriser le maintien ou le rétablissement de la fonction immunitaire et de la reproduction cellulaire.

Corriger ou prévenir la dénutrition des clients ayant une insuffisance intestinale aiguë ou chronique ainsi que des grands brûlés.

NOTIONS DE BASE

L'alimentation parentérale totale (APT) est requise lorsque l'état de santé d'un client ne lui permet pas de s'alimenter adéquatement par voie orale ou entérale. Elle est aussi recommandée lorsque l'intestin d'un client doit être au repos total, comme dans le cas d'une maladie inflammatoire intestinale ou d'une chirurgie importante.

Les solutions administrées répondent aux besoins particuliers du client en ce qui concerne les lipides, les liquides, les protéines (azote), les électrolytes, les vitamines et les oligoéléments (minéraux). Le calcul des besoins du client se fait en collaboration avec le médecin, le pharmacien et la diététiste selon les résultats des analyses de laboratoire inscrits au dossier du client. Il est important de contrôler régulièrement la glycémie capillaire, les électrolytes, la formule sanguine et le poids du client.

Le choix de la voie d'administration est fonction du degré d'osmolarité des solutions et de la durée du traitement. De ce fait, l'APT est presque toujours administrée par voie centrale, car les solutions utilisées ont une osmolarité de cinq à six fois plus importante que celle du sang et peuvent léser la tunique interne des veines périphériques.

Comme les voies centrales se jettent dans la veine cave supérieure (tiers inférieur), une asepsie rigoureuse doit être respectée pendant la procédure.

Les solutions sont considérées comme stables pour une période de 24 heures lorsqu'elles sont perfusées. Exposées à la chaleur, elles deviennent un milieu propice à la prolifération bactérienne. Afin de réduire les risques de prolifération bactérienne, le changement des tubulures doit se faire aux 24 heures.

L'utilisation d'une pompe volumétrique est requise afin de maintenir un débit constant.

Comme ces clients ne s'alimentent pas par la bouche, il est essentiel d'assurer leur hygiène buccale afin de diminuer la prolifération bactérienne dans la bouche.

MATÉRIEL

- Solutions préparées par la pharmacie :
  - Acides aminés : solution de dextrose 5 ou 10 %, multivitamines, électrolytes (Na, K, Ca, Mg), vitamines (A, C, D, B, E, et autres), minéraux et éléments (zinc, manganèse, chrome, iode, sélénium)
  - Solution de lipides 10 ou 20 %
  - Insuline à action rapide diluée dans une solution de NaCl 0,9 %
- Pompe volumétrique double
- Pompe volumétrique simple
- Raccord en Y

- Tubulures pour pompe volumétrique :
  - Acides aminés : tubulure à APT macrogouttes, filtre 0,2 micron
  - Lipides : tubulure à APT macrogouttes
  - Insuline : tubulure macrogouttes (sans site d'injection)
  - APT et lipides administrés conjointement (pompe simple) : tubulure à APT macrogouttes, filtre 1,2 micron
- Masques de protection, au besoin
- Tampons d'alcool 70 %
- Bouchon à injections intermittentes sans aiguille

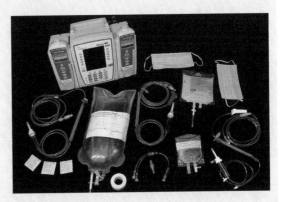

- Aiguille de calibre 20
- Solution désinfectante ou alcool 70 %
- Compresse de gaze stérile 10 × 10 cm
- Étiquettes d'identification

Étapes préexécutoires	Justifications
1. Effectuer les étapes préexécutoires générales décrites au début du guide (pages 1 et 2).	
2. S'assurer que la position du cathéter veineux central a été vérifiée par radiographie avant de commencer une APT.	Cette vérification permet d'éviter l'extravasation de la solution dans les tissus avoisinants et les complications qui en découlent, advenant un positionnement inadéquat du cathéter central.
3. Informer le client de la façon de se positionner afin d'éviter d'exercer une pression sur le cathéter en place et de perturber la vitesse de perfusion.	Lorsque le client tourne la tête du côté où est installée sa voie centrale (jugulaire), cette dernière peut avoir tendance à bloquer. Cette information favorise la collaboration du client et l'incite à signaler tout ralentissement ou arrêt de la perfusion.
4. ÉVALUATION Évaluer les connaissances du client concernant l'APT et le renseigner sur les effets thérapeutiques.	Cette évaluation permet de déterminer l'enseignement à donner au client et favorise sa collaboration.
5. ÉVALUATION Vérifier les résultats du bilan nutritionnel.	L'infirmière doit aviser le médecin de tout résultat pouvant demander un réajustement de la composition de l'APT.
6. ÉVALUATION Inspecter et palper le site d'insertion du cathéter tous les quarts de travail afin de déceler la présence de rougeur, de chaleur, d'induration, de douleur, d'écoulement, d'extravasation ou d'œdème.	La présence de rougeur, de chaleur, d'induration ou de douleur au site d'insertion peut être un signe précurseur d'une phlébite. La présence d'écoulement, d'extravasation ou d'œdème est un signe d'infiltration.
Prendre la température du client à chaque quart de travail.	La présence de fièvre est un signe d'infection. Les solutions intraveineuses à base de glucose étant des milieux propices au développement de microorganismes pathogènes, l'APT augmente donc le risque d'infection.
7. Vérifier la compatibilité entre la solution d'APT et les médicaments à administrer.	Cette vérification permet d'éviter que certains médicaments ou certaines solutions incompatibles soient administrés simultanément par différentes voies du même cathéter.

ALERTE CLINIQUE La voie servant à l'administration de lipides, d'acides aminés et d'insuline ne doit jamais être utilisée pour administrer un médicament ou une solution de façon concomitante.

Étapes préexécutoires	Justifications
8. Vérifier les allergies et les intolérances du client.	Cette précaution évite de mettre le client en contact avec des allergènes à potentiel élevé.

On doit éviter d'administrer un médicament auquel le client est allergique. Les allergies médicamenteuses doivent être inscrites au dossier du client et au plan de soins et de traitements infirmiers (PSTI). Il faut également inscrire au plan thérapeutique infirmier (PTI) toute allergie pouvant avoir une incidence sur le traitement du client au cours de son hospitalisation. Le client doit porter un bracelet qui indique les médicaments auxquels il est allergique.

9. Vérifier si les solutions livrées par la pharmacie sont conformes à l'ordonnance médicale.	Cette vérification permet de s'assurer que la préparation reçue correspond bien à celle prescrite.
10. Appliquer les principes d'administration sécuritaire des médicaments, communément appelés les « 5 bons » : • le bon médicament ; • à la bonne dose ; • au bon client ; • par la bonne voie d'administration ; • au bon moment.	Le respect des « 5 bons » est recommandé afin d'assurer l'administration sécuritaire et adéquate d'un médicament.

À cette liste de cinq « bons », plusieurs infirmières en ajoutent un sixième et même un septième. Le sixième « bon » correspond à une bonne documentation (exactitude de l'inscription de l'administration du médicament sur la FADM ou au dossier du client), et le septième, à une bonne surveillance des effets attendus et des effets secondaires des médicaments administrés.

11. Vérifier les éléments suivants : • l'étiquette collée sur le sac indiquant le type de solution ; • les nutriments contenus dans la solution ; • la quantité de solution ; • la limpidité et la couleur de la solution ; • la date d'expiration de la solution.	La composition des solutions et la fréquence d'administration (continue ou intermittente) diffèrent d'un client à l'autre selon le poids, l'état de santé, les résultats sériques et les besoins individuels. La présence de précipité dans le sac d'APT justifie son retour à la pharmacie pour vérification.

Étant donné que l'APT est administrée par voie centrale, une asepsie rigoureuse est requise pendant les changements de pansements et la manipulation du cathéter, des solutions et des tubulures afin de prévenir toute contamination du site et des solutions.

Étapes exécutoires	Justifications
12. Préparer une perfusion d'acides aminés.	
12.1 Ouvrir l'emballage de la tubulure pour solution d'acides aminés et laisser celle-ci dans l'emballage.	
12.2 Retirer le sac de perfusion d'acides aminés de son emballage et le déposer sur une surface propre.	Cette précaution évite la contamination du matériel et de la perfusion, le cas échéant.

Étapes exécutoires	Justifications
12.3 Saisir la tubulure et fermer le régulateur de débit.	La fermeture du régulateur de débit évite une évacuation trop rapide de la solution au moment de l'insertion de la fiche perforante dans le sac, ce qui causerait la formation de bulles dans la tubulure.
12.4 Retirer la gaine protectrice du site d'insertion du sac de perfusion d'acides aminés et celle de la fiche perforante de la tubulure.	
12.5 Insérer la fiche perforante dans le site d'insertion du sac de perfusion d'acides aminés tout en préservant sa stérilité.	La fiche perforante et le site d'insertion doivent demeurer stériles afin de ne pas contaminer la solution contenue dans le sac.
12.6 Ajointer l'embout raccord mâle de la tubulure de perfusion d'acides aminés au raccord de l'une des voies du raccord en Y.	Le raccord en Y permet l'installation des perfusions d'acides aminés et de lipides sur une même voie du cathéter central.
12.7 Ajointer une aiguille de calibre 20 à l'extrémité de la tubulure du raccord en Y.	
12.8 Suspendre le sac de perfusion d'acides aminés à la tige à perfusion. Ouvrir le régulateur de débit, retirer le capuchon protecteur de l'aiguille et procéder au vide d'air de la tubulure et du filtre.	
12.9 Remettre le capuchon protecteur sur l'aiguille.	Remettre le capuchon permet d'assurer la stérilité du système.
13. Préparer une perfusion de lipides.	
13.1 Ouvrir l'emballage de la tubulure pour solution de lipides et laisser celle-ci dans l'emballage.	

Étapes exécutoires	Justifications
13.2 Retirer le sac de perfusion de lipides de son emballage et le déposer sur une surface propre.	Cette précaution évite la contamination du matériel et de la perfusion, le cas échéant.
13.3 Saisir la tubulure et fermer le régulateur de débit.	La fermeture du régulateur de débit évite une évacuation trop rapide de la solution au moment de l'insertion de la fiche perforante dans le sac, ce qui causerait la formation de bulles d'air dans la tubulure.
13.4 Retirer la gaine protectrice du site d'insertion du sac de perfusion de lipides et celle de la fiche perforante de la tubulure.	
13.5 Ajointer l'embout raccord mâle de la tubulure de perfusion de lipides au bouchon à injections intermittentes sans aiguille. Ajointer le bouchon au raccord en Y.	Le bouchon à injections intermittentes permet de fermer la voie au moment du retrait de la perfusion de lipides. Le raccord en Y permet l'installation des perfusions d'acides aminés et de lipides sur une même voie du cathéter central.
13.6 Insérer la fiche perforante dans le site d'insertion du sac de perfusion de lipides tout en préservant sa stérilité.	La fiche perforante et le site d'insertion doivent demeurer stériles afin de ne pas contaminer la solution contenue dans le sac.
13.7 Suspendre le sac de perfusion de lipides à la tige à perfusion. Ouvrir le régulateur de débit, retirer le capuchon protecteur de l'aiguille du raccord en Y et procéder au vide d'air de la tubulure.	
13.8 Remettre le capuchon protecteur sur l'aiguille.	Remettre le capuchon permet d'assurer la stérilité du système.

RAPPEL! Les perfusions d'acides aminés et de lipides peuvent aussi être administrées à l'aide d'une pompe double, permettant ainsi de mélanger les deux solutions conformément à l'ordonnance médicale.

Étapes exécutoires	Justifications
14. Installer une perfusion d'acides aminés et de lipides sur une voie centrale.	
14.1 Installer le client en position de décubitus dorsal ou en position semi-Fowler.	Ces positions permettent un accès facile au cathéter central percutané dans la veine jugulaire ou sous-clavière.
14.2 Mettre un masque et en donner un au client. Si l'état du client ne lui permet pas de porter un masque, lui demander de tourner la tête du côté opposé au cathéter pendant la procédure.	Cette précaution évite que de fines gouttelettes de salive provenant de l'infirmière ou du client contaminent le site de jonction tubulure-cathéter au moment de l'ouverture de ce dernier.
14.3 Ouvrir l'emballage d'une compresse de gaze stérile 10 × 10 cm et le déposer à proximité en laissant celle-ci dans l'emballage.	La compresse servira de champ stérile pour déposer le raccord tubulure-cathéter, au besoin.
14.4 S'assurer que le presse-tube à glissière de la voie du cathéter central ou de la tubulure de rallonge est bien fermé (s'il s'agit d'un cathéter sans valve).	Cette mesure évite un écoulement de solution au moment du retrait de la tubulure et diminue le risque d'entrée d'air dans le circuit.
14.5 Désinfecter la jonction tubulure-cathéter, en allant de la jonction vers le cathéter, avec un tampon d'alcool 70 % pendant 15 secondes. Prendre un autre tampon d'alcool et désinfecter la jonction tubulure-cathéter, en allant de la jonction vers la tubulure de perfusion, pendant 15 secondes. Laisser sécher au moins 30 secondes.	La désinfection évite l'introduction de microorganismes pathogènes dans la circulation sanguine. Un délai minimal de 30 secondes est nécessaire pour que l'alcool produise son effet désinfectant.
14.6 Déposer le raccord tubulure-cathéter désinfecté sur la compresse stérile ou le tenir entre les doigts.	Cette mesure permet de préserver la désinfection de la jonction.
14.7 Demander au client d'inspirer profondément et de retenir son inspiration.	Retenir l'inspiration évite que l'air pénètre dans le cathéter dans l'éventualité où le presse-tube à glissière serait défectueux.
14.8 Retirer la tubulure de la voie du cathéter central, la laisser tomber sur le lit et ajointer rapidement la nouvelle tubulure d'APT. Bien visser le verrou de sécurité.	Il faut procéder rapidement, car le client retient sa respiration. Le verrou évite la disjonction accidentelle de la tubulure.

Étapes exécutoires	Justifications

Si le bouchon du cathéter a été contaminé accidentellement pendant la procédure, le désinfecter à nouveau avec un tampon d'alcool 70 %. Si la tubulure a été contaminée, fermer le presse-tube à glissière de la voie centrale et ajointer un bouchon à injections intermittentes. Procéder rapidement au vide d'air d'une nouvelle tubulure et l'installer.

Étapes exécutoires	Justifications
14.9 Dire au client de respirer normalement.	La nouvelle tubulure étant en place, le risque d'entrée d'air dans le circuit est éliminé.
14.10 Insérer les tubulures dans les mécanismes de la pompe prévus à cet effet. Ouvrir le presse-tube à glissière de la voie du cathéter central et les régulateurs de débit des autres perfusions.	Ces opérations permettent d'amorcer la perfusion.
14.11 Programmer les pompes volumétriques selon les débits de perfusion prescrits.	Les débits de perfusion doivent respecter l'ordonnance médicale.

Si la perfusion accuse du retard, on ne doit jamais augmenter le débit sans ordonnance médicale.

Étapes exécutoires	Justifications
14.12 Retirer les masques et les jeter à la poubelle.	Jeter les masques à la poubelle évite la propagation de microorganismes pathogènes.
15. Préparer une perfusion d'insuline.	Une perfusion d'insuline est généralement administrée en concomitance avec l'APT.
15.1 Préparer le sac d'insuline selon l'ordonnance médicale ▶ **I – MS 9.6** .	
15.2 Procéder au vide d'air de la tubulure.	

La tubulure utilisée pour l'administration de l'insuline ne comporte aucun site d'injection afin d'éviter que des médicaments ou d'autres solutions y soient injectés accidentellement, l'insuline étant incompatible avec la majorité des médicaments.

Étapes exécutoires	Justifications
15.3 Installer la tubulure sur une pompe individuelle.	

Étapes exécutoires	Justifications
15.4 Désinfecter le dessus du bouchon sans aiguille de la dérivation en Y proximale de la tubulure d'acides aminés avec un tampon d'alcool 70 % pendant 15 secondes. Prendre un autre tampon d'alcool et désinfecter le pourtour du bouchon pendant 15 secondes. Laisser sécher au moins 30 secondes.	La désinfection évite l'introduction de microorganismes pathogènes dans la circulation sanguine. Un délai minimal de 30 secondes est nécessaire pour que l'alcool produise son effet désinfectant.
15.5 Insérer l'embout raccord mâle de la tubulure sur le bouchon. En l'absence d'une dérivation en Y, insérer l'embout raccord mâle de la tubulure dans le bouchon sans aiguille d'une des voies libres du cathéter en place. S'assurer que le verrou de sécurité de l'embout raccord mâle est bien vissé.	Le verrou évite la disjonction accidentelle de la tubulure.
15.6 Vérifier la présence de bulles d'air dans la tubulure. Le cas échéant, donner des chiquenaudes sur celle-ci afin de les faire remonter jusqu'à la chambre compte-gouttes.	La présence d'air dans la tubulure accroît le risque d'embolie gazeuse.
15.7 Apposer sur chacun des sacs de perfusion une étiquette indiquant le nom du client, le type de solution, la quantité d'insuline ajoutée, le débit de la perfusion, la date, l'heure et vos initiales. Inscrire la date et l'heure d'installation sur les tubulures.	Cette inscription permet de prévoir la date du prochain changement des sacs et des tubulures.
15.8 Régler le débit selon l'ordonnance médicale ou le protocole en vigueur dans l'établissement.	

Étapes postexécutoires	Justifications
16. Effectuer les étapes postexécutoires générales décrites au début du guide (pages 3 et 4).	
17. ÉVALUATION Évaluer les réactions du client à l'APT telle l'apparition de signes d'hyperglycémie ou de surcharge circulatoire (dyspnée, tachypnée, tachycardie, diminution de la diurèse, œdème aux membres inférieurs).	Comme l'APT contient une grande quantité de glucides, le client peut manifester des symptômes d'hyperglycémie en début de traitement, et ce, jusqu'à l'ajustement de la perfusion d'insuline. La surcharge circulatoire peut entraîner de l'œdème pulmonaire chez le client souffrant d'insuffisance cardiaque.
18. Mettre les différentes pompes en marche afin d'administrer les perfusions selon le débit prescrit.	
19. Vérifier le site de raccordement de la tubulure et du cathéter.	Tout écoulement de liquide signifie que le raccord n'est pas étanche.
20. Inscrire, sur la FADM, la date et l'heure de l'administration, le type de solution, le débit et le site de perfusion.	

Étapes postexécutoires	Justifications
21. ÉVALUATION Effectuer une surveillance générale : • Inscrire la quantité de solution administrée au bilan des ingesta et des excreta (I/E). • Surveiller l'équilibre hydrique du client et l'absorption des nutriments. • Surveiller régulièrement le poids du client. • Vérifier les signes de déshydratation du client : soif, pli cutané, diminution de la diurèse. • Faire un bilan sérique selon l'ordonnance médicale ou le protocole de l'établissement. • Consulter la diététiste et le pharmacien, au besoin.	Ces données serviront à vérifier si le client élimine de façon adéquate les liquides reçus. Une prise de poids progressive permet de constater que le client absorbe bien les nutriments administrés.
22. ÉVALUATION Assurer une surveillance étroite de la glycémie capillaire en se référant au protocole de l'établissement.	Cette surveillance permet de corriger rapidement une hypoglycémie ou une hyperglycémie à la suite de l'administration d'une solution d'acides aminés riche en glucides.
23. Ajuster le débit de la perfusion d'insuline intraveineuse selon le résultat de la glycémie capillaire et l'échelle édictée par l'ordonnance médicale ou le protocole de l'établissement.	Une perfusion d'insuline doit être ajustée régulièrement pendant le traitement. La glycémie du client varie en fonction de sa capacité à métaboliser les sucres.

RAPPEL! Afin de compléter l'APT, on ajoute souvent de la vitamine K en S.C. et du fer en I.M.

 **ALERTE CLINIQUE** En cas de manque de solution d'acides aminés, une solution de dextrose 5 ou 10 % (selon la concentration en dextrose de l'APT) peut être perfusée afin de prévenir les risques d'hypoglycémie chez le client, surtout s'il reçoit une perfusion d'insuline.

24. Nettoyer le lavabo et les surfaces de travail utilisées pour le vide d'air des tubulures d'APT avec une solution désinfectante ou de l'alcool 70 %.	Les solutions d'APT sont propices à la prolifération bactérienne.

📁 Éléments à consigner dans les notes d'évolution rédigées par l'infirmière

■ La date et l'heure de l'installation de l'APT.
■ Le débit prescrit.
■ Le nom du médicament, la dose administrée, la voie d'administration et le site d'installation de la perfusion.
■ La quantité de solution administrée chaque quart de travail (à inscrire aussi au bilan des ingesta et des excreta, s'il y a lieu).
■ La réaction du client et sa collaboration.
■ Toute réaction anormale ou indésirable survenue pendant les soins ou à la suite de ceux-ci. **Il faut également transmettre cette donnée au médecin traitant et à l'infirmière responsable du client.**

Exemple

2011-05-25 13:45   Tubulure d'APT changée, acides aminés sur pompe à 128 ml/h, Liposyn sur pompe à 20 ml/h. Pas de toux, ni de dyspnée ou d'essoufflement. Site d'insertion du cathéter Broviac intact.

Méthodes liées aux soins en oncologie

Étapes préexécutoires et postexécutoires communes de la section 6

Ces étapes constituent les considérations et les actions préexécutoires et postexécutoires communes aux méthodes liées aux soins en oncologie. Elles assurent l'application appropriée des principes de soins et sont regroupées en début de section afin d'alléger le texte de chacune des méthodes.

Étapes préexécutoires communes	Justifications
1. **Effectuer les étapes préexécutoires générales décrites au début du guide (pages 1 et 2).**	
2. Vérifier que le médicament antinéoplasique préparé est conforme à l'ordonnance médicale.	L'ordonnance médicale est le document légal encadrant et autorisant l'administration des médicaments. Sa vérification permet de s'assurer que l'ordonnance a été exécutée correctement.

 Il est fortement recommandé que toutes les solutions contenant des médicaments cytotoxiques soient préparées par la pharmacie sous hotte. La préparation à l'unité devrait être une exception.

3. Appliquer les principes d'administration sécuritaire des médicaments, communément appelés les « 5 bons » : • le bon médicament ; • à la bonne dose ; • au bon client ; • par la bonne voie d'administration ; • au bon moment.	Le respect des « 5 bons » est recommandé afin d'assurer l'administration sécuritaire et adéquate d'un médicament.

 À cette liste de cinq « bons », plusieurs infirmières en ajoutent un sixième et même un septième. Le sixième « bon » correspond à une bonne documentation (exactitude de l'inscription de l'administration du médicament sur la FADM ou au dossier du client), et le septième, à une bonne surveillance des effets attendus et des effets secondaires des médicaments administrés.

 La vérification des « 5 bons » doit se faire trois fois :
1) au moment de la préparation du médicament ;
2) lorsque le contenant du médicament est rangé à sa place ;
3) au moment de l'administration du médicament au client.

4. S'assurer de connaître l'effet thérapeutique prévu du médicament, sa classe, son action, ses effets indésirables, ses éventuelles interactions avec d'autres médicaments et les éléments à surveiller à la suite de son administration.	Cette vérification permet d'administrer le médicament de façon sécuritaire et de surveiller les réactions du client au traitement, de même que l'apparition d'effets secondaires indésirables.

Section 6

Étapes préexécutoires communes	Justifications
5. Vérifier, au dossier du client, le plan de soins et de traitements infirmiers (PSTI) et le plan thérapeutique infirmier (PTI), les antécédents médicaux, ainsi que les allergies médicamenteuses et alimentaires. Vérifier également si le client porte un bracelet indiquant ses allergies.	Cette vérification permet une administration sécuritaire des médicaments.
6. ÉVALUATION Vérifier les derniers résultats des analyses sanguines.	Les antinéoplasiques affectent les cellules à développement rapide comme les cellules sanguines constituant la formule leucocytaire. Si le nombre de ces dernières est sous la normale, le traitement pourrait devoir être reporté.

RAPPEL! RAPPEL! RAPPEL!

Généralement, un prélèvement sanguin est fait la veille ou le matin du traitement afin de mesurer le taux d'hémoglobine et de globules blancs du client. Selon les résultats, l'oncologue pourrait annuler le traitement et prescrire certains médicaments tel le Neupogen[MD] afin d'augmenter le nombre de globules blancs ou de globules rouges, jusqu'à ce que les résultats des analyses de laboratoire soient conformes aux niveaux précisés par le médecin.

7. Expliquer au client le but, l'action et les effets indésirables possibles du ou des médicaments. L'encourager à poser des questions sur ce qu'il ne comprend pas. Adapter l'enseignement à son degré de compréhension.	Le client a le droit d'être informé au sujet des médicaments qui lui sont administrés. Le choix d'une méthode d'enseignement adaptée aux besoins du client facilite sa compréhension.
8. Demander au client son nom et sa date de naissance. Comparer ces renseignements avec ceux inscrits sur son bracelet d'identité et sur la FADM. Apporter un bracelet au client s'il n'en a pas ou le changer si le sien est décoloré.	Le bracelet d'identité constitue la source la plus fiable pour l'identification de la personne. Il est mis au poignet du client dès son admission dans l'établissement. Vérifier le nom du client uniquement de façon verbale est déconseillé en raison du risque d'erreur (p. ex., chez un client confus).
9. ÉVALUATION Évaluer l'état du client au cours de l'administration du médicament.	Cette évaluation permet d'assurer le suivi clinique nécessaire quant à l'apparition de réactions allergiques.

Étapes postexécutoires communes	Justifications
1. Effectuer les étapes postexécutoires générales décrites au début du guide (pages 3 et 4).	

Section 6

Étapes postexécutoires communes	Justifications
2. ÉVALUATION Évaluer la présence possible d'effets indésirables liés à l'administration des agents antinéoplasiques.	Les agents antinéoplasiques peuvent provoquer des effets indésirables à différents systèmes du corps humain selon l'action du médicament. Une détection précoce permet d'assurer un meilleur soulagement de ceux-ci.

ALERTE CLINIQUE En présence de signes et de symptômes de réactions allergiques, il faut cesser la perfusion du médicament et aviser le médecin traitant afin de prévenir l'apparition d'une réaction anaphylactique.

RAPPEL! Les agents antinéoplasiques peuvent avoir des effets indésirables sur différents systèmes :
- Digestif : stomatite/mucosite, œsophagite, nausée/vomissement, anorexie, diarrhée, constipation, hépatotoxicité ;
- Nerveux : neuropathie périphérique ;
- Respiratoire : pneumonie ;
- Génito-urinaire : cystite, dysfonction de l'appareil reproducteur, néphrotoxicité ;
- Tégumentaire : alopécie transitoire ;
- Hématopoïétique : anémie, leucopénie, thrombopénie ;
- Psychoaffectif : fatigue, douleur.

3. Inscrire sur la FADM la date et l'heure de l'administration du médicament, ainsi que le nom et la dose du médicament administré. Signer la FADM.	Cette procédure obligatoire assure le respect de l'horaire d'administration.
4. Vérifier de nouveau l'exactitude de l'inscription de l'administration du médicament au dossier du client. Ranger la FADM.	Cette vérification permet de s'assurer qu'il n'y a pas eu d'erreur d'inscription, ce qui pourrait ultérieurement entraîner une erreur d'administration.
5. Jeter le matériel souillé selon le protocole en vigueur dans l'établissement. Il faut également enseigner au client et à sa famille comment jeter le matériel souillé à domicile en se référant au protocole en vigueur dans les services locaux de soins à domicile.	Jeter adéquatement le matériel souillé réduit le risque de contamination et évite la propagation de microorganismes pathogènes. À la maison, un contenant devrait être spécialement étiqueté et réservé au matériel souillé ayant été en contact avec les agents antinéoplasiques.
6. Jeter les déchets cytotoxiques dans un sac ou un contenant à déchets cytotoxiques spécialement identifié avec la lettre « C » (pour cytotoxique).	Cette façon de faire évite de mélanger les déchets cytotoxiques avec les déchets biomédicaux normaux.

MS 6.1

Administration de chimiothérapie par voie intraveineuse

- Administration d'un médicament antinéoplasique par bolus
- Administration d'un médicament antinéoplasique en perfusion

BUT

Administrer un agent antinéoplasique par voie intraveineuse pour le traitement d'un cancer.

MATÉRIEL

- Solution I.V. prescrite
- CVCIVP, cathéter tunnellisé, cathéter avec chambre implantable sous-cutanée ou cathéter approprié selon la grosseur des veines (calibre 18, 20 ou 22)
- Perfusion primaire
- Pompe volumétrique
- Tubulure pour pompe volumétrique
- Tubulure de rallonge, au besoin
- Gants non stériles en latex, néoprène, nitrile ou polyuréthane (selon les normes en vigueur)

NOTIONS DE BASE

L'administration d'un médicament antinéoplasique par voie intraveineuse constitue un acte invasif qui doit être exécuté dans le respect rigoureux de règles visant à protéger l'infirmière d'éclaboussures accidentelles et à prévenir la contamination de l'environnement par des déchets cytotoxiques.

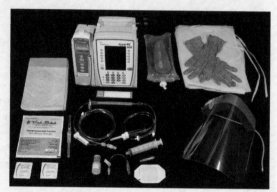

- Compresse de gaze stérile 10 × 10 cm
- Tampons d'alcool 70 %
- Étiquette d'identification autocollante
- Piqués jetables
- Blouses de protection
- Protections faciales (visières)
- Seringue de 20 ml
- Fiole de solution de NaCl 0,9 % (ou autre solution compatible avec le médicament antinéoplasique)
- Sac à déchets cytotoxiques
- Feuille d'administration des médicaments (FADM)
- Sac biorisque

ALERTE CLINIQUE

Éviter tout contact des yeux, de la peau et des vêtements avec les médicaments antinéoplasiques. Les femmes enceintes ne doivent pas manipuler ces médicaments en raison du risque de contamination. En cas de contact avec la peau, laver abondamment la région cutanée avec de l'eau savonneuse. En cas de contact avec les yeux, retirer les verres de contact, le cas échéant, et procéder à une irrigation oculaire avec une solution de NaCl 0,9 % pendant au moins 15 minutes.

Étapes préexécutoires	Justifications
1. **Effectuer les étapes préexécutoires communes décrites au début de cette section (pages 195 et 196).**	
2. Installer, en perfusion primaire, une solution compatible avec le médicament antinéoplasique à administrer (généralement une perfusion de solution de NaCl 0,9 %) ▶ **I–MS 9.1** .	La perfusion primaire assure une voie d'accès rapide dans le cas où le client manifeste une réaction indésirable au médicament administré.

Étapes préexécutoires	Justifications
3. Mettre un équipement de protection individuelle (blouse, visière et gants).	Cet équipement protège l'infirmière des éclaboussures pouvant survenir pendant la préparation de la perfusion avec agents antinéoplasiques et l'administration du médicament.

Les gants doivent être en latex, en néoprène, en nitrile ou en polyuréthane afin de répondre aux normes de protection recommandées par l'Association paritaire pour la santé et la sécurité du travail du secteur affaires sociales (ASSTSAS) pour l'utilisation d'agents antinéoplasiques. Ils doivent recouvrir les poignets et la blouse. La visière doit recouvrir tout le visage.

Il est aussi recommandé de maintenir les mains à la hauteur de la taille pendant les manipulations, de façon à éviter tout risque de contact avec les yeux.

4. Procéder à la prémédication selon l'ordonnance médicale.	La prémédication prévient ou diminue les effets indésirables.

Étapes exécutoires	Justifications
5. Effectuer l'étape 6 ou 7, selon le cas. ▶ 6. Administrer un médicament antinéoplasique par bolus. ▶ 7. Administrer un médicament antinéoplasique en perfusion.	
6. Administrer un médicament antinéoplasique par bolus.	
6.1 Apporter le médicament au chevet du client à l'heure prescrite en utilisant un plateau à médicaments.	Administrer le médicament dans un délai de 30 minutes avant ou après l'heure prescrite maximise l'effet thérapeutique recherché.

On ne doit pas retirer le médicament du sac refermable avant d'être au chevet du client afin de diminuer le risque de déversement et de contamination de l'environnement.

6.2 Demander au client son nom et sa date de naissance. Comparer ces renseignements avec ceux inscrits sur son bracelet d'identité et sur la FADM.	Cette double vérification permet d'éviter toute erreur d'identification.
6.3 Vérifier la perméabilité du cathéter intraveineux en pinçant la tubulure de la perfusion jusqu'à l'apparition d'un retour veineux. 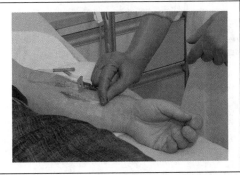	Un retour veineux doit toujours être constaté avant de procéder à l'administration d'un médicament antinéoplasique. Cette vérification prévient l'administration du médicament hors de la veine (extravasation), ce qui pourrait causer de la nécrose tissulaire.

Étapes exécutoires	Justifications
6.4 Placer un piqué jetable sous le bras du client.	Le piqué permet de recueillir tout écoulement provenant du site d'insertion du cathéter ou du site d'injection de la tubulure de perfusion, ce qui prévient la contamination de l'environnement par les solutions antinéoplasiques.
6.5 Retirer la seringue du sac refermable et la placer à proximité.	

ALERTE CLINIQUE Si le médicament à administrer est incompatible avec la solution de perfusion I.V. en cours ou avec un médicament déjà ajouté à la solution, fermer la pompe volumétrique ou le régulateur de débit et le presse-tube à glissière, puis injecter 20 ml de solution de NaCl 0,9 % par la dérivation en Y. Cette procédure permet de rincer la tubulure avant et après l'administration du médicament. Il faut toujours maintenir le régulateur de débit fermé pendant l'administration du médicament.

Étapes exécutoires	Justifications
6.6 Saisir la dérivation en Y proximale.	La dérivation proximale permet d'administrer le médicament plus directement dans la veine.
6.7 Désinfecter le dessus du bouchon de la dérivation en Y proximale avec un tampon d'alcool 70 % pendant 15 secondes. Avec un autre tampon d'alcool, désinfecter le pourtour du bouchon pendant 15 secondes. Laisser sécher au moins 30 secondes.	La désinfection du site évite l'introduction de microorganismes pathogènes dans la circulation sanguine au moment de l'insertion de la seringue. Un délai minimal de 30 secondes est nécessaire pour que l'alcool produise son effet désinfectant.
6.8 Retirer le capuchon protecteur de la seringue et ajointer celle-ci au système sans aiguille de la dérivation en Y.	L'utilisation d'un système sans aiguille diminue le risque de piqûre accidentelle.
6.9 Entourer la jonction seringue-système sans aiguille d'une compresse stérile.	La compresse servira à recueillir tout écoulement accidentel en cas de fuite.
6.10 Fermer la pompe volumétrique ou le régulateur de débit de la perfusion et le presse-tube à glissière situé au-dessus du site d'injection.	Fermer le presse-tube à glissière au-dessus du site d'injection évite que le médicament remonte en amont du site d'injection.

Étapes exécutoires	Justifications
6.11 Tirer le piston de la seringue et aspirer jusqu'à ce qu'un peu de sang apparaisse dans le cathéter intraveineux.	L'apparition de sang confirme à nouveau la perméabilité du cathéter.
6.12 Injecter lentement le médicament en respectant les recommandations du pharmacien.	Une injection trop rapide peut irriter les veines, et provoquer ou accentuer certains effets indésirables du médicament.
6.13 **ÉVALUATION** Au cours de l'injection, évaluer régulièrement le site d'insertion du cathéter afin de déceler tout signe d'infiltration (douleur, œdème, froideur) ou d'inflammation (rougeur le long de la veine, douleur, chaleur, œdème, induration).	Cette évaluation permet de déceler l'apparition de complications liées à l'administration du médicament antinéoplasique hors de la veine, telle la nécrose tissulaire.
6.14 **ÉVALUATION** Évaluer tout signe de réaction allergique du client au médicament administré.	Toute réaction allergique non prise en charge pourrait entraîner un choc anaphylactique.

ALERTE CLINIQUE

Surveiller l'apparition de signes d'anxiété et de réactions anaphylactiques telles que les manifestations dermatologiques (rougeur, urticaire, prurit, angiœdème indolore, larmoiement, démangeaison des yeux), respiratoires (œdème de la langue et des lèvres, œdème laryngé, stridor, dyspnée, voix rauque, toux persistante, détresse respiratoire), cardiovasculaires (hypotension, tachycardie, syncope, serrement thoracique, frissons) et gastro-intestinales (nausée, vomissement, diarrhée, douleur et crampes abdominales).

En présence de signes d'extravasation comme de la douleur au site d'insertion du cathéter, un œdème localisé, de l'érythème, une induration et une décoloration, arrêter immédiatement l'injection et en aviser le médecin.

Étapes exécutoires	Justifications
6.15 **ÉVALUATION** Si le client manifeste un malaise quelconque, cesser immédiatement l'injection et laisser perfuser la solution (si compatible) pendant quelques minutes. Reprendre l'administration du médicament lorsque le client se dit mieux. Cesser définitivement si le malaise réapparaît.	La solution rince la veine et permet de diluer davantage le médicament.
6.16 Lorsque l'injection est terminée, appliquer la compresse autour de la jonction seringue-système sans aiguille et retirer doucement la seringue.	La compresse absorbera le liquide pouvant s'écouler de la seringue au moment de son retrait.

Étapes exécutoires	Justifications
6.17 Jeter la seringue et la compresse dans le sac à déchets cytotoxiques spécialement identifié avec la lettre « C » (pour cytotoxique).	Jeter ces articles dans un tel sac prévient la contamination de l'environnement par les solutions antinéoplasiques.

> **ALERTE CLINIQUE** Dans le cas d'un système d'injection à aiguille, ne jamais disjoindre celle-ci de la seringue ni remettre le capuchon avant de la jeter dans un contenant à déchets cytotoxiques.

6.18 Ouvrir la pompe volumétrique ou le régulateur de débit et le presse-tube à glissière et redémarrer la perfusion.	
6.19 Vérifier le débit de la perfusion et le régler selon l'ordonnance médicale. Passer à l'étape 8.	Cette vérification permet de respecter la vitesse d'administration prescrite.
7. Administrer un médicament antinéoplasique en perfusion.	
7.1 Se rendre au chevet du client en apportant le sac de perfusion contenant le médicament antinéoplasique sans le sortir de son sac refermable.	Laisser le sac de solution contenant le médicament antinéoplasique dans le sac refermable diminue le risque de contamination de l'environnement en cas de déversement accidentel.
7.2 Procéder au vide d'air de la tubulure en utilisant une solution compatible avec le médicament antinéoplasique ▶ **I – MS 9.1**.	

> **RAPPEL!** L'utilisation d'une tubulure à pompe volumétrique est requise afin d'assurer un débit constant.

Étapes exécutoires	Justifications
7.3 Demander au client son nom et sa date de naissance. Comparer ces renseignements avec ceux inscrits sur son bracelet d'identité et sur la FADM.	Cette double vérification permet d'éviter toute erreur d'identification.
7.4 Vérifier la perméabilité du cathéter intraveineux en pinçant la tubulure de la perfusion jusqu'à l'apparition d'un retour veineux.	Un retour veineux doit toujours être constaté avant de procéder à l'administration d'un médicament antinéoplasique. Cette vérification prévient l'administration du médicament hors de la veine (extravasation), ce qui pourrait causer de la nécrose tissulaire.
7.5 Placer un piqué jetable sous le bras du client et en déposer un autre sur la table de travail.	Les piqués permettent de recueillir tout écoulement provenant du site d'insertion du cathéter ou du site d'injection de la tubulure de perfusion, ce qui prévient la contamination de l'environnement par les solutions antinéoplasiques.

Étapes exécutoires	Justifications
7.6 Retirer le sac de perfusion contenant le médicament antinéoplasique du sac refermable et le déposer sur une surface de travail propre. Toujours manipuler ces solutions à la hauteur de la taille.	Les manipulations doivent se faire à la hauteur de la taille, évitant ainsi le risque d'éclaboussures au visage.
7.7 De la main non dominante, saisir le site d'insertion du sac de perfusion entre le pouce et l'index, le soulever de sorte à avoir une bulle d'air dans le haut du sac et retirer la gaine protectrice du site d'insertion, sans contaminer celui-ci.	La bulle d'air permet l'insertion de la fiche perforante dans le sac sans risque d'éclaboussures.
7.8 Retirer la fiche perforante de la tubulure du sac de perfusion ayant servi à faire le vide d'air et l'insérer dans le sac contenant le médicament antinéoplasique en évitant de la contaminer.	
7.9 Suspendre le sac à la tige à perfusion et insérer la tubulure dans le mécanisme de la pompe volumétrique.	L'administration d'un médicament antinéoplasique doit respecter strictement le débit prescrit afin de diminuer le risque d'effets indésirables.

ALERTE CLINIQUE Un bolus de 22,5 ml peut être administré avant de procéder à la programmation de la pompe afin de purger la tubulure de solution de NaCl 0,9 % ayant servi au vide d'air de la tubulure et de remplir par le fait même la tubulure de solution antinéoplasique.

Étapes exécutoires	Justifications
7.10 Désinfecter le dessus du bouchon de la dérivation en Y proximale de la tubulure primaire avec un tampon d'alcool 70 % pendant 15 secondes. Avec un autre tampon d'alcool, désinfecter le pourtour du bouchon pendant 15 secondes. Laisser sécher au moins 30 secondes.	La désinfection du site évite l'introduction de microorganismes pathogènes dans la circulation sanguine au moment de l'insertion de la tubulure secondaire. Un délai minimal de 30 secondes est nécessaire pour que l'alcool produise son effet désinfectant.
7.11 Ajointer l'embout raccord mâle de la tubulure du médicament antinéoplasique (pompe volumétrique secondaire) à la dérivation en Y proximale et bien le visser.	
7.12 Vérifier la présence de bulles d'air dans la tubulure. Le cas échéant, donner des chiquenaudes sur celle-ci afin de les faire remonter jusqu'à la chambre compte-gouttes.	La présence d'air dans la tubulure accroît le risque d'embolie gazeuse.
7.13 Abaisser le régulateur de débit de la perfusion primaire et le fermer.	Cette mesure permet d'éviter le retour de médicament dans la tubulure primaire en cas de bris de la valve antireflux.

Étapes exécutoires	Justifications

7.14 Ouvrir le régulateur de débit de la tubulure du médicament antinéoplasique et programmer le débit sur la pompe volumétrique, puis démarrer la perfusion.

ALERTE CLINIQUE Si le médicament à administrer est incompatible avec la solution de la perfusion primaire ou avec un médicament qui y est ajouté, rincer la tubulure avec 20 ml de solution de NaCl 0,9 % avant et après l'administration du médicament. La tubulure de la perfusion primaire doit demeurer clampée pendant toute la durée d'administration de la perfusion secondaire.

7.15 Retirer les gants, la visière et la blouse, et les jeter dans le sac à déchets cytotoxiques.	Jeter ces articles dans un tel sac prévient la contamination de l'environnement par les solutions antinéoplasiques.
7.16 ÉVALUATION Pendant la perfusion, évaluer régulièrement le site d'insertion du cathéter afin de déceler tout signe d'infiltration (douleur, œdème, froideur, modification ou arrêt de débit) ou d'inflammation (rougeur le long de la veine, douleur, chaleur, œdème, induration).	Cette évaluation permet de déceler l'apparition de complications liées à l'administration du médicament antinéoplasique hors de la veine, telle la nécrose tissulaire.
7.17 ÉVALUATION Évaluer tout signe de réaction allergique du client au médicament administré.	Toute réaction allergique non prise en charge pourrait entraîner un choc anaphylactique.
Rechercher la présence de signes de surcharge circulatoire tels que la dyspnée, la tachycardie et la tachypnée.	La surcharge circulatoire peut entraîner un œdème pulmonaire chez le client souffrant d'insuffisance cardiaque.

ALERTE CLINIQUE Surveiller l'apparition de signes d'anxiété et de réactions anaphylactiques telles que les manifestations dermatologiques (rougeur, urticaire, prurit, angiœdème indolore, larmoiement, démangeaison des yeux), respiratoires (œdème de la langue et des lèvres, œdème laryngé, stridor, dyspnée, voix rauque, toux persistante, détresse respiratoire), cardiovasculaires (hypotension, tachycardie, syncope, serrement thoracique, frissons) et gastro-intestinales (nausée, vomissement, diarrhée, douleur et crampes abdominales).

En présence de signes d'extravasation comme de la douleur au site d'insertion du cathéter, un œdème localisé, de l'érythème, une induration et une décoloration, arrêter immédiatement la perfusion secondaire et en aviser le médecin.

7.18 Préparer une seringue de 20 ml contenant une solution compatible avec le médicament administré.	Cette solution servira à rincer la tubulure à la fin de la perfusion.
7.19 Une fois la perfusion de médicament antinéoplasique terminée, mettre de nouveau des gants, une visière et une blouse.	Ces mesures visent à protéger l'infirmière des éclaboussures pouvant survenir pendant les manipulations subséquentes.

Étapes exécutoires	Justifications
7.20 Fermer la pompe volumétrique et retirer la tubulure du mécanisme d'administration de la pompe.	Cette façon de faire permet de rincer la tubulure sans avoir recours à la pompe.
7.21 Désinfecter le dessus du bouchon de la dérivation en Y distale de la tubulure de perfusion secondaire avec un tampon d'alcool 70 % pendant 15 secondes. Avec un autre tampon d'alcool, désinfecter le pourtour du bouchon pendant 15 secondes. Laisser sécher au moins 30 secondes.	La désinfection du site évite l'introduction de microorganismes pathogènes dans la circulation sanguine au moment de l'insertion de la seringue. Un délai minimal de 30 secondes est nécessaire pour que l'alcool produise son effet désinfectant.
7.22 Ajointer la seringue à la dérivation en Y distale et bien la visser. 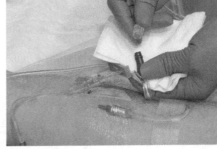	
7.23 Irriguer la tubulure avec 20 ml de solution compatible avec le médicament. Laisser la seringue ajointée à la tubulure.	L'irrigation permet d'administrer complètement le médicament, en assurant la vidange de la tubulure qui contient environ 22,5 ml.

⚠ ALERTE CLINIQUE Il est important de laisser la seringue ajointée à la tubulure afin de prévenir tout risque de contamination au moment du retrait.

7.24 Disjoindre la tubulure du médicament antinéoplasique de la perfusion primaire en entourant la jonction tubulure-système sans aiguille d'une compresse stérile.	Cette façon de procéder diminue le risque d'éclaboussures lors du retrait de la tubulure de perfusion.
7.25 Déposer la tubulure et le sac de médicament vide dans le sac biorisque et le jeter dans le sac à déchets cytotoxiques.	Jeter ces articles dans un tel sac prévient la contamination de l'environnement par les solutions antinéoplasiques.
8. Retirer les gants, la visière et la blouse, et les jeter dans le sac à déchets cytotoxiques.	Jeter ces articles dans un tel sac prévient la contamination de l'environnement par les solutions antinéoplasiques.

Étapes postexécutoires	Justifications
9. Effectuer les étapes postexécutoires communes décrites au début de cette section (pages 196 et 197).	
10. Aviser le client :	
• que les liquides biologiques contiennent des résidus de médicament ;	Le contact avec les excreta, les bassines, les draps ou l'eau qui a servi à se laver peut être une source de contamination.
• qu'il doit fermer le couvercle de la cuvette et actionner la chasse d'eau deux fois après chaque miction dans la toilette ;	Ces mesures préviennent la contamination.
• de l'importance de se laver les mains et d'adopter de bonnes mesures d'hygiène génitale après chaque miction ;	
• de l'importance de boire beaucoup d'eau.	Une bonne hydratation favorise l'élimination du médicament par la voie rénale.

ALERTE CLINIQUE Les précautions concernant les liquides biologiques devraient être appliquées pour une période minimale de 48 heures après l'administration de la dernière dose de médicament ou selon la monographie du médicament. Certains antinéoplasiques requièrent une période plus longue de précautions des excreta.

11. En cas de déversement de liquides contenant des agents antinéoplasiques, suivre rigoureusement la procédure de l'établissement.	Cette procédure prévient la contamination de l'environnement.

RAPPEL ! Le personnel doit toujours porter une paire de gants conformes au protocole de l'établissement pendant la manipulation de toute substance ou liquide excrétés par le client, de ses vêtements et de la literie souillée.

Éléments à consigner dans les notes d'évolution rédigées par l'infirmière

- La date et l'heure de l'administration du médicament ou de la perfusion.
- Le nom du médicament, la dose administrée, la voie d'administration et le site d'injection.
- La réaction du client et sa collaboration.
- Toute réaction anormale ou indésirable survenue pendant les soins ou à la suite de ceux-ci. **Il faut également transmettre cette donnée au médecin traitant et à l'infirmière responsable du client.**

Exemple

2011-05-25	10:00	Rituximab 425 mg dans solution de NaCl 0,9 % 5 500 ml installée en perfusion secondaire sur la dérivation en Y proximale. Perfusion sur pompe volumétrique, débutée à 50 ml/h pour 60 min.
	10:15-11:30	Médicament bien toléré par le client, aucun malaise.
	11:00	Débit de perfusion augmenté à 100 ml/h pour 30 min.
	11:30	Débit de perfusion augmenté à 150 ml/h en fin de perfusion.

MS 6.2

Administration d'un agent antinéoplasique par voie intravésicale

Vidéo

MS 6.2

- Administration du BCG (bacille de Calmette-Guérin) par voie intravésicale
- Administration de chimiothérapie par voie intravésicale

BUT

Administrer un agent antinéoplasique par voie intravésicale pour le traitement d'une tumeur de la vessie.

NOTIONS DE BASE

L'administration d'un agent antinéoplasique par voie intravésicale permet un contact étroit du médicament avec la région à traiter. Cette méthode réduit l'apparition d'une toxicité systémique.

Les traitements d'induction sont administrés chaque semaine, tandis que les traitements d'entretien le sont aux six à huit semaines.

L'administration du BCG (bacille de Calmette-Guérin) par voie intravésicale est une immunothérapie utilisée dans le cas des tumeurs superficielles de la vessie.

MATÉRIEL

- Sonde urinaire avec ballonnet de calibre approprié :
  - Femme : 14 à 16 Fr
  - Homme : 14 à 16 Fr
  - Enfant
    - 12 ans et plus : 12 à 14 Fr
    - 9 à 11 ans : 8 à 10 Fr
    - 4 à 8 ans : 8 Fr
  - Nourrisson (1 mois) à 3 ans : 5 à 8 Fr
  - Nouveau-né (0 à 28 jours) : 5 à 6 Fr
- Blouse de protection
- Protection faciale (visière)
- Gants stériles en latex, néoprène, nitrile ou polyuréthane (selon les normes en vigueur)

- Plateau à cathétérisme comprenant :
  - Deux champs stériles dont un fenestré
  - Lubrifiant hydrosoluble (enveloppe jetable)
  - Solution antiseptique (Proviodine^MD ou chlorhexidine)
  - Cinq tampons d'ouate stériles
  - Gants stériles
  - Pinces stériles
- Piqué jetable
- Sac à déchets cytotoxiques
- Raccord en T avec robinet pour reconstitution du BCG
- Seringue à irrigation vésicale de 60 ml préremplie de solvant (BCG)

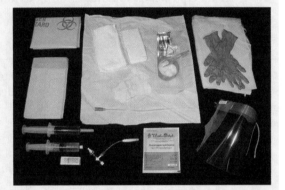

- Fiole de BCG
- Seringue préremplie du médicament à administrer (chimiothérapie)
- Compresses de gaze stériles 10 × 10 cm
- Feuille d'administration des médicaments (FADM)

Étapes préexécutoires	Justifications
1. Effectuer les étapes préexécutoires communes décrites au début de cette section (pages 195 et 196).	
2. ÉVALUATION Évaluer la capacité du client à se mobiliser, le cas échéant.	Cette évaluation permet de prendre en compte les restrictions physiques du client et de prévoir l'aide nécessaire, au besoin.

Étapes préexécutoires	Justifications
3. ÉVALUATION Évaluer la capacité du client à comprendre la procédure et à y collaborer.	Cette évaluation détermine le degré d'autonomie du client en regard de la procédure ou, le cas échéant, l'aide qui devra lui être apportée.
4. Renseigner le client au sujet des différentes étapes de la procédure et de son déroulement.	Cet enseignement permet au client de comprendre la procédure et ce qu'on attend de lui.
5. ÉVALUATION Évaluer la présence de manifestations cliniques pseudogrippales ou d'infection urinaire comme de l'hyperthermie, de la dysurie, de l'hématurie, de la pollakiurie ou de la douleur mictionnelle depuis le dernier traitement. Le cas échéant, en aviser le médecin.	Ces manifestations sont des signes de réaction du système immunitaire au traitement.

Étapes exécutoires	Justifications
6. Mettre un équipement de protection individuelle (blouse et visière).	Cet équipement protège l'infirmière des éclaboussures pouvant survenir pendant l'administration du médicament.
7. Ouvrir de façon aseptique le plateau à cathétérisme. Mettre des gants stériles. Installer la sonde urinaire et procéder à un cathétérisme vésical ▶ **I – MS 8.4** . Laisser la sonde en place. Retirer les gants et les jeter dans la poubelle. Mettre une paire de gants stériles en latex, en néoprène, en nitrile ou en polyuréthane.	Cette procédure assure une vidange complète de la vessie avant l'administration du médicament. Le cathéter sera en place pour l'administration de l'agent immunothérapeutique ou de la chimiothérapie.

⚠ ALERTE CLINIQUE

Les gants doivent être en latex, en néoprène, en nitrile ou en polyuréthane afin de répondre aux normes de protection recommandées par l'ASSTSAS pour l'utilisation d'agents antinéoplasiques. Ils doivent recouvrir les poignets et la blouse. La visière doit recouvrir tout le visage.

Il est aussi recommandé de maintenir les mains à la hauteur de la taille pendant les manipulations, de façon à éviter tout risque de contact avec les yeux.

8. Effectuer l'étape 9 ou 10, selon le cas. ▶ **9.** Administrer le BCG (bacille de Calmette-Guérin) par voie intravésicale. ▶ **10.** Administrer une chimiothérapie par voie intravésicale.	
9. Administrer le BCG (bacille de Calmette-Guérin) par voie intravésicale.	
9.1 Déposer un champ stérile sur la table de chevet du client.	Le champ permet de maintenir la stérilité du matériel.

Étapes exécutoires		Justifications
9.2 Ouvrir une compresse stérile et la déposer sur le champ stérile. Ouvrir l'emballage du raccord en T et déposer le raccord sur le champ stérile.		La compresse servira à recueillir tout écoulement accidentel provenant de la jonction seringue-sonde.
9.3 Retirer le capuchon protecteur de la seringue préalablement remplie de solvant et tirer sur le piston afin d'y faire entrer une bulle d'air d'environ 3 ml. Décapsuler la fiole de BCG.		Ce volume correspond au volume d'air que contient la lumière de la sonde, ce qui permettra d'administrer tout le médicament contenu dans la seringue.
9.4 Retirer le capuchon protecteur du site d'insertion pour la seringue du robinet et y ajointer la seringue de solvant.		
9.5 En maintenant le robinet, retirer le capuchon protecteur du site d'insertion pour la fiole et y ajointer la fiole de BCG.		
9.6 Saisir la fiole et le robinet de la main non dominante et ouvrir le circuit fiole-seringue.		Cette opération permet la dilution de la poudre de BCG.
9.7 De la main dominante, saisir la seringue et pousser le solvant dans la fiole par petits coups successifs afin de bien diluer la poudre de BCG.		

Étapes exécutoires	Justifications

ALERTE CLINIQUE

Maintenir fermement la fiole et le robinet pendant la dilution afin de prévenir toute disjonction du système et tout écoulement de solution. De même, il est recommandé de se placer au-dessus d'une surface recouverte d'un champ stérile ou d'un piqué jetable plastifiés afin de recueillir tout écoulement de liquide le cas échéant.

L'ASSTSAS suggère le port de deux paires de gants lorsque l'infirmière exécute une procédure à risque élevé telle que cette dernière.

Étapes exécutoires	Justifications
9.8 Une fois la dilution terminée, aspirer le médicament dans la seringue et fermer le robinet du côté de la fiole.	La fermeture du robinet empêche le retour du médicament sous l'effet de la succion.
9.9 Ajointer la tubulure de raccord du robinet à l'extrémité de la sonde et ouvrir le robinet. Entourer la jonction tubulure de raccord-sonde d'une compresse stérile.	La compresse servira à recueillir tout écoulement accidentel provenant de la jonction tubulure de raccord-sonde.
9.10 Tenir la seringue à la verticale et injecter lentement le médicament.	Cette position fait remonter la bulle d'air dans le haut de la seringue, permettant ainsi d'administrer complètement le médicament.
9.11 Une fois l'instillation terminée, retirer doucement la sonde et le système d'instillation ajointé, et les jeter dans le sac à déchets cytotoxiques. Passer à l'étape 11.	Le fait de laisser le système d'instillation ajointé évite l'écoulement de la solution contenant l'agent antinéoplasique, ce qui diminue le risque de contamination de l'environnement. Jeter ces articles dans un tel sac prévient la contamination de l'environnement par les solutions antinéoplasiques.

ALERTE CLINIQUE

Dans le cas d'une sonde à demeure, la clamper le temps requis pour permettre au médicament d'agir en se référant au protocole d'administration du BCG en vigueur dans l'établissement.

10. Administrer une chimiothérapie par voie intravésicale.	

Étapes exécutoires	Justifications
10.1 Déposer un champ stérile sur la table de chevet du client.	Le champ permet de maintenir la stérilité du matériel.
10.2 Ouvrir l'emballage d'une compresse de gaze stérile 10 × 10 cm et le déposer à proximité en laissant celle-ci dans l'emballage.	
10.3 Retirer le capuchon protecteur de la seringue de médicament et tirer sur le piston afin d'y faire entrer une bulle d'air d'environ 3 ml.	Ce volume correspond au volume d'air que contient la lumière de la sonde, ce qui permettra d'administrer tout le médicament contenu dans la seringue.
10.4 Ajointer la seringue de médicament à la sonde. Entourer la jonction seringue-sonde de la compresse stérile.	La compresse servira à recueillir tout écoulement accidentel provenant de la jonction seringue-sonde.
10.5 Tenir la seringue à la verticale et injecter lentement le médicament.	Cette position fait remonter la bulle d'air dans le haut de la seringue, permettant ainsi d'administrer complètement le médicament.
10.6 Une fois l'instillation terminée, retirer doucement la sonde et la seringue ajointée, et les jeter dans le sac à déchets cytotoxiques.	Le fait de laisser la seringue ajointée évite l'écoulement de la solution contenant l'agent antinéoplasique, ce qui diminue le risque de contamination de l'environnement. Jeter ces articles dans un tel sac prévient la contamination de l'environnement par les solutions antinéoplasiques.

ALERTE CLINIQUE Dans le cas d'une sonde à demeure, la clamper pour la durée recommandée par le protocole d'administration de l'agent antinéoplasique en vigueur dans l'établissement.

11. Retirer les gants, la visière et la blouse, et les jeter dans le sac à déchets cytotoxiques avec le champ stérile.	Jeter ces articles dans un tel sac prévient la contamination de l'environnement par les solutions antinéoplasiques.

Étapes postexécutoires	Justifications
12. Effectuer les étapes postexécutoires communes décrites au début de cette section (pages 196 et 197).	
13. Aviser le client :	
• de rester couché pour une durée de une heure, en changeant de position toutes les 15 minutes (ventrale, latérale droite, dorsale et latérale gauche) ;	Ces changements de position favorisent une meilleure distribution du médicament sur la paroi de la vessie.
• de s'abstenir d'uriner pendant les deux heures suivant l'administration du médicament ;	S'abstenir d'uriner augmente le potentiel d'efficacité du médicament.
• d'uriner assis au moment de la première miction (dans le cas d'un client masculin) ;	La position assise évite d'éclabousser les pourtours de la toilette avec de l'urine contenant des substances antinéoplasiques.
• de mettre 500 ml de javellisant dans la toilette après chaque miction pendant les 6 premières heures post-traitement et d'attendre 15 minutes avant d'actionner la chasse d'eau (client ayant reçu un traitement de BCG) ;	Le bacille de Calmette-Guérin (BCG) est détruit sous l'action du javellisant.
• de l'importance de se laver les mains et d'adopter de bonnes mesures d'hygiène génitale après chaque miction ;	Ces mesures préviennent la contamination.
• de l'importance de boire beaucoup d'eau ;	Une bonne hydratation diminue l'irritation de la peau.
• des manifestations cliniques qu'il pourrait ressentir telles qu'un brûlement mictionnel et une urgence urinaire ;	Informer le client diminue son anxiété et son inquiétude en présence de ces manifestations.
• qu'il doit consulter immédiatement en présence d'hématurie ou d'hyperthermie égale ou supérieure à 38,5 °C.	Ces manifestations sont des signes d'infection ; le client doit être traité sans délai.

📁 Éléments à consigner dans les notes d'évolution rédigées par l'infirmière

■ La date et l'heure de l'administration du médicament.
■ Le nom du médicament, la dose administrée, la voie d'administration et le site d'injection.
■ La réaction du client et sa collaboration.
■ Toute réaction anormale ou indésirable survenue pendant les soins ou à la suite de ceux-ci. **Il faut également transmettre cette donnée au médecin traitant et à l'infirmière responsable du client.**

Exemple

2011-05-16 13:00 Cathétérisme vésical fait avec une sonde de Nélaton de calibre 14 Fr. Drainage de 100 ml d'urine citrin clair. Instillation de BCG 120 mg intravésicale, sonde de Nélaton retirée. Client avisé de la procédure à suivre. Comprend bien les consignes et collabore au traitement.

Méthodes liées aux soins des plaies

Étapes préexécutoires et postexécutoires communes de la section 7

Ces étapes constituent les considérations et les actions préexécutoires et postexécutoires communes aux méthodes liées aux soins des plaies. Elles assurent l'application appropriée des principes de soins et sont regroupées en début de section afin d'alléger le texte de chacune des méthodes.

Étapes préexécutoires communes	Justifications
1. **Effectuer les étapes préexécutoires générales décrites au début du guide (pages 1 et 2).**	
2. Vérifier l'ordonnance médicale au dossier du client, le cas échéant.	L'ordonnance médicale pourrait préciser le type de pansement à utiliser, la région à couvrir et la fréquence à laquelle le pansement doit être changé. Elle est également nécessaire dans le cas d'une thérapie compressive veineuse par bandage.
3. **ÉVALUATION** Évaluer le degré de confort du client et sa capacité à maintenir une position favorisant la procédure.	L'évaluation des capacités du client permet de prévoir de l'aide au besoin.
4. **ÉVALUATION** Vérifier si le client ressent de la douleur. Le cas échéant, lui administrer un analgésique conformément à l'ordonnance médicale, et ce, 30 minutes avant la mise en place ou la réfection du pansement ou du bandage. Dans le cas de l'évaluation de la neuropathie sensorielle ▶ MS 7.4 , il ne faut pas administrer d'analgésique avant l'évaluation.	L'administration d'un analgésique doit se faire suffisamment tôt afin qu'il fasse effet au moment de la procédure. Le soulagement de la douleur du client améliore son confort et sa collaboration aux soins.
5. Vérifier si le client présente des allergies aux agents topiques ou aux matériaux présents dans les produits et pansements utilisés. Le cas échéant, aviser le médecin qui prescrira un autre produit.	
6. Expliquer au client la procédure ainsi que les buts visés en prenant soin d'adapter les explications à sa capacité de compréhension.	Ces explications permettent au client de connaître les soins qui lui seront prodigués, favorisant ainsi une meilleure collaboration de sa part.
7. Découvrir uniquement la région du corps où seront prodigués les soins.	Cette façon de faire permet de respecter l'intimité du client.

Étapes préexécutoires communes	Justifications
8. Expliquer au client l'importance de ne pas toucher à la région de la plaie ni au matériel.	Un mouvement soudain et inattendu de la part du client pourrait entraîner la contamination de la plaie et du matériel stérile par contact avec une surface non stérile.
En cas de toux, lui demander de porter un masque, sauf s'il y a contre-indication. Si l'état du client ne lui permet pas de porter un masque, lui demander de tourner la tête du côté opposé à la plaie pendant la procédure.	Cette précaution évite que de fines gouttelettes de salive provenant du client contaminent la plaie.

Étapes postexécutoires communes	Justifications
1. Effectuer les étapes postexécutoires générales décrites au début du guide (pages 3 et 4).	
2. **ÉVALUATION** Surveiller l'apparition de symptômes systémiques d'infection tels la fièvre, des frissons ou de la douleur. Le cas échéant, en aviser le médecin traitant et l'infirmière responsable du client.	

Notes personnelles

_____

_____

_____

_____

_____

_____

_____

_____

_____

_____

_____

_____

_____

_____

_____

_____

_____

_____

MS 7.1

Mesure de l'indice de pression systolique cheville-bras (IPSCB)

Vidéo

BUT

Aider le professionnel de la santé à poser un diagnostic différentiel de maladie vasculaire artérielle périphérique (MVAP) et à sélectionner la thérapie de compression requise pour traiter le client.

MATÉRIEL

- Appareil d'échographie (Doppler) muni d'une sonde de 8 MHz (une sonde de 5 MHz peut être nécessaire chez un client obèse ou souffrant d'un œdème important)
- Sphygmomanomètre et brassard de dimension appropriée

- Gelée conductrice
- Stéthoscope
- Serviette ou compresses non stériles
- Pellicule plastique transparente, au besoin

NOTIONS DE BASE

L'indice de pression systolique cheville-bras (IPSCB), aussi appelé «indice tibiobrachial (ITB)», est un examen vasculaire non effractif qui doit être effectué par une infirmière ou un professionnel de la santé possédant la formation requise. Une fois avisé du résultat, le médecin peut déterminer le niveau de la MVAP et déterminer le plan de traitement pour le soin des plaies ou adresser adéquatement le client à un chirurgien vasculaire pour une évaluation plus approfondie. Cette procédure est en conformité avec la première recommandation canadienne en soin des plaies qui précise qu'en présence d'un ulcère aux membres inférieurs, le potentiel de guérison par la circulation sanguine doit être évalué.

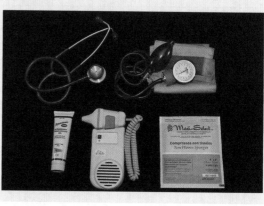

Étapes préexécutoires	Justifications
1. Effectuer les étapes préexécutoires communes décrites au début de cette section (pages 214 et 215).	
2. Installer confortablement le client en position de décubitus dorsal, jambes décroisées, à plat sur le lit (sans oreiller en dessous) pour une période de 15 à 20 minutes.	Cette position permet à la pression artérielle de se stabiliser, minimisant ainsi les effets de l'activité physique sur cette dernière. L'utilisation d'un oreiller pourrait altérer la circulation artérielle, ce qui risquerait de fausser le résultat de la mesure de l'indice.

Étapes exécutoires	Justifications
3. Choisir le brassard du sphygmomanomètre en fonction de la taille du client et de la circonférence du bras sur lequel la pression artérielle sera mesurée.	Un brassard mal ajusté pourrait fausser de manière significative le résultat de la mesure de l'IPSCB et conduire à un diagnostic erroné.

Étapes exécutoires	Justifications
4. À l'aide des doigts, localiser l'artère brachiale et vérifier la pulsation.	Le fait de localiser ainsi le pouls permet de procéder plus rapidement à l'examen.
5. Placer le brassard à 3 cm au-dessus du pli du coude. Centrer la flèche du brassard sur l'artère palpée préalablement.	Un brassard mal ajusté génère des résultats inexacts. Centrer la flèche sur l'artère assure une mesure précise.
6. Appliquer une quantité modérée de gelée conductrice à l'endroit où la pulsation a été perçue.	La gelée favorise la transmission des ultrasons. Une trop petite ou trop grande quantité de gelée nuit à la transmission des ultrasons.
7. Placer la sonde de l'appareil d'échographie (Doppler) à un angle de 45° sur l'artère brachiale en direction du cœur et la maintenir à cet endroit jusqu'à l'obtention du signal sonore indiquant la présence de la pulsation. Si le son est faible, déplacer légèrement la sonde jusqu'à l'obtention d'un son d'intensité plus forte.	La sonde doit être positionnée selon un angle de 45° avec la peau afin de bien recevoir l'onde.

ALERTE CLINIQUE Il est important de ne pas appuyer la sonde trop fortement sur la peau par risque de compression de l'artère, ce qui pourrait fausser la mesure de la pression artérielle systolique.

8. Gonfler le brassard du sphygmomanomètre jusqu'à la disparition du signal sonore émis par l'appareil d'échographie. Le gonfler de 20 à 30 mm Hg de plus.	La disparition du signal sonore indique que l'artère est entièrement comprimée.
9. Dégonfler lentement le brassard jusqu'à l'obtention d'un premier signal sonore, lequel correspond à la pression artérielle systolique. Noter la valeur obtenue, puis laisser le brassard se dégonfler totalement.	

RAPPEL! La pression diastolique ne peut être obtenue avec un appareil d'échographie.

10. Répéter les étapes 4 à 9 sur l'autre bras du client. Noter la valeur obtenue.	
11. Retenir la plus élevée des deux valeurs (bras gauche ou bras droit).	Cette donnée sert à déterminer l'IPSCB. Une valeur différente d'environ 10 mm Hg entre les deux bras est considérée comme normale en raison de la localisation de la crosse aortique.

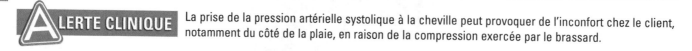

RAPPEL! Si, au moment de la prise de la pression artérielle systolique à la cheville, le client présente une lésion de pression, retirer le pansement recouvrant la lésion et y apposer une pellicule plastique transparente. Cette procédure évite de souiller le brassard.

Étapes exécutoires	Justifications
12. Choisir un brassard adapté à la circonférence de la cheville du client.	

⚠ **ALERTE CLINIQUE** La prise de la pression artérielle systolique à la cheville peut provoquer de l'inconfort chez le client, notamment du côté de la plaie, en raison de la compression exercée par le brassard.

Étapes exécutoires	Justifications
13. À l'aide des doigts, localiser le pouls pédieux, sur la face dorsale du pied. Si le client en est capable, lui demander de maintenir le pied à un angle de 90°. [image]	Le fait de localiser ainsi le pouls permet de procéder plus rapidement à l'examen. Le maintien du pied à un angle de 90° permet de bien dégager les artères pédieuses.
14. Placer le brassard au-dessus de la malléole en laissant l'espace d'un doigt entre le brassard et la cheville. Centrer la flèche du brassard sur l'artère palpée préalablement.	Cet espace évite de comprimer trop fortement les artères, lesquelles sont de calibre beaucoup plus petit en périphérie.
15. Appliquer une quantité modérée de gelée conductrice à l'endroit où la pulsation a été perçue.	La gelée favorise la transmission des ultrasons. Une trop petite ou trop grande quantité de gelée nuit à la transmission des ultrasons.
16. Placer la sonde de l'appareil d'échographie (Doppler) à un angle de 45° sur la face dorsale du pied et la maintenir à cet endroit jusqu'à l'obtention du signal sonore indiquant la présence de la pulsation. Si le son est faible, déplacer légèrement la sonde jusqu'à l'obtention d'un son d'intensité plus forte. [image]	La sonde doit être positionnée selon un angle de 45° avec la peau afin de bien recevoir l'onde. Une trop grande pression de la sonde sur ces petites artères peut les comprimer.
17. Gonfler le brassard du sphygmomanomètre jusqu'à la disparition du signal sonore émis par l'appareil d'échographie. Le gonfler de 20 à 30 mm Hg de plus.	La disparition du signal sonore indique que l'artère est entièrement comprimée.
18. Dégonfler lentement le brassard jusqu'à l'obtention d'un premier signal sonore, lequel correspond à la pression artérielle systolique. Noter la valeur obtenue, puis laisser le brassard se dégonfler totalement.	L'exactitude de la valeur de la pression artérielle systolique permet de déterminer avec précision la valeur de l'IPSCB.

Étapes exécutoires	Justifications
19. À l'aide des doigts, localiser le pouls tibial postérieur, derrière la malléole interne. Si le client en est capable, lui demander de maintenir le pied à un angle de 90°.	Le fait de localiser ainsi le pouls permet de procéder plus rapidement à l'examen. Le maintien du pied à un angle de 90° permet de bien dégager les artères pédieuses.
20. Répéter les étapes 14 à 18 sur l'artère tibiale postérieure. Noter la valeur obtenue.	
21. Retenir la plus élevée des deux valeurs (pouls pédieux ou pouls tibial postérieur) prises sur la même jambe.	Cette donnée sert à déterminer de manière précise l'IPSCB.

Étapes postexécutoires	Justifications
22. Effectuer les étapes postexécutoires communes décrites au début de cette section (page 215).	
23. Essuyer les zones enduites de gelée conductrice à l'aide d'une serviette ou de compresses non stériles.	Enlever la gelée augmente le confort du client et évite de souiller ses vêtements.
24. Aider le client à s'asseoir, puis à se lever graduellement.	Un lever graduel est recommandé afin d'éviter les symptômes d'une hypotension orthostatique.
25. Procéder au calcul de l'IPSCB selon les deux valeurs retenues.	Il peut être nécessaire d'utiliser une calculatrice ou un tableau résumé pour le calcul de l'indice.

RAPPEL!

Le calcul de l'IPSCB se fait de la manière suivante :

$$\frac{\text{Pression systolique la plus élevée des deux sites de la cheville}}{\text{Pression systolique la plus élevée des deux bras}}$$

Exemple :

$$\frac{130 \text{ mm Hg}}{145 \text{ mm Hg}} = 0,9$$

26. Consigner au dossier du client le résultat du calcul de l'IPSCB.	Le résultat obtenu devra être interprété par le médecin.

RAPPEL!

Interprétation des résultats selon les valeurs de référence de l'Association canadienne du soin des plaies

- Entre 0,8 et 1,2 : valeurs normales sans signe d'insuffisance artérielle.
- Entre 0,5 et 0,8 : maladie vasculaire artérielle périphérique modérée.
- Moins de 0,5 : ischémie sévère et faible potentiel de cicatrisation.
- Plus de 1,2 : possibilité de calcification des artères comme c'est fréquent chez les clients diabétiques. Cela ne signifie pas pour autant un bon potentiel de cicatrisation. Le client doit être adressé à un chirurgien vasculaire pour une évaluation vasculaire approfondie. On appelle ces valeurs « faux positifs ».

Éléments à consigner dans les notes d'évolution rédigées par l'infirmière

- Le résultat de la mesure de l'IPSCB.
- La réaction du client et sa collaboration.
- Toute réaction anormale ou indésirable survenue pendant les soins ou à la suite de ceux-ci. **Il faut également transmettre cette donnée au médecin traitant et à l'infirmière responsable du client.**

Exemple

2011-05-26   10:00   IPSCB 0,8. Client collabore bien. Accuse légère douleur au mollet gauche lors de la procédure. Aucune douleur par la suite.

▶ CHAPITRE 13
Inflammation et soin des plaies

MS 7.2

Évaluation des lésions de pression et application des moyens de prévention

BUT

Évaluer chez un client le risque de formation de lésions de pression (aussi appelées « plaies de pression »).

NOTIONS DE BASE

Afin d'établir le plan de traitement approprié, il est essentiel d'évaluer chez le client le risque de formation d'une lésion de pression ou, s'il y a lieu, de déterminer le stade de la lésion, selon la classification du National Pressure Ulcer Advisory Panel (NPUAP).

MATÉRIEL

- Surfaces d'appui thérapeutique selon les besoins du client (p. ex., protège-talon, coussins et surmatelas de gel, d'air ou d'eau, ou en mousse de polyuréthane, en mousse viscoélastique)
- Échelle d'évaluation de Braden
- Horaire de positionnement
- Produits et pansements spécialisés en soin des plaies
- Gants non stériles

Étapes préexécutoires	Justifications
1. Effectuer les étapes préexécutoires communes décrites au début de cette section (pages 214 et 215).	

Étapes préexécutoires	Justifications

2. ÉVALUATION

Évaluer le risque d'apparition ou d'aggravation d'une lésion de pression à l'aide d'un outil d'évaluation telle l'échelle de Braden.

Échelle d'évaluation de Braden	
Score	**Niveau de risque**
15 à 18	Risque faible
13 ou 14	Risque modéré
10 à 12	Risque élevé
9 et moins	Risque très élevé

Les critères utilisés pour évaluer le niveau de risque sont la perception sensorielle, l'humidité, l'activité, la mobilité, la nutrition, la friction et le cisaillement.

Le plus haut score qu'un client peut obtenir est 23.

RAPPEL! Une version détaillée de l'échelle d'évaluation de Braden (TABLEAU 13.3W) est présentée au www.cheneliere.ca/lewis.

---

3. Planifier le type d'interventions à effectuer en fonction du niveau de risque du client. Les inscrire au PTI et les communiquer aux autres membres de l'équipe de soins.	Les interventions sélectionnées doivent faire référence aux critères évalués. L'approche interdisciplinaire permet d'optimiser le soin des plaies.

Étapes exécutoires	Justifications

4. Effectuer l'étape 5, 6, 7 ou 8, selon le cas.

▶ **5.** Traiter un client présentant un risque faible de formation d'une lésion de pression (15 à 18).

▶ **6.** Traiter un client présentant un risque modéré de formation d'une lésion de pression (13 ou 14).

▶ **7.** Traiter un client présentant un risque élevé de formation d'une lésion de pression (10 à 12).

▶ **8.** Traiter un client présentant un risque très élevé de formation d'une lésion de pression (9 et moins).

---

5. Traiter un client présentant un risque faible de formation d'une lésion de pression (15 à 18).

5.1 Mobiliser le client au moins toutes les deux heures ou plus souvent si possible.	Le client doit être mobilisé régulièrement afin d'éviter toute friction aux zones de rougeur. L'infirmière doit optimiser les occasions de mobilisation et d'activité.
5.2 Renseigner le client et sa famille quant à l'importance de la mobilisation et demander leur collaboration.	Cette information favorise la collaboration du client et de sa famille.
5.3 Protéger les talons en les surélevant ou en les appuyant sur des surfaces thérapeutiques appropriées.	Le talon représente, après le coccyx, la zone la plus propice aux lésions de pression.

Étapes exécutoires	Justifications
5.4 Contrôler les facteurs suivants : l'humidité, la friction, le cisaillement et la nutrition.	Ces facteurs favorisent l'apparition des lésions de pression.
5.5 Mettre en place une surface d'appui thérapeutique qui réduit la pression selon que le client est immobile, alité ou confiné au fauteuil. Passer à l'étape 9.	La surface d'appui thérapeutique sert à diminuer la pression et à prévenir la formation d'une plaie. Le choix de la surface doit être fait, entre autres, en fonction du type de plaie, de son étiologie, de la qualité de la peau, de la vascularisation, des maladies concomitantes et de la possibilité de friction.
6. Traiter un client présentant un risque modéré de formation d'une lésion de pression (13 ou 14).	
6.1 Instaurer un horaire de positionnement du client en optimisant les occasions de le mobiliser.	L'horaire de positionnement est une grille qui indique les heures pour mobiliser le client ainsi que les positions à adopter. Le client doit être mobilisé régulièrement afin d'éviter toute friction aux zones de rougeur.
6.2 Positionner la tête de lit du client à un angle maximal de 30° si celui-ci le tolère. Sinon, positionner le client de façon qu'il soit à l'aise.	Une tête de lit placée à un angle maximal de 30° préviendra ou diminuera la friction et le cisaillement chez le client.
6.3 Protéger les talons en les surélevant ou en les appuyant sur des surfaces thérapeutiques appropriées.	Le talon représente, après le coccyx, la zone la plus propice aux lésions de pression.
6.4 Contrôler les facteurs suivants : l'humidité, la friction, le cisaillement et la nutrition.	Ces facteurs favorisent l'apparition des lésions de pression.
6.5 Mettre en place une surface d'appui thérapeutique qui réduit la pression selon que le client est immobile, alité ou confiné au fauteuil. Passer à l'étape 9.	La surface d'appui thérapeutique sert à diminuer la pression et à prévenir la formation d'une plaie. Le choix de la surface doit être fait, entre autres, en fonction du type de plaie, de son étiologie, de la qualité de la peau, de la vascularisation, des maladies concomitantes et de la possibilité de friction.
7. Traiter un client présentant un risque élevé de formation d'une lésion de pression (10 à 12).	
7.1 Augmenter la fréquence des mobilisations.	L'infirmière peut augmenter la fréquence des changements de position et des mobilisations. Par exemple, elle pourrait mobiliser le client toutes les heures et limiter la durée des séances au fauteuil.

Étapes exécutoires	Justifications
7.2 Renseigner le client et sa famille quant à l'importance de la mobilisation et demander leur collaboration.	Cette information favorise la collaboration du client et de sa famille.
7.3 Positionner le client en décubitus latéral en maintenant un angle de 30° par rapport à la surface d'appui thérapeutique.	Cette position permet de réduire la pression dans la zone de l'ischion et du grand trochanter.
7.4 Protéger les talons en les surélevant ou en les appuyant sur des surfaces thérapeutiques appropriées.	Le talon représente, après le coccyx, la zone la plus propice aux lésions de pression.
7.5 Contrôler les facteurs suivants : l'humidité, la friction, le cisaillement et la nutrition.	Ces facteurs favorisent l'apparition des lésions de pression.
7.6 Mettre en place une surface d'appui thérapeutique qui réduit la pression selon que le client est immobile, alité ou confiné au fauteuil. Passer à l'étape 9.	La surface d'appui thérapeutique sert à diminuer la pression et à prévenir la formation d'une plaie. Le choix de la surface doit être fait, entre autres, en fonction du type de plaie, de son étiologie, de la qualité de la peau, de la vascularisation, des maladies concomitantes et de la possibilité de friction.
8. Traiter un client présentant un risque très élevé de formation d'une lésion de pression (9 et moins).	
8.1 Répéter les étapes 7.1 à 7.4.	Toutes les interventions mentionnées doivent être pratiquées afin de réduire et de contrôler la pression.
8.2 Mettre en place une surface d'appui thérapeutique qui soulage la pression pour le client éprouvant de la douleur ou présentant un niveau de risque élevé. Choisir la surface en fonction du type de plaie, de son étiologie, de la qualité de la peau, de la vascularisation, des maladies concomitantes et de la possibilité de friction.	La surface d'appui thérapeutique sert à diminuer la pression et à prévenir la formation d'une plaie.
9. Mettre des gants non stériles.	Le port de gants évite les contacts directs avec l'exsudat et les sécrétions du client et la transmission de microorganismes pathogènes.
10. Déterminer le stade de la lésion de pression à l'aide du tableau de la page suivante.	L'utilisation de la classification du NPUAP est entérinée par la plupart des infirmières qui appliquent les pratiques exemplaires pour l'évaluation des lésions de pression. Il est parfois impossible de déterminer à première vue la structure de la peau qui est atteinte, surtout lorsque celle-ci se trouve recouverte d'une nécrose noire sèche (escarre).

Stades de formation d'une lésion de pression

Lésion des tissus profonds suspectée

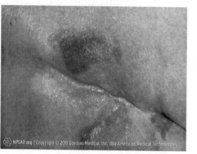

- Peau intacte (sans ouverture)
- Décoloration violacée ou marron ou phlyctène remplie de sang
- Présence de douleur, de froideur ou de chaleur

Stade I

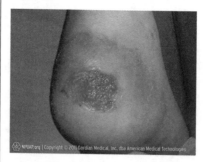

- Épiderme touché
- Peau intacte (sans ouverture)
- Érythème
- Rougeur qui demeure en place plus de 30 minutes consécutives
- Rougeur qui ne blanchit pas à la pression du doigt (signe que la mort tissulaire des capillaires est amorcée)

Stade II

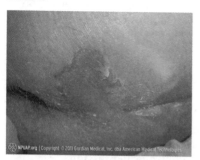

- Épiderme et derme touchés
- Perte tissulaire partielle du derme
- Plaie superficielle ou phlyctène remplie de liquide séreux

Stade III

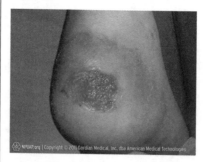

- Épiderme, derme et hypoderme touchés
- Plaie profonde, en fonction du site anatomique (p. ex., malléole versus coccyx)

Stade IV

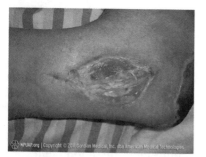

- Épiderme, derme et hypoderme touchés
- Plaie profonde, en fonction du site anatomique (p. ex., malléole versus coccyx)
- Structure interne visible (p. ex., os, muscle ou tendon)

Stade X (indéterminé)

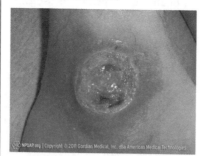

- Perte tissulaire complète
- Lit de la plaie recouvert à 100 % de tissus nécrotiques

Étapes exécutoires	Justifications
11. Déterminer le potentiel de cicatrisation du client au moyen de la mesure de l'indice de pression systolique cheville-bras (IPSCB) ▶ MS 7.1 .	Connaître le potentiel de cicatrisation permet de déterminer si le traitement doit se faire en milieu humide ou en milieu sec.
12. Déterminer le plan de traitement de la plaie en fonction des caractéristiques observées et des objectifs suivants : • contrôler l'exsudat ; • combler l'espace mort ; • favoriser la granulation ; • protéger la peau environnante et empêcher la macération ; • minimiser la croissance bactérienne ; • maintenir le lit de la plaie humide ; • protéger les nouveaux tissus en formation ; • maintenir une température constante ; • contrôler les odeurs ; • soulager la douleur ; • prévenir l'infection.	
13. Procéder au soin de la plaie en fonction de ses caractéristiques et des objectifs thérapeutiques établis et en se référant au protocole de soins en vigueur dans l'établissement.	
14. Retirer les gants et les jeter à la poubelle.	Jeter les gants à la poubelle évite la propagation de microorganismes pathogènes.

Étapes postexécutoires	Justifications
15. Effectuer les étapes postexécutoires communes décrites au début de cette section (page 215).	
16. **ÉVALUATION** Réévaluer régulièrement le client afin de déterminer le niveau de risque de subir ou d'aggraver une lésion de pression en tenant compte de ce qui suit : a) Clientèle recevant des soins de longue durée : toutes les semaines. b) Clientèle recevant des soins à domicile : toutes les visites. c) Clientèle hospitalisée dans des unités de médecine ou de chirurgie : aux deux jours. d) Clientèle hospitalisée dans des unités de soins critiques : tous les jours.	La prévention et le suivi des clients à risque ou présentant une lésion de pression favorise une prise en charge rapide et de qualité.
17. Consigner au dossier du client l'ensemble des interventions préventives et curatives effectuées.	

MS 7.2

📁 Éléments à consigner dans les notes d'évolution rédigées par l'infirmière

- Le score obtenu à l'échelle d'évaluation de Braden.
- Les interventions préventives et curatives effectuées.
- Le type d'enseignement fait.
- La réaction du client et sa collaboration.
- Toute réaction anormale ou indésirable survenue pendant les soins ou à la suite de ceux-ci. **Il faut également transmettre cette donnée au médecin traitant et à l'infirmière responsable du client.**

Exemple

Client a)   2011-05-10   11:00   Évaluation selon échelle de Braden: score de 14. Mobilisations q. 2 h strict pendant la durée de l'hospitalisation. Maintenir la tête de lit à un angle de 30° pendant les périodes de repos. Séances au fauteuil de 30 min à la fois t.i.d. Mettre un oreiller entre les points d'appui.

Client b)   2011-05-28   14:00   Fiche d'évaluation de la plaie et de ses composantes remplie. Application du plan de traitement n° 1 q. 3 jours. Nettoyage de la plaie avec solution de NaCl 0,9 % au moyen d'une seringue de 30 ml. Application d'un hydrocolloïde mince.

Notes personnelles

MS 7.3

Thérapie compressive veineuse par bandage

BUT

Favoriser la guérison de l'ulcère veineux par le traitement de l'hypertension veineuse chronique en réduisant la stase veineuse et en contrôlant l'œdème.

NOTIONS DE BASE

Seule une infirmière ayant reçu la formation requise pour l'application d'un système de compression veineuse par bandage peut exécuter cette méthode.

Avant de procéder, il est primordial de s'assurer que le calcul de l'indice de pression systolique cheville-bras (IPSCB) confirme une circulation artérielle adéquate d'un ou des deux membres inférieurs du client.

MATÉRIEL

- Ruban à mesurer (en cm)
- Système de compression veineuse par bandage (une à quatre couches)

- Ouate
- Ruban adhésif

Étapes préexécutoires	Justifications
1. Effectuer les étapes préexécutoires communes décrites au début de cette section (pages 214 et 215).	
2. Vérifier, au dossier du client, l'ordonnance médicale concernant le système de compression veineuse par bandage.	Une ordonnance médicale est requise pour appliquer ce système de compression.
3. Mesurer la circonférence de la cheville du client au moyen du ruban à mesurer en le plaçant à 2,5 cm en haut de la malléole externe.	La pression exercée par le système de compression veineuse par bandage est fonction de la circonférence de la cheville du client.
4. Sélectionner le type de bandage de compression prescrit par le médecin, soit élastique ou inélastique.	

Bandage élastique	Bandage inélastique

• Fabriqué de fibres élastiques
• Exerce une forte compression au repos
• Exerce une forte compression à l'activité
• Composé de une à quatre couches
• Quelques exemples de noms commerciaux:
  – Profore[MD]
  – Proguide[MD]
  – Surepress[MD]
	• Fabriqué de bandes présentant peu ou pas d'élasticité
	• Exerce une faible compression au repos
	• Exerce une forte compression à l'activité
	• Composé de une à deux couches
	• Quelques exemples de noms commerciaux:
	  – Coban 2[MD]
	  – Comprilan[MD]

Étapes préexécutoires	Justifications
5. Se documenter sur la façon adéquate d'installer le système de compression veineuse par bandage en consultant le feuillet d'information fourni par le fabricant.	

Étapes exécutoires	Justifications
6. Installer confortablement le client en position assise ou semi-assise avant de procéder à l'application du bandage de compression. S'il s'agit de la première application, demander au client de demeurer allongé pendant au moins 10 minutes avant l'application du bandage.	Cette procédure peut prendre quelques minutes. La position couchée favorise le retour veineux.
7. Positionner le pied du client à un angle de 90° et veiller à ce qu'il reste dans cette position tout au long de l'application du bandage.	L'application du bandage selon un angle de 90° permettra au client de pouvoir marcher, tout en assurant une meilleure tenue du bandage. Cette méthode prévient l'accumulation du bandage au point de dorsiflexion, ce qui pourrait générer une certaine compression pendant la marche.
8. Appliquer de la ouate ou un bandage de remplissage sur les proéminences osseuses. Dans le cas d'une cheville de petite circonférence, appliquer également de la ouate autour de celle-ci.	La ouate ou le bandage de remplissage protège la peau en cas de pression ou de friction. L'application d'ouate autour d'une petite cheville permet de répartir la compression sur la jambe.
9. Appliquer le bandage en commençant par recouvrir les régions métatarsiennes à la base des orteils, puis remonter vers le haut.	
10. Appliquer le système de compression veineuse selon le mode d'emploi indiqué sur le feuillet d'information fourni par le fabricant. Il existe principalement deux techniques d'application : a) En spirale : le bandage est appliqué avec un étirement de 50 % ou de 100 % (en fonction du système utilisé) et un chevauchement de 50 % sur la couche précédente ▶ I – MS 3.5 . b) En forme de « 8 » : le bandage est appliqué avec un étirement de 50 % ou de 100 % (en fonction du système utilisé) et la forme d'un « 8 » est réalisée tout en maintenant un chevauchement de 50 % sur la couche précédente. c) Certains types de bandages requièrent le jumelage de ces deux techniques.	

Étapes exécutoires	Justifications

L'application sécuritaire et précise d'un système de compression veineuse doit respecter les techniques énoncées par le fabricant. Une application inappropriée d'un système de compression veineuse peut engendrer des complications ou des conséquences importantes telle une nécrose tissulaire pouvant mener à l'amputation des orteils. L'infirmière qui applique un système de compression veineuse par bandage doit avoir reçu la formation requise et pratiquer régulièrement ce type d'application afin de conserver ses habiletés.

11. Maintenir en place chacune des couches du système de compression veineuse avant d'appliquer la suivante, soit en demandant au client de le faire ou en la fixant avec du ruban adhésif.	Le maintien en place de chacune des couches les empêche de glisser. Il ne faut jamais utiliser d'épingles à ressort ou d'autre objet de métal. Une simple écorchure sur un membre ayant une insuffisance veineuse peut causer un ulcère.

Certaines couches contenues dans les systèmes de compression veineuse sont cohésives, c'est-à-dire qu'elles collent sur la couche précédente au moment de l'application. Cette propriété favorise le maintien en place du système de compression veineuse et assure une meilleure stabilité de la pression sur le membre.

12. Terminer l'application du bandage en laissant une distance de deux doigts au-dessous du creux poplité.	Cette précaution diminue les risques de friction ou de lésion sur la peau.

Étapes postéxécutoires	Justifications
13. Aviser le client qu'au début, l'application d'un système de compression veineuse peut provoquer de l'inconfort ou une douleur importante et générer une augmentation de la quantité d'exsudat de la plaie. L'aviser de ne pas toucher au bandage et de demander un analgésique au besoin.	Aviser le client aide à diminuer son inquiétude en cas d'apparition d'inconfort en début de traitement.
14. **Effectuer les étapes postexécutoires communes décrites au début de cette section (page 215).**	
15. Enseigner au client comment évaluer les signes d'une circulation veineuse adéquate : couleur, chaleur, sensibilité et mobilité du membre.	Cet enseignement permet au client de constater par lui même toute anormalité (p. ex., orteils qui deviennent blancs ou bleutés, pied engourdi, etc.) et, le cas échéant, d'en aviser rapidement le personnel soignant.

Il est important d'assurer un suivi étroit du client portant un système de compression veineuse par bandage dès le début de la thérapie, principalement chez les clients insuffisants cardiaques chez qui la compression pourrait entraîner l'apparition d'un œdème aigu du poumon. C'est pourquoi on ne doit jamais commencer un traitement la veille d'un congé ou d'un week-end.

📁 Éléments à consigner dans les notes d'évolution rédigées par l'infirmière

- Le type de système de compression veineuse appliqué.
- La réaction du client (tolérance, douleur) et sa collaboration.
- Toute réaction anormale ou indésirable survenue pendant les soins ou à la suite de ceux-ci. **Il faut également transmettre cette donnée au médecin traitant et à l'infirmière responsable du client.**

Exemple

2011-05-18 10:00 Fiche d'évaluation de la plaie remplie. Circonférence de la cheville : 21,5 cm. Nettoyage de la plaie avec NaCl 0,9 % au moyen d'une seringue de 30 mL. Application d'une mousse hydrocellulaire autoadhésive de 10 x 10 cm et d'un système de compression veineuse à deux couches.

Évaluation de la neuropathie sensorielle

BUT

Évaluer la sensibilité du pied chez le client non atteint de neuropathie sensorielle et la perte de sensibilité chez le client qui en est atteint.

NOTIONS DE BASE

Cet examen non effractif sert à déterminer les zones de sensibilité et d'insensibilité. Il doit être pratiqué par une infirmière possédant la formation requise. La perte de sensation protectrice (neuropathie sensorielle) est le signe le plus probant d'ulcération du pied diabétique.

MATÉRIEL

■ Monofilament 5,07 (10 g) de Semmes-Weinstein

■ Fiche d'évaluation du pied diabétique

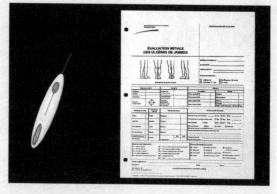

Étapes préexécutoires	Justifications
1. Effectuer les étapes préexécutoires communes décrites au début de cette section (pages 214 et 215).	
2. Installer confortablement le client en position assise ou couchée, les jambes allongées et pieds nus.	Cette position permet l'accès à la plante des pieds.
3. Informer le client du déroulement de l'examen et du degré de participation attendu de sa part.	Le client doit bien comprendre l'importance de répondre franchement aux questions et de ne pas nier les zones d'insensibilité.
4. ÉVALUATION Poser ces quatre questions au client: 1° Vos pieds sont-ils engourdis? 2° Sentez-vous parfois des décharges électriques dans vos pieds? 3° Sentez-vous parfois des brûlures aux pieds? 4° Avez-vous parfois l'impression que des insectes marchent sur vos pieds?	Ces questions permettent d'optimiser le dépistage de la neuropathie sensorielle.
5. Appliquer le monofilament sur la base du poignet ou de l'avant-bras du client avant de procéder à l'examen des pieds. S'assurer que le client ressent bien le contact du monofilament.	Cette mesure permet au client d'éprouver la sensation qu'il devra signaler à l'infirmière. Une perte de sensation peut aussi se produire aux membres supérieurs.

Étapes préexécutoires	Justifications

⚠ ALERTE CLINIQUE Certains clients diabétiques peuvent présenter des atteintes neuropathiques aux mains et aux avant-bras. Il importe de valider que le client ressent bien le monofilament à ces endroits.

6. Demander au client de signaler cette sensation au moment de l'application du monofilament sous et sur le pied.	
7. Demander au client de fermer les yeux tout au long de l'examen.	Le client doit percevoir le contact du monofilament par le sens du toucher, et non par celui de la vue.
8. Rappeler au client de dire «oui» chaque fois qu'il ressentira la sensation provoquée par le monofilament sur la peau de son pied.	

RAPPEL! Le monofilament doit être appliqué pendant une période de deux à trois secondes sur chaque site. Il doit être appuyé de façon à former une courbe générant approximativement 10 g de pression.

9. **ÉVALUATION** Évaluer la présence de lésions, de callosités ou de tissu cicatriciel sur et sous le pied. Consigner cette donnée dans les notes d'évolution de l'infirmière et la prendre en considération dans le nombre de sites évalués comme insensibles.	Ces éléments risquent de fausser le résultat de l'examen. Par exemple, le client pourrait ne pas ressentir la présence du monofilament sur une callosité.

Étapes exécutoires	Justifications
10. Repérer les 10 points à évaluer ci-dessous et apposer une marque à l'emplacement de chacun de ces points: • 3 points sous les orteils: 1er, 3e et 5e; • 3 points sur les métatarses de la face plantaire: 1er, 3e et 5e; • 2 points au centre de la face plantaire; • 1 point sous le talon; • 1 point au centre de la face dorsale.	Dix points bien précis doivent faire l'objet de l'évaluation.
11. Tenir le monofilament de façon perpendiculaire à l'un des 10 points à évaluer du pied.	

Étapes exécutoires	Justifications
12. Appuyer légèrement le monofilament sur la peau en le courbant et le maintenir en place pendant deux ou trois secondes. 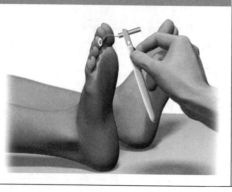	Le fait de courber le monofilament assure une pression suffisante sur la peau. La période de deux ou trois secondes laisse au client le temps de bien ressentir la pression exercée par le monofilament.

 **RAPPEL!** Il faut éviter de faire glisser le monofilament sur la peau pendant les changements de sites. Ce mouvement risque de fausser la sensation tactile du client.

13. Poursuivre l'examen avec le monofilament sur les neuf autres points.	

 **RAPPEL!** Il est important de ne pas suivre de séquence pendant l'exécution de la technique. Il est préférable d'évaluer tous les sites de façon aléatoire afin d'éviter que le client qui passe régulièrement cet examen retienne la séquence d'évaluation, ce qui en fausserait les résultats. Il est également important de valider les zones dites d'insensibilité en répétant l'application du monofilament deux ou trois fois sur le même site.

14. Répéter l'examen sur l'autre pied du client.	

Étapes postexécutoires	Justifications
15. **Effectuer les étapes postexécutoires communes décrites au début de cette section (page 215).**	
16. Inscrire les données recueillies au dossier du client. Remplir la fiche d'évaluation du pied diabétique et illustrer de manière visuelle les sites insensibles (colorer les sites insensibles sur un dessin du pied).	L'absence de sensibilité sur quatre points ou plus, combinée à une réponse positive aux quatre questions, représente un signe de perte de sensation protectrice chez le client.

📁 Éléments à consigner dans les notes d'évolution rédigées par l'infirmière

- La fiche d'évaluation du pied diabétique illustrant de manière visuelle les sites insensibles, s'il y a lieu.
- Les éléments d'information et d'enseignement donnés au client et son niveau de compréhension.
- La réaction du client, son niveau de tolérance et sa collaboration.
- Toute réaction anormale ou indésirable survenue pendant l'évaluation ou à la suite de celle-ci. **Il faut également transmettre cette donnée au médecin traitant et à l'infirmière responsable du client.**

Exemple

2011-05-26 10:00 Évaluation sensorielle faite avec monofilament 10 g aux deux pieds. Client a reçu l'enseignement au sujet de la procédure et collabore bien. Zones d'insensibilité constatées : pied droit, 5e orteil et 5e métatarse. Pied gauche : 5e orteil. Voir fiche d'évaluation.

Application de produits et de pansements interactifs

BUT

Déterminer les différents produits et pansements interactifs pouvant optimiser le processus de cicatrisation en fonction de la plaie du client et de ses besoins particuliers.

MATÉRIEL

■ Produits et pansements interactifs pour soin de plaies

NOTIONS DE BASE

L'infirmière doit connaître les différents pansements de même que leurs principales caractéristiques afin de maximiser l'effet du traitement. Elle doit de plus procéder à une évaluation de la circulation sanguine avant de commencer le traitement.

L'utilisation de produits et de pansements interactifs est requise lorsque le traitement en milieu humide favorise la cicatrisation. En présence d'une vascularisation pauvre ou insuffisante pour assurer la cicatrisation, un traitement en milieu sec doit être préconisé jusqu'à ce qu'on puisse procéder à une nouvelle évaluation du potentiel vasculaire de cicatrisation.

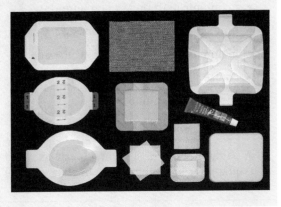

Étapes préexécutoires	Justifications
1. Effectuer les étapes préexécutoires communes décrites au début de cette section (pages 214 et 215).	
2. **ÉVALUATION** Procéder à l'évaluation vasculaire des membres supérieurs et inférieurs du client. Déterminer les facteurs pouvant nuire à la cicatrisation de la plaie, entre autres les antécédents médicaux, les habitudes de vie, etc.	Cette évaluation sert à déterminer le potentiel de cicatrisation du client, surtout lorsque la plaie se situe sur les membres inférieurs.
3. **ÉVALUATION** Évaluer l'ensemble des paramètres en lien avec la plaie : • circulation ; • étiologie/type de plaie ; • site anatomique ; • dimensions (longueur, largeur et profondeur) ; • présence d'espaces sous-jacents ; • lit de la plaie (tissus) ; • bords de la plaie ; • peau environnante ; • exsudat (quantité, qualité et odeur).	Cette évaluation permet de déterminer les caractéristiques de la plaie afin de choisir un produit ou un pansement qui pourra répondre adéquatement aux objectifs de traitement.

Étapes préexécutoires	Justifications

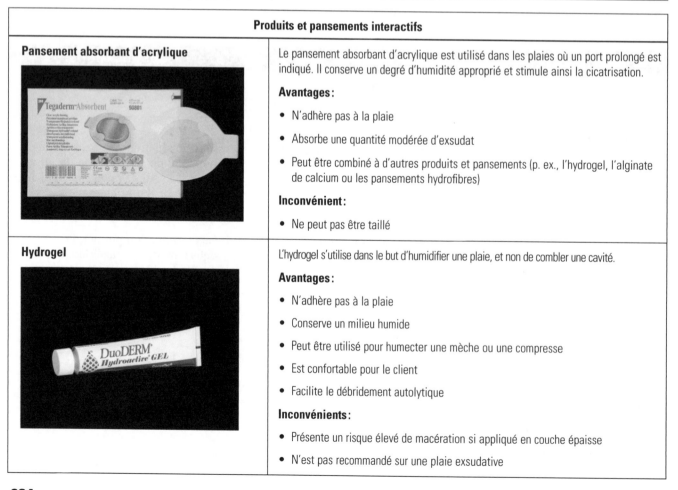

⚠ ALERTE CLINIQUE   Il ne faut jamais utiliser de pansements interactifs lorsque l'indice de pression systolique cheville-bras (IPSCB) est inférieur à 0,5.

4. ÉVALUATION Déterminer les objectifs de traitement en fonction de la plaie : • contrôler l'exsudat ; • combler l'espace mort ; • favoriser la granulation ; • protéger la peau environnante et empêcher la macération ; • minimiser la croissance bactérienne ; • maintenir le lit de la plaie humide ; • protéger les nouveaux tissus en formation ; • maintenir une température constante ; • contrôler les odeurs ; • soulager la douleur ; • prévenir l'infection.	Cette évaluation permet de sélectionner les produits et les pansements en fonction des objectifs ciblés.
5. À l'aide du tableau suivant, choisir le ou les produits et pansements requis pour le traitement de la plaie selon le stade.	Un pansement adapté au stade de la plaie optimise sa cicatrisation.

Produits et pansements interactifs	
Pansement absorbant d'acrylique	Le pansement absorbant d'acrylique est utilisé dans les plaies où un port prolongé est indiqué. Il conserve un degré d'humidité approprié et stimule ainsi la cicatrisation. **Avantages :** • N'adhère pas à la plaie • Absorbe une quantité modérée d'exsudat • Peut être combiné à d'autres produits et pansements (p. ex., l'hydrogel, l'alginate de calcium ou les pansements hydrofibres) **Inconvénient :** • Ne peut pas être taillé
Hydrogel	L'hydrogel s'utilise dans le but d'humidifier une plaie, et non de combler une cavité. **Avantages :** • N'adhère pas à la plaie • Conserve un milieu humide • Peut être utilisé pour humecter une mèche ou une compresse • Est confortable pour le client • Facilite le débridement autolytique **Inconvénients :** • Présente un risque élevé de macération si appliqué en couche épaisse • N'est pas recommandé sur une plaie exsudative

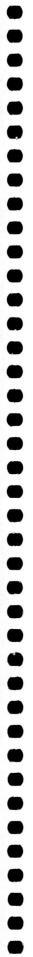

| **Hydrocolloïde** | L'hydrocolloïde est utilisé dans le but de conserver l'humidité dans une plaie. Il sert également au débridement autolytique. |

Avantages:

- N'adhère pas à la plaie
- Conserve un milieu humide
- Facilite le débridement autolytique
- Absorbe légèrement l'exsudat
- Épouse la morphologie de la plaie
- Peut être taillé (version non adhésive)
- Agit comme barrière occlusive contre l'infection

Inconvénients:

- Présente parfois une coloration et une épaisseur nuisant à l'examen visuel de la plaie
- Dégage parfois une odeur particulière au moment du retrait
- N'est pas recommandé sur une plaie colonisée de manière critique ou infectée

Mousse hydrocellulaire

La mousse hydrocellulaire est utilisée dans le cas de plaies exsudatives.

Avantages:

- N'adhère pas à la plaie
- Absorbe une quantité modérée à abondante d'exsudat
- Sert d'isolant thermique pour la plaie
- Peut être taillée (version non adhésive)

Inconvénients:

- Présente un risque de macération si non changée lorsqu'il y a saturation
- N'est pas recommandée pour une plaie sèche

Alginate de calcium

L'alginate de calcium est utilisé dans le cas de plaies très exsudatives.

Avantages:

- N'adhère pas à la plaie
- Absorbe une quantité abondante d'exsudat
- Se gélifie au contact de l'exsudat
- Possède une propriété hémostatique
- Peut être taillé

Inconvénients:

- Peut coller à la plaie en présence d'une quantité minime d'exsudat
- Dégage parfois une odeur particulière au moment du retrait
- N'est pas recommandé pour un sinus étroit ou une plaie cavitaire dont le fond n'est pas visible, ni pour une plaie sèche
- Peut assécher la plaie

Pansement hydrofibre

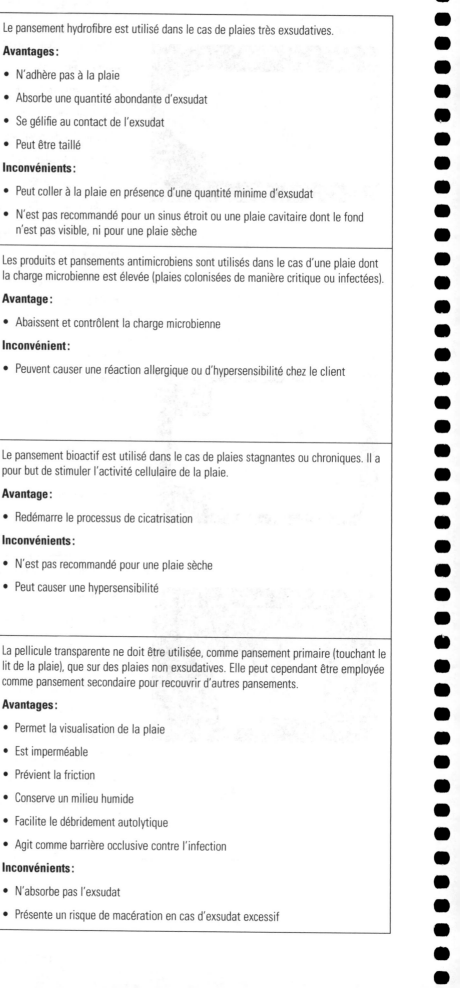

Le pansement hydrofibre est utilisé dans le cas de plaies très exsudatives.

Avantages :

- N'adhère pas à la plaie
- Absorbe une quantité abondante d'exsudat
- Se gélifie au contact de l'exsudat
- Peut être taillé

Inconvénients :

- Peut coller à la plaie en présence d'une quantité minime d'exsudat
- N'est pas recommandé pour un sinus étroit ou une plaie cavitaire dont le fond n'est pas visible, ni pour une plaie sèche

Produits et pansements antimicrobiens

Les produits et pansements antimicrobiens sont utilisés dans le cas d'une plaie dont la charge microbienne est élevée (plaies colonisées de manière critique ou infectées).

Avantage :

- Abaissent et contrôlent la charge microbienne

Inconvénient :

- Peuvent causer une réaction allergique ou d'hypersensibilité chez le client

Pansement bioactif

Le pansement bioactif est utilisé dans le cas de plaies stagnantes ou chroniques. Il a pour but de stimuler l'activité cellulaire de la plaie.

Avantage :

- Redémarre le processus de cicatrisation

Inconvénients :

- N'est pas recommandé pour une plaie sèche
- Peut causer une hypersensibilité

Pellicule transparente

La pellicule transparente ne doit être utilisée, comme pansement primaire (touchant le lit de la plaie), que sur des plaies non exsudatives. Elle peut cependant être employée comme pansement secondaire pour recouvrir d'autres pansements.

Avantages :

- Permet la visualisation de la plaie
- Est imperméable
- Prévient la friction
- Conserve un milieu humide
- Facilite le débridement autolytique
- Agit comme barrière occlusive contre l'infection

Inconvénients :

- N'absorbe pas l'exsudat
- Présente un risque de macération en cas d'exsudat excessif

Étapes préexécutoires	Justifications
RAPPEL! L'infirmière doit déterminer, de manière autonome, le plan de traitement des plaies. Cependant, elle doit posséder les connaissances requises pour le faire.	
6. Déterminer la forme et le format du pansement à utiliser en fonction du site et des dimensions de la plaie.	Un pansement doit excéder de 2,5 à 3 cm le pourtour de la plaie afin de bien adhérer à la peau environnante, ce qui permet d'éviter son décollement prématuré.

Étapes exécutoires	Justifications
7. Effectuer l'étape 8, 9, 10, 11, 12, 13, 14, 15 ou 16, selon le cas.	
▶ 8. Appliquer un pansement absorbant d'acrylique.	
▶ 9. Appliquer un hydrogel.	
▶ 10. Appliquer un hydrocolloïde.	
▶ 11. Appliquer une mousse hydrocellulaire.	
▶ 12. Appliquer de l'alginate de calcium.	
▶ 13. Appliquer un pansement hydrofibre.	
▶ 14. Appliquer des produits et des pansements antimicrobiens.	
▶ 15. Appliquer un pansement bioactif.	
▶ 16. Appliquer une pellicule transparente.	
8. Appliquer un pansement absorbant d'acrylique (p. ex., Tegaderm[MD]).	
8.1 Appliquer le pansement absorbant d'acrylique directement sur la plaie, à partir du centre de la plaie vers la périphérie.	
8.2 Changer le pansement au besoin selon l'évolution et les caractéristiques de la plaie. Ce pansement peut être laissé en place pendant une longue période (jusqu'à trois semaines). Passer à l'étape 17.	
9. Appliquer un hydrogel (p. ex., Duoderm[MD], IntraSite Gel[MD], Normgel[MD]).	
9.1 Appliquer, de manière stérile, une mince couche d'hydrogel sur le lit de la plaie.	
9.2 Éviter le débordement sur la peau environnante.	
9.3 Recouvrir l'hydrogel d'un pansement secondaire (p. ex., Telfa[MD]).	
9.4 Appliquer le produit tous les jours ou laisser en place jusqu'à quatre jours selon le degré d'humidité de la plaie.	
9.5 Retirer complètement le produit au moment du nettoyage de la plaie. Passer à l'étape 17.	
10. Appliquer un hydrocolloïde (p. ex., Duoderm[MD], NuDerm[MD], Tegaderm hydrocolloïde[MD]).	

Étapes exécutoires	Justifications
10.1 Sécher la peau environnante, au besoin.	L'hydrocolloïde adhère mieux sur une peau sèche.
10.2 Appliquer l'hydrocolloïde à partir du centre de la plaie vers la périphérie.	
10.3 Changer l'hydrocolloïde aux trois à sept jours selon le degré d'humidité de la plaie.	
10.4 Retirer délicatement l'hydrocolloïde en évitant toute forme de tension sur la peau.	
10.5 Ne pas recouvrir d'un autre pansement. Passer à l'étape 17.	

ALERTE CLINIQUE Un hydrocolloïde doit être renouvelé si l'exsudat absorbé (qui peut blanchir l'apparence de l'hydrocolloïde) dépasse le diamètre initial de la plaie. Sinon, le risque de macération devient plus grand. Le produit devrait être maintenu en place pendant au moins trois jours.

Étapes exécutoires	Justifications
11. Appliquer une mousse hydrocellulaire (p. ex., Allevyn^{MD}, Biatain^{MD}, Mepilex^{MD}).	
11.1 Appliquer la mousse hydrocellulaire directement sur la plaie ou sur un pansement primaire.	
11.2 Fixer le pansement avec du matériel de fixation (Hypafix^{MD}, pellicule transparente ou autre) si l'on utilise une version non adhésive.	
11.3 Changer le pansement tous les jours ou laisser en place jusqu'à quatre jours selon la quantité d'exsudat drainée.	
11.4 Ne pas recouvrir d'un autre pansement. Passer à l'étape 17.	
12. Appliquer de l'alginate de calcium (p. ex., Calcicare^{MD}, Kaltostat^{MD}, Melgisorb^{MD}, NuDerm Alginate^{MD}).	
12.1 Appliquer l'alginate de calcium sur la plaie ou dans la cavité.	
12.2 Recouvrir l'alginate de calcium d'un pansement secondaire.	
12.3 Changer l'alginate de calcium et le pansement deux fois par jour ou les laisser en place jusqu'à ce que le pansement soit saturé. Passer à l'étape 17.	
13. Appliquer un pansement hydrofibre (p. ex., Aquacel^{MD} Hydrofiber).	
13.1 Appliquer le pansement hydrofibre sur la plaie ou dans la cavité en le laissant déborder de 2 cm sur la peau au pourtour de la lésion.	Le pansement se contracte légèrement lorsqu'il absorbe l'exsudat.
13.2 Recouvrir le pansement hydrofibre d'un pansement secondaire.	

Étapes exécutoires	Justifications
13.3 Changer le pansement deux fois par jour ou laisser en place jusqu'à ce qu'il soit saturé. Passer à l'étape 17.	
14. Appliquer des produits et des pansements antimicrobiens (p. ex., Acticoat^{MD}, Aquacel Ag^{MD}, Silvercel^{MD}, Tegaderm Ag Mesh^{MD}).	
14.1 Suivre les directives du fabricant relatives à l'emploi des différents produits et pansements antimicrobiens à base d'iode (p. ex., Iodosorb^{MD}) ou d'argent. Passer à l'étape 17.	Il est important de respecter les directives du fabricant, car certains produits ont des exigences particulières (p. ex., être activés avec de l'eau stérile).

 **LERTE CLINIQUE** Certains établissements de santé utilisent les pansements antimicrobiens sous ordonnance médicale seulement. Il importe donc de se référer au protocole en vigueur dans l'établissement.

Étapes exécutoires	Justifications
15. Appliquer un pansement bioactif (p. ex., Promogran^{MD}, Tegaderm Matrix^{MD}).	
15.1 Découper le pansement bioactif en fonction des dimensions de la plaie.	
15.2 Appliquer le pansement bioactif directement dans la plaie.	
15.3 Recouvrir le pansement bioactif d'un pansement secondaire. Passer à l'étape 17.	
16. Appliquer une pellicule transparente (p. ex., Mepore^{MD} Film, Opsite^{MD}).	
16.1 Sécher la peau environnante, au besoin.	La pellicule adhère mieux sur une peau sèche.
16.2 Appliquer la pellicule transparente à partir du centre de la plaie vers la périphérie.	
16.3 Changer le pansement aux trois à sept jours.	
16.4 Retirer la pellicule transparente en l'étirant de manière parallèle à la peau.	Retirer la pellicule ainsi évite une sensation désagréable au client ainsi qu'une lésion de la peau.

 **LERTE CLINIQUE** Il faut éviter de former des replis lorsqu'on applique une pellicule transparente, car cela pourrait entraîner une fuite ou une infiltration de liquide.

Étapes exécutoires	Justifications
17. Réviser périodiquement le plan de traitement relatif à la plaie.	Une révision du plan de traitement peut être réalisée aux quatre à sept jours afin d'évaluer l'efficacité et les bénéfices du traitement choisi.

Étapes postexécutoires	Justifications
18. Effectuer les étapes postexécutoires communes décrites au début de cette section (page 215).	

 Éléments à consigner dans les notes d'évolution rédigées par l'infirmière

- Les produits et les pansements utilisés.
- La forme et le format du pansement.
- L'heure et la fréquence du changement de pansement.
- La réaction du client et sa collaboration.
- Toute réaction anormale ou indésirable survenue pendant les soins ou à la suite de ceux-ci. **Il faut également transmettre cette donnée au médecin traitant et à l'infirmière responsable du client.**

Exemple

2011-05-28 14:00 *Pansement de Mme Douglas refait : nettoyage de la plaie avec une solution de NaCl 0,9 % à l'aide d'une seringue de 30 ml et d'une aiguille de calibre 18 ; application d'une feuille d'alginate de calcium 10 × 10 cm sur le lit de la plaie ; application d'un pansement de mousse hydrocellulaire autoadhésif de 12,5 × 12,5 cm sur le pansement d'alginate de calcium.*

Notes personnelles

_____

_____

_____

_____

_____

_____

_____

_____

_____

_____

_____

_____

_____

_____

_____

_____

_____

_____

Culture de plaie par écouvillonnage

BUT

Déterminer la charge microbienne et identifier les agents pathogènes présents dans le lit d'une plaie afin d'établir la pharmacothérapie appropriée.

NOTIONS DE BASE

La culture de plaie par écouvillonnage est un examen non effractif qui sert à déterminer la charge microbienne et ses composantes et à confirmer le processus infectieux présent dans le lit de la plaie. Elle peut être réalisée sous ordonnance médicale individuelle ou collective et ne devrait pas être utilisée d'emblée en soin des plaies.

Avant de procéder, il est important de bien comprendre les différentes étapes du processus infectieux :

1. Contamination : présence de bactéries ne nuisant pas à la cicatrisation.
2. Colonisation : les bactéries se multiplient en petits groupes, mais sans causer de lésions à l'hôte ; toutes les plaies chroniques sont colonisées.
3. Colonisation critique : charge microbienne évolutive ; colonisation provoquant des lésions. Présence des signes suivants : augmentation de la douleur, des tensions et de l'exsudat, tissu de granulation friable, échec de la guérison.
4. Infection locale : odeur nauséabonde, pus, érythème de la peau environnante, augmentation de la température, de la douleur et des écoulements.
5. Infection systémique.

MATÉRIEL

- Écouvillon stérile
- Matériel de nettoyage (en fonction du type de plaie)
- Étiquette d'identification
- Requête d'analyse de laboratoire

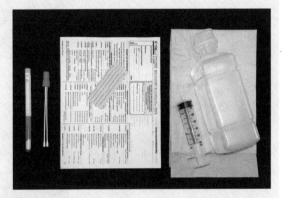

Étapes préexécutoires	Justifications
1. **Effectuer les étapes préexécutoires communes décrites au début de cette section (pages 214 et 215).**	
2. Retirer le pansement existant, le cas échéant.	
3. Au besoin, préparer le lit de la plaie en retirant les tissus nécrotiques qui le recouvrent par la technique de débridement.	Le résultat d'une culture de plaie réalisée sur un tissu nécrotique est faussé, car ce type de tissu présente une charge microbienne omniprésente.

 Le retrait des tissus nécrotiques est fait par débridement. Certaines méthodes de débridement sont réservées à des infirmières spécialisées. Il importe de se référer aux normes en vigueur dans l'établissement.

Étapes exécutoires	Justifications
4. Procéder au nettoyage de la plaie à l'aide du matériel approprié ▶ ⬛ I – MS 11.4 .	Le nettoyage doit toujours être fait avant le prélèvement, car les agents recherchés sont ceux qui adhèrent au lit de la plaie.
5. Déterminer une zone de 1 cm² sur le lit de la plaie. Cette zone est appelée « zone de prélèvement ».	Cette zone ciblée sert de lieu précis de culture. Une petite zone est nécessaire afin que l'écouvillon ne touche qu'à un endroit unique facilement repérable.
6. Ouvrir l'emballage contenant l'écouvillon et le retirer en le manipulant par l'extrémité non recouverte de coton. Éviter de toucher à l'extrémité recouverte de coton.	Cette précaution évite de contaminer l'écouvillon et d'ainsi fausser les résultats.
7. Déposer l'extrémité recouverte de coton sur la zone de prélèvement de 1 cm² et appuyer légèrement.	La légère pression exercée permet de faire sortir une petite quantité d'exsudat de la plaie.
8. Faire tourner l'écouvillon sur lui-même (rotation de 360°), en le laissant toujours au même endroit dans la zone de prélèvement.	L'écouvillon ne doit pas être déplacé dans la plaie; il doit seulement tourner sur lui-même.
9. Insérer doucement l'écouvillon dans son emballage plastifié en évitant tout contact de l'extrémité recouverte de coton avec les doigts, la surface extérieure de l'emballage et tout autre objet. Le cas échéant, refaire le prélèvement. Fermer hermétiquement l'emballage.	Tout contact de l'écouvillon avec un objet le contamine.

Étapes postexécutoires	Justifications
10. Apposer sur l'emballage du prélèvement une étiquette portant le nom du client (après vérification de son bracelet).	
11. Remplir une requête d'analyse de laboratoire. Indiquer, s'il y a lieu, la présence d'une antibiothérapie ou l'utilisation de pansements ou de produits de soin des plaies antimicrobiens (pansements à base d'argent, de cadexomère d'iode, etc.) chez le client ainsi que le type et le site de la plaie, si possible.	La prise d'un antibiotique, peu importe sa voie d'administration, est une donnée importante pour l'analyse du spécimen par le laboratoire.

Étapes postexécutoires	Justifications
12. Acheminer le plus rapidement possible l'échantillon au laboratoire pour l'analyse.	
13. Inscrire au dossier du client qu'une culture de plaie par écouvillonnage a été réalisée.	Cette inscription est nécessaire afin d'assurer le suivi périodique du client. Le plan thérapeutique infirmier (PTI) doit être rempli et ajusté en fonction du résultat de la culture par écouvillonnage.

RAPPEL! Le résultat de la culture par écouvillonnage peut prendre de 24 à 72 heures avant de se retrouver au dossier du client. Un suivi infirmier et médical devra alors être mis en place.

14. Effectuer les étapes postexécutoires communes décrites au début de cette section (page 215).	

📁 Éléments à consigner dans les notes d'évolution rédigées par l'infirmière

- La date et l'heure du prélèvement.
- La couleur, l'odeur et toute autre caractéristique de l'exsudat.
- La réaction du client et sa collaboration.
- Toute réaction anormale ou indésirable survenue pendant ou après la procédure. **Il faut également transmettre cette donnée au médecin traitant et à l'infirmière responsable du client.**

Exemple

2011-05-28 10:15   Culture par écouvillonnage faite dans une lésion de pression au stade III située au pli interfessier. Signes cliniques présents lors de la culture: rougeur importante au pourtour de la plaie, chaleur au toucher, légère douleur à 2/10 selon le client et léger œdème. À la suite de l'évaluation de la plaie, un exsudat verdâtre a souillé un pansement de mousse hydrocellulaire 10 × 10 cm. Procédure expliquée au client, nettoyage de la plaie fait avec NaCl 0,9 % à l'aide d'une seringue 30 ml avant la culture. L'ensemble de la procédure a été bien toléré par le client.

Notes personnelles

_____

_____

_____

_____

_____

_____

_____

_____

_____

_____

_____

_____

Méthodes liées à l'administration de produits sanguins

AVIS
Les méthodes de cette section sont conformes aux meilleures pratiques qui ont actuellement cours dans le milieu hospitalier québécois et canadien. Elles seront mises à jour selon toute nouvelle directive émise par les autorités compétentes et rendues aussitôt disponibles dans le site www.cheneliere.ca/lewis.

Étapes préexécutoires communes de la section 8

Ces étapes constituent les considérations et les actions préexécutoires communes aux méthodes liées à l'administration de produits sanguins. Elles assurent l'application appropriée des principes de soins et sont regroupées en début de section afin d'alléger le texte de chacune des méthodes.

Étapes préexécutoires communes	Justifications
1. Effectuer les étapes préexécutoires générales décrites au début du guide (pages 1 et 2).	
2. Vérifier l'ordonnance médicale au dossier du client.	L'ordonnance médicale indique le produit et la quantité à administrer, la vitesse de perfusion et les médicaments devant être administrés avant ou après la transfusion.
3. **ÉVALUATION** Vérifier si le client a déjà reçu des produits sanguins (culot globulaire, concentré plaquettaire, plasma, albumine ou immunoglobuline). Dans l'affirmative, lui demander s'il a eu des réactions indésirables à la suite de l'administration de ces produits. S'il s'agit d'une cliente, vérifier si elle a déjà été enceinte ou subi un avortement.	Un client ayant déjà fait une réaction transfusionnelle est plus à risque d'en faire une autre. Durant la grossesse, l'interaction du sang de la mère avec celui du fœtus génère le développement d'anticorps. Le risque de réactions indésirables est donc plus élevé chez la femme ayant eu une grossesse.
4. S'assurer que le client ou son mandataire est bien informé des raisons justifiant l'administration de produits sanguins et des risques potentiels. Lui faire signer le formulaire de consentement, s'il y a lieu.	Cette information permet au client ou à son mandataire de prendre une décision éclairée quant au fait de recevoir ou non des produits sanguins. Plusieurs établissements exigent un consentement écrit de la part du client ou de son mandataire avant de procéder à l'administration de produits sanguins.
5. Prendre les signes vitaux du client (P.A., P, R, T° et SpO_2) avant, pendant et après l'administration de produits sanguins. Consigner les données recueillies à son dossier ou sur la feuille de signes vitaux.	Cette mesure fournit des données de référence sur les signes vitaux du client et permet d'évaluer leur modification en cas de réaction transfusionnelle. Si le client présente une température au-dessus de 38,5 °C, aviser le médecin avant de procéder à la transfusion.
6. Effectuer un prélèvement sanguin afin de déterminer le groupe sanguin et le facteur rhésus du client. L'acheminer au laboratoire avec la requête dûment remplie.	La détermination du groupe sanguin du client permet de vérifier la compatibilité de son sang avec les produits sanguins à administrer.

Étapes préexécutoires communes	Justifications
7. Remplir le formulaire de demande de produit sanguin en se référant à la carte d'identité du client. Procéder à une double vérification de l'identité du client.	Cette procédure permet d'éviter les erreurs et prévient le risque d'apparition de réactions transfusionnelles liées à une mauvaise identification du client.
8. **ÉVALUATION** Évaluer la présence ou le risque de surcharge circulatoire chez le client.	L'administration de produits sanguins augmente le volume de liquide circulatoire, d'où un risque de surcharge chez le client présentant une insuffisance cardiaque, rénale ou respiratoire.
9. S'assurer de la présence d'un accès veineux perméable. Sinon, installer une perfusion primaire en utilisant un cathéter intraveineux du plus gros calibre possible (de 16 à 22).	La perfusion primaire maintient un accès vasculaire en permanence, permettant de réagir rapidement en cas de réaction transfusionnelle. Il est recommandé de toujours administrer les produits sanguins en perfusion secondaire.
10. Se rendre à la banque de sang et apporter la feuille sur laquelle sont indiqués le nom du client (copie de la carte d'identité avec adresse) et ses numéros de dossier et de chambre.	Ces indications permettent d'établir la corrélation entre l'identité du client et le produit sanguin.

⚠ **ALERTE CLINIQUE** Le culot globulaire, le concentré plaquettaire et le plasma doivent être administrés le plus tôt possible après leur retrait de la banque de sang.

11. Noter le volume contenu dans le sac de produit sanguin et l'inscrire sur la feuille de bilan.	Cette donnée permet de déterminer approximativement le temps d'administration du produit.
12. Vérifier les éléments énumérés ci-dessous et demander à une autre infirmière de vérifier à son tour les données inscrites sur le sac ou la bouteille de produit sanguin, le bordereau d'émission de produit et l'ordonnance médicale : • nom, prénom et numéro de dossier du client ; • bracelet, carte d'assurance maladie ou carte d'hôpital ; • nom du produit ; • groupe sanguin ABO/Rh (lorsque applicable) ; • numéro de don ou de lot ; • date et heure d'expiration ; • aspect du produit et de son emballage. À la suite de la vérification, noter la date et l'heure de celle-ci, et signer le bordereau d'émission de produit sanguin. Demander à l'autre infirmière de faire de même.	Cette double vérification est obligatoire. Elle permet d'assurer l'administration du bon produit sanguin au bon client. L'administration d'un produit sanguin non destiné au client peut entraîner des conséquences très graves, voire mortelles, telle une réaction hémolytique aiguë en cas d'incompatibilité entre le sang du donneur et celui du receveur. Un produit dont la date limite d'utilisation est dépassée est considéré comme contaminé en raison de la prolifération bactérienne. En cas d'erreur, la responsabilité sera imputée à l'infirmière qui aura effectué la transfusion.

Administration d'un culot globulaire

Vidéo

BUT

Corriger un taux
d'hémoglobine jugé trop bas.

Suppléer à un déficit ou à une
perte importante de sang.

MATÉRIEL

- Culot globulaire prescrit
- Sac de solution de NaCl 0,9 %
  (250 ml)
- Tubulure de transfusion avec
  filtre 170 à 260 microns
- Bordereau d'émission de
  produit sanguin

- Gants non stériles
- Tampons d'alcool 70 %
- Sac biorisque
- Sac à déchets biomédicaux
- Aiguille de calibre 16 à 20

NOTIONS DE BASE

L'administration d'un culot globulaire requiert une surveillance étroite afin de pouvoir dépister
rapidement toute réaction transfusionnelle indésirable chez le client.

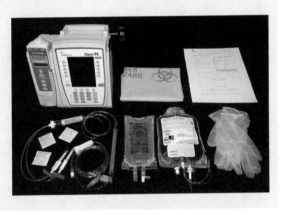

ALERTE CLINIQUE On ne peut administrer simultanément aucune autre substance ou aucun autre médicament par la
même voie que celle utilisée pour l'administration du culot globulaire en raison du risque
d'incompatibilité.

Étapes préexécutoires	Justifications
1. **Effectuer les étapes préexécutoires communes décrites au début de cette section (pages 245 et 246).**	
2. Prendre les signes vitaux.	Les signes vitaux enregistrés à ce moment serviront de valeurs de référence pendant la transfusion.
Si le client présente une température au-dessus de 38,5 °C, aviser le médecin avant d'administrer le culot globulaire.	Une température élevée peut être une contre-indication à une transfusion.

ALERTE CLINIQUE En cas d'une modification des signes vitaux en cours de transfusion, l'infirmière doit surveiller
étroitement le client afin de déceler rapidement toute réaction transfusionnelle.

Étapes exécutoires	Justifications
3. Fermer les deux presse-tubes à glissière et le régulateur de débit de la tubulure de transfusion.	Cette mesure évite que les solutions s'écoulent de façon incontrôlée, ce qui entraînerait la formation de bulles d'air.
4. Déposer le sac de solution de NaCl 0,9 % sur le comptoir de l'utilité propre. Retirer la gaine protectrice du site d'insertion du sac. Maintenir le site d'insertion entre le pouce et l'index de la main non dominante.	La gaine protectrice maintient la stérilité du site d'insertion.
5. Retirer le capuchon protecteur de la fiche perforante destinée au sac de solution de NaCl 0,9 % et l'insérer dans le site d'insertion de celui-ci, tout en préservant la stérilité de la fiche et du site d'insertion.	La fiche perforante et le site d'insertion du sac de NaCl 0,9 % doivent demeurer stériles afin de ne pas contaminer la solution contenue dans le sac. La solution de NaCl 0,9 % servira à faire le vide d'air de la tubulure.
6. Mettre des gants non stériles.	Le port de gants évite les contacts directs avec le sang et la transmission de microorganismes pathogènes.
7. Déposer le sac de culot globulaire sur le comptoir de l'utilité propre et retirer la gaine protectrice du site d'insertion du sac. Maintenir le site d'insertion entre le pouce et l'index de la main non dominante.	
8. Retirer le capuchon protecteur de la fiche perforante destinée au sac de culot globulaire et l'insérer dans le site d'insertion de celui-ci, tout en préservant la stérilité de la fiche et du site d'insertion. Suspendre les sacs de solution de NaCl 0,9 % et de culot globulaire à une tige à perfusion.	
9. Retirer les gants et les jeter dans le sac à déchets biomédicaux.	Jeter les gants dans un tel sac évite la propagation de microorganismes pathogènes.

Étapes exécutoires	Justifications

10. Ouvrir le presse-tube à glissière situé sous le sac de NaCl 0,9 %.

⚠️ **ALERTE CLINIQUE** La solution de NaCl 0,9 % constitue la seule perfusion compatible avec le culot globulaire. Les solutions de Lactate Ringer^{MD} et de dextrose 5 % pourraient détruire une partie des érythrocytes.

---

11. Comprimer et relâcher doucement la chambre compte-gouttes jusqu'à ce que le filtre soit complètement submergé.

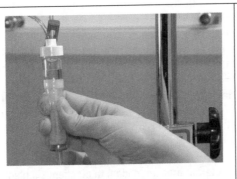

Si la chambre compte-gouttes est trop remplie, pincer la tubulure sous la chambre, renverser le sac de perfusion et comprimer la chambre compte-gouttes.

	Le relâchement de la pression produit un effet de succion qui permet au liquide d'entrer dans la chambre compte-gouttes. Le filtre doit être complètement imbibé de solution de NaCl 0,9 %. Ainsi, le sang administré entre d'abord en contact avec la solution de NaCl 0,9 % plutôt que de frapper la paroi du filtre, ce qui pourrait entraîner l'hémolyse des globules rouges. L'orifice de stillation ne doit jamais être submergé afin que l'on puisse calibrer le débit de la perfusion.

---

12. En présence de bulles d'air dans le filtre, donner des chiquenaudes sur la chambre afin de les faire remonter au-dessus du filtre.

L'accumulation de grosses bulles d'air peut provoquer une embolie gazeuse.

---

13. Ouvrir le régulateur de débit situé sous la chambre compte-gouttes et compléter le vide d'air de la tubulure et de la dérivation en Y avec la solution de NaCl 0,9 %.

Une fois le filtre submergé, le vide d'air de la tubulure s'effectue de la même façon que pour les autres tubulures. À partir de ce moment, la solution de NaCl 0,9 % ne sera plus utilisée, sauf pour rincer la tubulure à la fin de la transfusion du culot.

---

14. Fermer le presse-tube à glissière du sac de NaCl 0,9 % et le régulateur de débit situé sous la chambre compte-gouttes. Remettre le capuchon protecteur sur l'embout raccord mâle de la tubulure de transfusion ou y ajointer une aiguille.

Vérifier la présence de bulles d'air dans la tubulure. Le cas échéant, les déloger en donnant des chiquenaudes sur celle-ci.

Étapes exécutoires	Justifications
15. Ouvrir le presse-tube à glissière du sac de culot globulaire et le régulateur de débit situé sous la chambre compte-gouttes. Laisser le culot globulaire s'écouler jusqu'à ce qu'il atteigne le filtre de la chambre compte-gouttes. Au besoin, retirer le capuchon du raccord mâle de la tubulure ou de l'aiguille pour faciliter l'écoulement.	Cette façon de faire évite d'administrer un surplus de liquide au client.
16. Fermer le presse-tube à glissière du sac de culot globulaire et le régulateur de débit situé sous la chambre compte-gouttes. Le cas échéant, replacer le capuchon sur l'embout raccord mâle ou sur l'aiguille.	
17. Se rendre au chevet du client avec les deux sacs et la tubulure. Suspendre les sacs et la tubulure à la tige à perfusion et déposer l'embout raccord mâle de la tubulure à la portée de la main.	Le culot globulaire est généralement administré par gravité.

RAPPEL! Chez l'adulte, le culot globulaire s'administre généralement par gravité. Utiliser une pompe volumétrique et la tubulure pour pompe avec filtre de 170 microns pour administrer des produits sanguins aux clients souffrant d'une insuffisance cardiaque ou rénale, aux enfants, ainsi qu'aux clients porteurs d'un accès veineux central.

18. Demander au client son nom et sa date de naissance. Avec l'assistance d'une autre infirmière, comparer ces renseignements avec ceux inscrits sur le bracelet d'identité du client et sur le bordereau d'émission de produit sanguin.	Cette double vérification permet d'éviter une erreur d'identification et d'administration du produit.

RAPPEL! Il est important d'apporter un bracelet d'identité au client s'il n'en a pas ou si le sien est décoloré. On ne doit pas vérifier le nom du client uniquement de façon verbale en raison du risque d'erreur (p. ex., chez un client confus).

19. À la suite de cette vérification, signer le bordereau d'émission de produit sanguin et demander à l'autre infirmière présente de signer sa partie.	Les deux signatures confirment que l'identité du client a été doublement vérifiée et que le produit sanguin correspond aux renseignements inscrits sur le bordereau d'émission.
20. Vérifier la perméabilité du cathéter intraveineux en pinçant la tubulure de la perfusion primaire jusqu'à l'apparition d'un retour veineux.	Un retour veineux doit toujours être constaté avant de procéder à l'administration d'un produit sanguin par cette voie. Cette vérification prévient l'administration de la solution hors de la veine.
21. Saisir la dérivation en Y proximale de la tubulure de la perfusion primaire. Désinfecter le dessus du bouchon de la dérivation en Y avec un tampon d'alcool 70 % pendant 15 secondes. Prendre un autre tampon d'alcool et désinfecter le pourtour du bouchon pendant 15 secondes. Laisser sécher au moins 30 secondes.	L'emplacement de cette dérivation permet d'administrer le culot globulaire de façon plus directe dans la veine. La désinfection évite l'introduction de microorganismes pathogènes dans la circulation sanguine. Un délai minimal de 30 secondes est nécessaire pour que l'alcool produise son effet désinfectant.

Étapes exécutoires	Justifications
22. Retirer le capuchon protecteur ou l'aiguille de l'embout raccord mâle de la tubulure du culot globulaire et ajointer l'embout au système sans aiguille de la dérivation en Y sans le contaminer. Dans le cas d'un système avec aiguille, retirer le capuchon protecteur de l'aiguille et insérer cette dernière au centre de la membrane de la dérivation en Y.	L'utilisation d'un système sans aiguille est privilégiée, car celui-ci diminue le risque de piqûre accidentelle.
23. Déplacer le régulateur de débit de la tubulure de la perfusion primaire le plus près possible du Y proximal et le fermer.	Cette façon de procéder permet d'éviter le reflux du culot globulaire dans la tubulure de la perfusion primaire.
24. Ouvrir le presse-tube à glissière du sac de culot globulaire et le régulateur de débit situé sous la chambre compte-gouttes.	Les deux doivent être ouverts afin de permettre l'administration du culot globulaire.
25. Régler le débit de la transfusion entre 100 et 120 ml/h pour les 15 premières minutes (généralement 30 gtt/min avec un dispositif calibré à 10 gtt/ml). Si le culot n'est pas administré avec une pompe volumétrique, utiliser la formule ci-dessous pour calculer le débit. $$\frac{\text{Quantité à administrer en ml}}{\text{Durée en min}} \times \frac{\text{Nombre de gtt selon le calibre du perfuseur}}{1\ \text{ml}} = \text{Nombre de gtt/min}$$	Les réactions transfusionnelles se produisant généralement dans les 15 premières minutes d'administration, il est recommandé de commencer la transfusion par un débit plus lent.

ALERTE CLINIQUE Il est important de demeurer au chevet du client pendant les **15** premières minutes de la transfusion. En cas de réactions transfusionnelles indésirables : arrêter immédiatement la transfusion et démarrer la perfusion primaire, prendre les signes vitaux et aviser le médecin et la banque de sang. Par la suite, remplir le *Rapport d'incident-accident transfusionnel* et retourner le sac de culot à la banque de sang dans un sac biorisque avec la partie détachable du bordereau d'émission de produit sanguin remplie.

26. Après 15 minutes, reprendre les signes vitaux et les comparer à ceux pris avant l'installation du culot globulaire. En l'absence d'effets indésirables, augmenter le débit entre 100 et 140 ml/h afin de respecter le délai d'administration.	Le temps d'administration recommandé pour un culot globulaire varie entre deux et trois heures, ou selon l'ordonnance médicale. Après quatre heures, le culot est considéré comme contaminé. Il doit alors être retiré et retourné à la banque de sang.

Étapes exécutoires	Justifications
27. Prendre les signes vitaux toutes les heures pendant toute la durée de l'administration.	Cette vérification permet de déceler tout changement dans l'état de santé du client et de prévenir l'apparition de réactions indésirables.
28. Lorsque l'administration du culot globulaire est terminée, fermer le presse-tube à glissière du sac de culot globulaire et ouvrir celui du sac de solution de NaCl 0,9 % afin de procéder au rinçage de la tubulure de transfusion.	Cette procédure permet d'administrer le culot encore présent dans la tubulure de transfusion.
29. Une fois la tubulure rincée, fermer le presse-tube à glissière du sac de solution de NaCl 0,9 % et le régulateur de débit situé sous la chambre compte-gouttes.	Cette mesure évite l'écoulement de solution au moment du retrait de la tubulure.
30. Ouvrir le régulateur de débit de la perfusion primaire et régler le débit selon l'ordonnance médicale.	Le débit de perfusion doit respecter l'ordonnance médicale.
31. Mettre des gants non stériles.	Le port de gants évite les contacts directs avec le sang et la transmission de microorganismes pathogènes.
32. Disjoindre la tubulure de transfusion de celle de la perfusion primaire. Retirer le sac de culot globulaire et le mettre dans le sac biorisque. Jeter la tubulure et le sac de solution de NaCl 0,9 % dans le sac à déchets biomédicaux. Retirer les gants et les jeter dans le sac à déchets biomédicaux.	Jeter ces articles dans un tel sac permet d'éliminer de façon sécuritaire les déchets ayant été en contact avec des produits sanguins.
33. **ÉVALUATION** Une fois le culot administré, prendre les signes vitaux et évaluer l'état général du client une heure après. Si le client manifeste une réaction indésirable maintenir la surveillance.	Cette vérification permet de détecter l'apparition d'une réaction transfusionnelle tardive.
34. Garder le sac de culot globulaire à l'étage dans le sac biorisque pour une période de quatre heures.	En cas de réaction allergique ou transfusionnelle tardive chez le client, le sang encore présent dans le sac de culot pourra être analysé.
Si aucune réaction n'apparaît pendant cette période, jeter le sac de culot globulaire dans le sac à déchets biomédicaux. En cas de réaction transfusionnelle, retourner le culot au laboratoire.	Jeter le sac de culot globulaire dans un tel sac permet d'éliminer de façon sécuritaire les déchets de produits sanguins.

Étapes postexécutoires	Justifications
35. Effectuer les étapes postexécutoires générales décrites au début du guide (pages 3 et 4).	

📁 **Éléments à consigner dans les notes d'évolution rédigées par l'infirmière**

■ Les heures de la prise des signes vitaux (avant, pendant et après l'administration) et les résultats.

■ La date et l'heure du début et de la fin de la transfusion.

■ Le numéro de lot des unités de culot globulaire transfusées.

■ Le débit de la transfusion et les modifications, le cas échéant.

■ L'état du client avant, pendant et après l'administration, et sa réaction.

■ La reprise de la perfusion primaire, s'il y a lieu.

■ Les réactions transfusionnelles, le cas échéant, et les interventions effectuées ; si le client n'a présenté aucune réaction, il faut aussi le mentionner. **Il faut également transmettre ces données au médecin traitant et à l'infirmière responsable du client.**

Exemple

Client a)   2011-05-25   13:40   P.A. 138/78 ; P 88 ; R 22 ; T° 37, 2 °C ; SpO_2 96 %.

13:50   Culot globulaire A+ n° 268N861 installé à l'avant-bras gauche avec cathéter de calibre 18.

14:00   P.A. 140/82 ; P 80 ; R 22 ; T° 37, 2 °C ; SpO_2 96 %. Débit de la transfusion à 100 ml/h.

15:45   Transfusion terminée, aucune réaction transfusionnelle.

Client b)   2011-05-25   11:20   Dextrose 5 % en cours à 80 ml/h.

11:25   P.A. 138/86 ; P 90 ; R 24 ; T° 37,1 °C ; SpO_2 95 %. Dextrose 5 % remplacé par solution de NaCl 0,9 %.

11:30   Transfusion de culot globulaire groupe O+ n° 438709754 commencée.

11:35   Apparition de plaques rouges ++ aux deux bras et au cou ; le client se plaint de prurit et de bouffées de chaleur. P.A. 140/92 ; P 94 ; R 24 ; T° 37, 6 °C ; SpO_2 97 %. Transfusion arrêtée, perfusion de solution de NaCl 0,9 % administrée à 100 ml/h.

11:45   Dʳ Ambroise avisé.

11:50   Diphenhydramine 50 mg 1 co. P.O.

12:15   P.A. 136/86 ; P 84 ; R 22 ; T° 37, 3 °C ; SpO_2 97 %. Plaques rouges + disparaissant progressivement ; le client dit que les démangeaisons sont moins prononcées.

Notes personnelles

MS 8.2

Administration de concentré plaquettaire ou de plasma

BUT

Concentré plaquettaire

Corriger ou prévenir les saignements consécutifs à une thrombocytopénie ou à une thrombopathie.

Plasma

Rétablir un taux adéquat des facteurs de coagulation (sauf les facteurs V, VII, et de von Willebrand).

MATÉRIEL

- Sac de concentré plaquettaire ou de plasma
- Sac de solution de NaCl 0,9 % (250 ml)
- Tubulure de transfusion avec filtre 170 à 260 microns
- Bordereau d'émission de produit sanguin
- Gants non stériles
- Tampons d'alcool 70 %
- Sac biorisque
- Sac à déchets biomédicaux

NOTIONS DE BASE

L'administration de concentré plaquettaire et de plasma requiert une surveillance étroite afin de pouvoir dépister rapidement toute réaction transfusionnelle indésirable chez le client.

Les concentrés plaquettaires sont composés d'une suspension, dans une faible quantité de plasma, de plaquettes extraites d'un sac de sang total.

En plus d'offrir des facteurs stables de coagulation, le plasma constitue une excellente source de protéines plasmatiques.

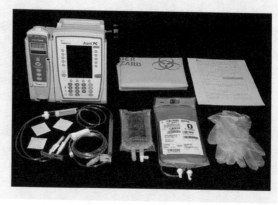

On ne peut administrer simultanément aucune autre substance ou aucun autre médicament par la même voie que celle utilisée pour l'administration de concentré plaquettaire ou de plasma en raison du risque d'incompatibilité.

Étapes préexécutoires	Justifications
1. **Effectuer les étapes préexécutoires communes décrites au début de cette section (pages 245 et 246).**	
2. Prendre les signes vitaux.	Les signes vitaux enregistrés à ce moment serviront de valeurs de référence pendant l'administration de concentré plaquettaire ou de plasma.
Si le client présente une température au-dessus de 38,5 °C, aviser le médecin avant d'administrer le concentré plaquettaire ou le plasma.	Une température élevée peut être une contre-indication à l'administration de concentré plaquettaire ou de plasma.

![triangle] **ALERTE CLINIQUE** En cas d'une modification des signes vitaux en cours de transfusion, l'infirmière doit surveiller étroitement le client afin de déceler rapidement toute réaction transfusionnelle.	

Étapes exécutoires	Justifications
3. Fermer les deux presse-tubes à glissière et le régulateur de débit de la tubulure de transfusion.	Cette mesure évite que les solutions s'écoulent de façon incontrôlée, ce qui entraînerait la formation de bulles d'air.
4. Déposer le sac de solution de NaCl 0,9 % sur le comptoir de l'utilité propre. Retirer la gaine protectrice du site d'insertion du sac. Maintenir le site d'insertion entre le pouce et l'index de la main non dominante.	La gaine protectrice maintient la stérilité du site d'insertion.
5. Retirer le capuchon protecteur de la fiche perforante destinée au sac de solution de NaCl 0,9 % et l'insérer dans le site d'insertion de celui-ci, tout en préservant la stérilité de la fiche et du site d'insertion.	La fiche perforante et le site d'insertion du sac de NaCl 0,9 % doivent demeurer stériles afin de ne pas contaminer la solution contenue dans le sac. La solution de NaCl 0,9 % servira à faire le vide d'air dans la tubulure.
6. Mettre des gants non stériles.	Le port de gants évite les contacts directs avec le sang et la transmission de microorganismes pathogènes.
7. Déposer le sac de concentré plaquettaire ou de plasma sur le comptoir de l'utilité propre et retirer la gaine protectrice du site d'insertion du sac. Maintenir le site d'insertion entre le pouce et l'index de la main non dominante.	
8. Retirer le capuchon protecteur de la fiche perforante destinée au sac de concentré plaquettaire ou de plasma et l'insérer dans le site d'insertion de celui-ci, tout en préservant la stérilité de la fiche et du site d'insertion. Suspendre les sacs de solution de NaCl 0,9 % et de concentré plaquettaire ou de plasma à une tige à perfusion.	
9. Retirer les gants et les jeter dans le sac à déchets biomédicaux.	Jeter les gants dans un tel sac évite la propagation de microorganismes pathogènes.

Étapes exécutoires	Justifications

10. Ouvrir le presse-tube à glissière situé sous le sac de NaCl 0,9 %.

**LERTE CLINIQUE**   La solution de NaCl 0,9 % constitue la seule perfusion compatible avec le concentré plaquettaire ou le plasma.

---

11. Comprimer et relâcher doucement la chambre compte-gouttes jusqu'à ce que le filtre soit complètement submergé.

Si la chambre compte-gouttes est trop remplie, pincer la tubulure sous la chambre, renverser le sac de perfusion et comprimer la chambre compte-gouttes.

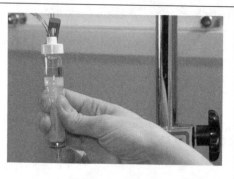

Le relâchement de la pression produit un effet de succion qui permet au liquide d'entrer dans la chambre compte-gouttes. Le filtre doit être complètement imbibé de solution de NaCl 0,9 %. Ainsi, le concentré plaquettaire ou le plasma administré entre d'abord en contact avec la solution de NaCl 0,9 % plutôt que de frapper la paroi du filtre, ce qui pourrait abîmer les plaquettes.

L'orifice de stillation ne doit jamais être submergé afin que l'on puisse calibrer le débit de la perfusion.

---

12. En présence de bulles d'air dans le filtre, donner des chiquenaudes sur la chambre afin de les faire remonter au-dessus du filtre.

L'accumulation de grosses bulles d'air peut provoquer une embolie gazeuse.

---

13. Compléter le vide d'air de la tubulure et de la dérivation en Y avec la solution de NaCl 0,9 %. Fermer le presse-tube à glissière du sac de solution de NaCl 0,9 %.

Une fois le filtre submergé, le vide d'air de la tubulure s'effectue de la même façon que pour les autres tubulures.

À partir de ce moment, la solution de NaCl 0,9 % ne sera plus utilisée, sauf pour rincer la tubulure à la fin de l'administration du concentré plaquettaire ou du plasma.

Étapes exécutoires	Justifications
14. Ouvrir le presse-tube à glissière du sac de concentré plaquettaire ou de plasma et le régulateur de débit situé sous la chambre compte-gouttes. Laisser s'écouler le concentré ou le plasma jusqu'à ce qu'il atteigne le filtre de la chambre compte-gouttes. Au besoin, retirer le capuchon du raccord mâle de la tubulure ou de l'aiguille pour faciliter l'écoulement.	Cette façon de faire évite d'administrer un surplus de liquide au client.
15. Fermer le presse-tube à glissière du sac de concentré plaquettaire ou de plasma et le régulateur de débit situé sous la chambre compte-gouttes. Le cas échéant, replacer le capuchon sur l'embout raccord mâle ou sur l'aiguille.	
16. Se rendre au chevet du client avec les deux sacs et la tubulure. Suspendre les sacs et la tubulure à la tige à perfusion et déposer l'embout raccord mâle de la tubulure à la portée de la main.	Chez l'adulte, le concentré plaquettaire et le plasma s'administrent par gravité.
17. Demander au client son nom et sa date de naissance. Avec l'assistance d'une autre infirmière, comparer ces renseignements avec ceux inscrits sur le bracelet d'identité du client et sur le bordereau d'émission de produit sanguin.	Cette double vérification permet d'éviter une erreur d'identification et d'administration du produit.

RAPPEL! Il est important d'apporter un bracelet d'identité au client s'il n'en a pas ou si le sien est décoloré. On ne doit pas vérifier le nom du client uniquement de façon verbale en raison du risque d'erreur (p. ex., chez un client confus).

Étapes exécutoires	Justifications
18. À la suite de cette vérification, signer le bordereau d'émission de produit sanguin et demander à l'autre infirmière présente de signer sa partie.	Les deux signatures confirment que l'identité du client a été doublement vérifiée et que le produit sanguin correspond aux renseignements inscrits sur le bordereau d'émission.
19. Vérifier la perméabilité du cathéter intraveineux en pinçant la tubulure de la perfusion primaire jusqu'à l'apparition d'un retour veineux.	Un retour veineux doit toujours être constaté avant de procéder à l'administration d'un produit sanguin par cette voie. Cette vérification prévient l'administration de la solution hors de la veine.
20. Saisir la dérivation en Y proximale de la tubulure de la perfusion primaire.	L'emplacement de cette dérivation permet d'administrer le concentré plaquettaire ou le plasma de façon plus directe dans la veine.
Désinfecter le dessus du bouchon de la dérivation en Y avec un tampon d'alcool 70 % pendant 15 secondes. Prendre un autre tampon d'alcool et désinfecter le pourtour du bouchon pendant 15 secondes. Laisser sécher au moins 30 secondes.	La désinfection évite l'introduction de microorganismes pathogènes dans la circulation sanguine. Un délai minimal de 30 secondes est nécessaire pour que l'alcool produise son effet désinfectant.

Étapes exécutoires	Justifications
21. Retirer le capuchon protecteur de l'embout raccord mâle de la tubulure de transfusion et ajointer l'embout au système sans aiguille de la dérivation en Y sans le contaminer.	L'utilisation d'un système sans aiguille diminue le risque de piqûre accidentelle.
22. Déplacer le régulateur de débit de la tubulure de la perfusion primaire le plus près possible du Y proximal et le fermer.	Cette façon de procéder permet d'éviter le reflux du concentré plaquettaire ou du plasma dans la tubulure de la perfusion primaire.
23. Ouvrir le presse-tube à glissière du sac de concentré plaquettaire ou de plasma et le régulateur de débit situé sous la chambre compte-gouttes.	Les deux doivent être ouverts afin de permettre l'administration du concentré plaquettaire ou du plasma.
24. Régler le débit d'administration entre 50 et 70 ml/h pour les 15 premières minutes.	Les réactions transfusionnelles se produisant généralement dans les 15 premières minutes d'administration, il est recommandé de commencer la transfusion par un débit plus lent.

ALERTE CLINIQUE

Il est important de demeurer au chevet du client pendant les 15 premières minutes de l'administration du concentré plaquettaire et du plasma. En cas de réactions transfusionnelles indésirables : arrêter immédiatement l'administration et démarrer la perfusion primaire, prendre les signes vitaux et aviser le médecin et la banque de sang. Par la suite, remplir le *Rapport d'incident-accident transfusionnel* et retourner le sac de concentré plaquettaire ou de plasma à la banque de sang dans un sac biorisque avec la partie détachable du bordereau d'émission de produit sanguin remplie.

25. Après 15 minutes, reprendre les signes vitaux et les comparer à ceux pris avant l'administration du concentré plaquettaire ou de plasma. En l'absence d'effets indésirables, augmenter le débit entre 100 et 140 ml/h afin de respecter le délai d'administration.	Les concentrés plaquettaires et le plasma doivent être administrés sur une période de 30 à 60 minutes ou selon l'ordonnance médicale. Passé ce délai, en raison du risque d'agrégation plaquettaire ou plasmatique, il faut retirer le sac et le retourner à la banque de sang.
26. Lorsque l'administration du concentré plaquettaire ou du plasma est terminée, fermer le presse-tube à glissière du sac de concentré plaquettaire ou de plasma et ouvrir celui du sac de solution de NaCl 0,9 % afin de procéder au rinçage de la tubulure de perfusion.	La quantité de concentré plaquettaire ou de plasma se trouvant dans la tubulure doit être administrée au complet au client.

Étapes exécutoires	Justifications
27. Une fois la tubulure rincée, fermer le presse-tube à glissière du sac de solution de NaCl 0,9 % et le régulateur de débit situé sous la chambre compte-gouttes.	Cette mesure évite l'écoulement de solution au moment du retrait de la tubulure.
28. Ouvrir le régulateur de débit de la perfusion primaire et régler le débit selon l'ordonnance médicale.	Le débit de perfusion doit respecter l'ordonnance médicale.
29. Mettre des gants non stériles.	Le port de gants évite les contacts directs avec le concentré plaquettaire ou le plasma et la transmission de microorganismes pathogènes.
30. Disjoindre la tubulure de transfusion de celle de la perfusion primaire. Retirer le sac de concentré plaquettaire ou de plasma et le mettre dans le sac biorisque. Jeter la tubulure et le sac de solution de NaCl 0,9 % dans le sac à déchets biomédicaux. Retirer les gants et les jeter dans le sac à déchets biomédicaux.	Jeter ces articles dans un tel sac permet d'éliminer de façon sécuritaire les déchets ayant été en contact avec des produits sanguins.
31. **ÉVALUATION** Une fois le concentré plaquettaire ou le plasma administré, prendre les signes vitaux et évaluer l'état général du client.	Cette vérification permet de détecter l'apparition d'une réaction transfusionnelle tardive.
32. Garder le sac de concentré plaquettaire ou de plasma à l'étage dans le sac biorisque pour une période de quatre heures.	En cas de réaction allergique ou transfusionnelle tardive chez le client, le concentré plaquettaire ou le plasma encore présent dans le sac pourra être analysé.
Si aucune réaction n'apparaît pendant cette période, jeter le sac de concentré plaquettaire ou de plasma dans le sac à déchets biomédicaux.	Jeter le sac de concentré plaquettaire ou de plasma dans un tel sac permet d'éliminer de façon sécuritaire les déchets de produits sanguins.

Étapes postexécutoires	Justifications
33. Effectuer les étapes postexécutoires générales décrites au début du guide (pages 3 et 4).	

Éléments à consigner dans les notes d'évolution rédigées par l'infirmière

- Les heures de la prise des signes vitaux (avant, pendant et après l'administration) et les résultats.
- La date et l'heure du début et de la fin de l'administration.
- Le type de produit sanguin administré et le numéro de lot des unités transfusées.
- Le débit d'administration prescrit et les modifications, le cas échéant.
- L'état du client avant, pendant et après l'administration, et sa réaction.
- La reprise de la perfusion primaire, s'il y a lieu.
- Les réactions transfusionnelles, le cas échéant, et les interventions effectuées; si le client n'a présenté aucune réaction, il faut aussi le mentionner. **Il faut également transmettre ces données au médecin traitant et à l'infirmière responsable du client.**

MS 8.2

Exemple

2011-05-08 21:40   P.A. 120/80 ; P 72 ; R 20 ; T° 37 °C ; SpO₂ 98 %.

21:50   Concentré plaquettaire 300 ml A+ n° 576439085 installé à l'avant-bras gauche avec cathéter de calibre 20.

22:05   P.A. 120/80 ; P 72 ; R 20 ; T° 37 °C ; SpO₂ 98 %. Débit de perfusion augmenté à 300 ml/h, soit 50 gtt/min.

23:05   Transfusion du concentré terminée ; aucune réaction transfusionnelle. NaCl 0,9 % 50 ml en rinçage.

23:30   Dextrose 5 % à la suite à 80 ml/h. P.A. 130/86 ; P 80 ; R 20 ; T° 37,1 °C ; SpO₂ 98 %.

▶ CHAPITRE 37
Système hématologique

▶ CHAPITRE 38
Troubles hématologiques

MS 8.3

Administration d'albumine

BUT

Maintenir le volume liquidien du système vasculaire par une augmentation du volume plasmatique.

Traiter l'état de choc qui suit une perte de liquide et de protéines (chez les grands brûlés, à la suite d'un choc hypovolémique, etc.).

Traiter une hypoprotéinémie.

NOTIONS DE BASE

L'administration d'albumine requiert une surveillance étroite afin de pouvoir dépister rapidement toute réaction transfusionnelle indésirable chez le client.

L'albumine a une pression oncotique supérieure à celle du plasma humain (un volume d'albumine correspond à cinq fois le volume du plasma humain).

L'albumine permet l'augmentation du volume plasmatique en favorisant le transfert d'eau de l'espace interstitiel vers l'espace vasculaire.

MATÉRIEL

- Albumine 25 % (bouteille de 50 ou 100 ml) ou 5 % (bouteille de 50 ou 250 ml), selon l'ordonnance
- Deux sacs de solution de dextrose 5 % dans l'eau (50 ou 100 ml)
- Tubulure pour pompe volumétrique avec prise d'air
- Requête de la banque de sang

- Bordereau d'émission de produit sanguin
- Gants non stériles
- Tampons d'alcool 70 %
- Sac biorisque
- Sac à déchets biomédicaux

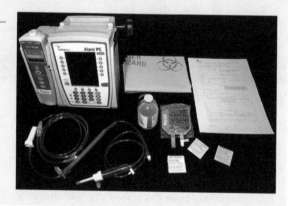

 **ALERTE CLINIQUE** Il ne faut ajouter aucun médicament dans la bouteille d'albumine.

Étapes préexécutoires	Justifications
1. Effectuer les étapes préexécutoires communes décrites au début de cette section (pages 245 et 246).	

Étapes préexécutoires	Justifications
2. Prendre les signes vitaux.	Les signes vitaux enregistrés à ce moment serviront de valeurs de référence pendant l'administration de l'albumine.
Si le client présente une température au-dessus de 38,5 °C, aviser le médecin avant d'administrer l'albumine.	Une température élevée peut être une contre-indication à l'administration d'albumine.

ALERTE CLINIQUE En cas d'une modification des signes vitaux en cours de transfusion, l'infirmière doit surveiller étroitement le client afin de déceler rapidement toute réaction transfusionnelle.

3. Procéder au vide d'air de la tubulure pour l'albumine avec un des sacs de dextrose 5 %. 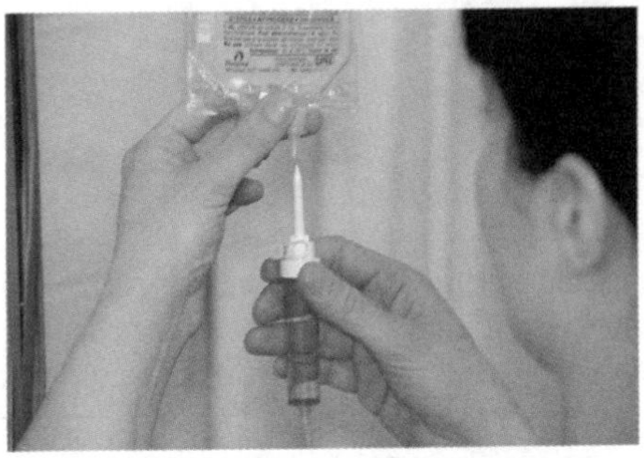	Comme la solution d'albumine est mousseuse, il est préférable de faire le vide d'air de la tubulure avec une solution compatible afin de diminuer la présence de bulles d'air dans la tubulure.
4. Se rendre au chevet du client avec le sac de dextrose, la tubulure et la bouteille d'albumine.	

ALERTE CLINIQUE Il est important de ne jamais agiter la bouteille d'albumine afin d'éviter la dénaturation des protéines.

Étapes exécutoires	Justifications
5. Demander au client son nom et sa date de naissance. Avec l'assistance d'une autre infirmière, comparer ces renseignements avec ceux inscrits sur le bracelet d'identité du client et sur le bordereau d'émission de produit sanguin.	Cette double vérification permet d'éviter une erreur d'identification et d'administration du produit.

RAPPEL! Il est important d'apporter un bracelet d'identité au client s'il n'en a pas ou si le sien est décoloré. On ne doit pas vérifier le nom du client uniquement de façon verbale en raison du risque d'erreur (p. ex., chez un client confus).

6. À la suite de cette vérification, signer le bordereau d'émission de produit sanguin et demander à l'autre infirmière présente de signer sa partie.	Les deux signatures confirment que l'identité du client a été doublement vérifiée et que le produit correspond aux renseignements inscrits sur le bordereau d'émission.
7. Vérifier la perméabilité du cathéter intraveineux en pinçant la tubulure de la perfusion primaire jusqu'à l'apparition d'un retour veineux.	Un retour veineux doit toujours être constaté avant de procéder à l'administration d'albumine par cette voie. Cette vérification prévient l'administration de la solution hors de la veine.

Étapes exécutoires	Justifications
8. Déposer la bouteille d'albumine sur une surface plane et retirer la capsule qui protège la membrane du site d'insertion de la bouteille en évitant de contaminer celle-ci. Si la membrane est contaminée accidentellement au moment du retrait de la capsule, la désinfecter avec un tampon d'alcool 70 % pendant 15 secondes. Laisser sécher au moins 30 secondes.	La capsule protectrice maintient la stérilité de la membrane du site d'insertion. Un délai minimal de 30 secondes est nécessaire pour que l'alcool produise son effet désinfectant.
9. Retirer la fiche perforante du sac de dextrose 5 % et l'insérer dans le site d'insertion de la bouteille d'albumine sans la contaminer.	Le maintien de la stérilité est essentiel afin d'éviter de contaminer la solution d'albumine.

RAPPEL! Chez l'adulte, l'albumine s'administre généralement par gravité. On doit utiliser une pompe volumétrique et une tubulure pour pompe avec prise d'air dans le cas des clients souffrant d'une insuffisance cardiaque ou rénale, des enfants, ainsi que des clients porteurs d'un accès veineux central.

Étapes exécutoires	Justifications
10. Suspendre la bouteille d'albumine à la tige à perfusion et ouvrir la prise d'air de la tubulure.	En pénétrant dans la bouteille, l'air permet au liquide de s'écouler.
11. Insérer la tubulure dans le mécanisme de la pompe volumétrique.	
12. Saisir la dérivation en Y proximale de la tubulure de la perfusion primaire. Désinfecter le dessus du bouchon de la dérivation en Y avec un tampon d'alcool 70 % pendant 15 secondes. Prendre un autre tampon d'alcool et désinfecter le pourtour du bouchon pendant 15 secondes. Laisser sécher au moins 30 secondes.	L'emplacement de cette dérivation permet d'administrer l'albumine de façon plus directe dans la veine. La désinfection évite l'introduction de microorganismes pathogènes dans la circulation sanguine. Un délai minimal de 30 secondes est nécessaire pour que l'alcool produise son effet désinfectant.

Étapes exécutoires	Justifications
13. Retirer le capuchon protecteur de l'embout raccord mâle de la tubulure de l'albumine et ajointer l'embout au système sans aiguille de la dérivation en Y sans le contaminer. 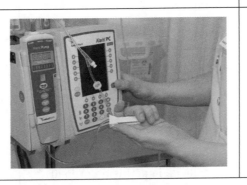	L'utilisation d'un système sans aiguille diminue le risque de piqûre accidentelle.
14. Déplacer le régulateur de débit de la tubulure de la perfusion primaire le plus près possible du Y proximal et le fermer.	Cette façon de procéder permet d'éviter le reflux de l'albumine dans la tubulure de la perfusion primaire.

![ALERTE CLINIQUE] Si la solution de la perfusion primaire est incompatible avec l'albumine, utiliser une seringue (préalablement préparée) contenant 10 ml de solution de NaCl 0,9 % pour rincer la tubulure avant d'y ajointer la tubulure de l'albumine.

15. Ouvrir le régulateur de débit de la tubulure de la pompe volumétrique.	Cette mesure permet l'écoulement de l'albumine.
16. Régler le débit de la perfusion selon l'ordonnance médicale ou le protocole en vigueur dans l'établissement et commencer l'administration.	Le débit d'administration suggéré est de 1 ml/min. Un débit trop rapide pourrait entraîner une surcharge circulatoire et un œdème du poumon.

![ALERTE CLINIQUE] Il est important de demeurer au chevet du client pendant les 15 premières minutes de l'administration de l'albumine. En cas de réactions transfusionnelles indésirables : arrêter immédiatement l'administration et démarrer la perfusion primaire, prendre les signes vitaux et aviser le médecin et la banque de sang. Par la suite, remplir le *Rapport d'incident-accident transfusionnel* et retourner la bouteille d'albumine à la banque de sang dans un sac biorisque avec la partie détachable du bordereau d'émission de produit sanguin remplie.

17. Après 15 minutes, reprendre les signes vitaux et les comparer à ceux pris avant l'administration d'albumine. En l'absence d'effets indésirables, augmenter le débit afin de respecter le délai d'administration établi selon le protocole de l'établissement.	Les réactions transfusionnelles se produisent généralement dans les 15 premières minutes d'administration.

RAPPEL! Les bouteilles qui n'ont pas été administrées à l'intérieur d'un délai de quatre heures doivent être retournées au laboratoire en raison du risque d'altération du produit.

Étapes exécutoires	Justifications
18. Lorsque l'administration d'albumine est terminée, mettre la pompe volumétrique sur « Pause ».	
19. Suspendre le second sac de dextrose 5 % à la tige à perfusion. Retirer la gaine protectrice du site d'insertion du sac.	La gaine protectrice maintient la stérilité du site d'insertion.
20. Retirer la bouteille d'albumine de la tige à perfusion, la renverser et retirer la fiche perforante en la saisissant par l'épaulement sans la contaminer.	Le maintien de la stérilité est essentiel afin d'éviter de contaminer la nouvelle solution de perfusion.
Saisir le site d'insertion du sac de dextrose 5 % de la main non dominante et insérer la fiche perforante dans le site d'insertion sans la contaminer. Rincer la tubulure avec le dextrose 5 % en maintenant le même débit que celui de la perfusion d'albumine.	Cette procédure permet d'administrer l'albumine encore présente dans la tubulure.
21. Une fois la tubulure rincée, fermer la pompe volumétrique et le régulateur de débit.	Cette mesure évite l'écoulement de solution au moment du retrait de la tubulure.
22. Ouvrir le régulateur de débit de la perfusion primaire et régler le débit selon l'ordonnance médicale.	Le débit de perfusion doit respecter l'ordonnance médicale.
23. Mettre des gants non stériles.	Le port de gants évite les contacts directs avec l'albumine et la transmission de microorganismes pathogènes.
24. Disjoindre la tubulure de l'albumine de celle de la perfusion primaire. Retirer la bouteille d'albumine et la mettre dans le sac biorisque. Jeter la tubulure et les sacs de dextrose 5 % dans le sac à déchets biomédicaux. Retirer les gants et les jeter dans le sac à déchets biomédicaux.	Jeter ces articles dans un tel sac permet d'éliminer de façon sécuritaire les déchets ayant été en contact avec des produits sanguins.
25. ÉVALUATION Une fois l'albumine administrée, prendre les signes vitaux et évaluer l'état général du client.	Cette vérification permet de détecter l'apparition d'une réaction transfusionnelle tardive.

Étapes exécutoires	Justifications
26. Garder la bouteille d'albumine à l'étage dans le sac biorisque pour une période de quatre heures.	En cas de réaction allergique tardive chez le client, le numéro de lot de la bouteille d'albumine et la solution encore présente dans la bouteille pourront être utilisés aux fins d'analyse.
Si aucune réaction n'apparaît pendant cette période, jeter la bouteille d'albumine dans le sac à déchets biomédicaux.	Jeter la bouteille d'albumine dans un tel sac permet d'éliminer de façon sécuritaire les déchets de produits sanguins.

Étapes postexécutoires	Justifications
27. Effectuer les étapes postexécutoires générales décrites au début du guide (pages 3 et 4).	

Éléments à consigner dans les notes d'évolution rédigées par l'infirmière

- Les heures de la prise des signes vitaux (avant, pendant et après l'administration) et les résultats.
- La date et l'heure du début et de la fin de l'administration.
- Le type de produit sanguin administré, la dose administrée, ainsi que le débit et la voie d'administration.
- L'état du client avant, pendant et après l'administration, et sa réaction.
- La reprise de la perfusion primaire, s'il y a lieu.
- Les réactions transfusionnelles, le cas échéant, et les interventions effectuées ; si le client n'a présenté aucune réaction, il faut aussi le mentionner. **Il faut également transmettre ces données au médecin traitant et à l'infirmière responsable du client.**

Exemple

2011-05-07 21:40   P.A. 120/80 ; P 72 ; R 20 ; T° 37 °C ; SpO$_2$ 98 %.

         21:50   Albumine 50 ml installée à l'avant-bras gauche avec cathéter de calibre 20.

         22:05   P.A. 120/80 ; P 72 ; R 20 ; T° 37 °C ; SpO$_2$ 98 %. Débit de perfusion augmenté à 250 ml/h, soit 42 gtt/min.

         23:05   Albumine terminée, aucune réaction transfusionnelle. NaCl 0,9 % 50 ml en rinçage.

         23:30   Dextrose 5 % à 80 ml/h. P.A. 130/86 ; P 80 ; R 20 ; T° 37, 1 °C ; SpO$_2$ 98 %.

Notes personnelles

_____

_____

_____

_____

_____

_____

_____

_____

_____

_____

MS 8.4
Administration d'immunoglobuline humaine

Vidéo

BUT

Traiter certaines pathologies liées à un déficit immunitaire, comme la maladie de Kawasaki.

NOTIONS DE BASE

L'administration d'immunoglobuline requiert une surveillance étroite afin de pouvoir dépister rapidement toute réaction transfusionnelle indésirable chez le client.

La dose recommandée est prescrite en fonction du poids du client. La même tubulure peut être utilisée pour une deuxième bouteille d'immunoglobuline si celle-ci est administrée de façon consécutive à la première.

MATÉRIEL

- Bouteille d'immunoglobuline
- Deux sacs de solution de dextrose 5 % dans l'eau (50 ou 100 ml)
- Seringue contenant 10 ml de solution de NaCl 0,9 %, au besoin
- Tubulure pour pompe volumétrique avec prise d'air

- Bordereau d'émission de produit sanguin
- Requête de la banque de sang
- Gants non stériles
- Tampons d'alcool 70 %
- Sac biorisque
- Sac à déchets biomédicaux

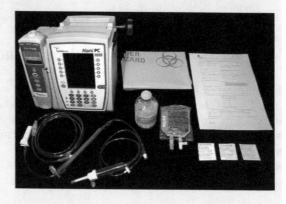

 **ALERTE CLINIQUE** On ne peut administrer simultanément aucune autre substance ou aucun autre médicament par la même voie que celle utilisée pour l'administration d'immunoglobuline en raison du risque d'incompatibilité.

Étapes préexécutoires	Justifications
1. **Effectuer les étapes préexécutoires communes décrites au début de cette section (pages 245 et 246).**	
2. Prendre les signes vitaux.	Les signes vitaux enregistrés à ce moment serviront de valeurs de référence pendant l'administration de l'immunoglobuline.
Si le client présente une température au-dessus de 38,5 °C, aviser le médecin avant d'administrer l'immunoglobuline.	Une température élevée peut être une contre-indication à l'administration d'immunoglobuline.

 **ALERTE CLINIQUE** En cas d'une modification des signes vitaux en cours de transfusion, l'infirmière doit surveiller étroitement le client afin de déceler rapidement toute réaction transfusionnelle.

3. Procéder au vide d'air de la tubulure de perfusion avec une solution de dextrose 5 % et se rendre au chevet du client avec la bouteille d'immunoglobuline et la tubulure.	

Étapes exécutoires	Justifications
4. Demander au client son nom et sa date de naissance. Avec l'assistance d'une autre infirmière, comparer ces renseignements avec ceux inscrits sur le bracelet d'identité du client et sur le bordereau d'émission de produit sanguin.	Cette double vérification permet d'éviter une erreur d'identification et d'administration du produit.

RAPPEL! Il est important d'apporter un bracelet d'identité au client s'il n'en a pas ou si le sien est décoloré. On ne doit pas vérifier le nom du client uniquement de façon verbale en raison du risque d'erreur (p. ex., chez un client confus).

Étapes exécutoires	Justifications
5. À la suite de cette vérification, signer le bordereau d'émission de produit sanguin et demander à l'autre infirmière présente de signer sa partie.	Les deux signatures confirment que l'identité du client a été doublement vérifiée et que le produit correspond aux renseignements inscrits sur le bordereau d'émission.
6. Vérifier la perméabilité du cathéter intraveineux en pinçant la tubulure de la perfusion primaire jusqu'à l'apparition d'un retour veineux.	Un retour veineux doit toujours être constaté avant de procéder à l'administration de l'immunoglobuline par cette voie. Cette vérification prévient l'administration de la solution hors de la veine.
7. Déposer la bouteille d'immunoglobuline sur une surface plane et retirer la capsule qui protège la membrane du site d'insertion de la bouteille en évitant de contaminer celle-ci.	La capsule protectrice maintient la stérilité de la membrane du site d'insertion.
Si la membrane est contaminée accidentellement au moment du retrait de la capsule, la désinfecter avec un tampon d'alcool 70 % pendant 15 secondes.	
Laisser sécher au moins 30 secondes.	Un délai minimal de 30 secondes est nécessaire pour que l'alcool produise son effet désinfectant.
8. Retirer la fiche perforante du sac de dextrose 5 % et l'insérer dans le site d'insertion de la bouteille d'immunoglobuline sans la contaminer.	Le maintien de la stérilité est essentiel afin d'éviter de contaminer la solution d'immunoglobuline.
9. Suspendre la bouteille d'immunoglobuline à la tige à perfusion, ouvrir la prise d'air et insérer la tubulure dans le mécanisme de la pompe volumétrique.	En pénétrant dans la bouteille, l'air permet au liquide de s'écouler.

Étapes exécutoires	Justifications
10. Saisir la dérivation en Y proximale de la tubulure de la perfusion primaire.	L'emplacement de cette dérivation permet d'administrer l'immunoglobuline de façon plus directe dans la veine.
Désinfecter le dessus du bouchon de la dérivation en Y avec un tampon d'alcool 70 % pendant 15 secondes. Prendre un autre tampon d'alcool et désinfecter le pourtour du bouchon pendant 15 secondes.	La désinfection évite l'introduction de microorganismes pathogènes dans la circulation sanguine.
Laisser sécher au moins 30 secondes.	Un délai minimal de 30 secondes est nécessaire pour que l'alcool produise son effet désinfectant.
11. Retirer le capuchon protecteur de l'embout raccord mâle de la tubulure d'immunoglobuline et ajointer l'embout au système sans aiguille de la dérivation en Y sans le contaminer. Si la solution de la perfusion primaire est incompatible avec l'immunoglobuline, utiliser une seringue (préalablement préparée) contenant 10 ml de solution de NaCl 0,9 % pour rincer la tubulure avant d'y ajointer la tubulure d'immunoglobuline.	L'utilisation d'un système sans aiguille diminue le risque de piqûre accidentelle.
12. Déplacer le régulateur de débit de la tubulure de la perfusion primaire le plus près possible du Y proximal et le fermer.	Cette façon de procéder permet d'éviter le reflux de la solution d'immunoglobuline dans la tubulure de la perfusion primaire.
13. Ouvrir le régulateur de débit de la tubulure de la pompe volumétrique.	Cette mesure permet l'écoulement de la solution d'immunoglobuline.
14. Régler le débit de la perfusion selon l'ordonnance médicale ou le protocole en vigueur dans l'établissement et commencer l'administration.	

ALERTE CLINIQUE Il est important de demeurer au chevet du client pendant les 15 premières minutes de l'administration de la solution d'immunoglobuline. En cas de réactions transfusionnelles indésirables : arrêter immédiatement l'administration et démarrer la perfusion primaire, prendre les signes vitaux et aviser le médecin et la banque de sang. Par la suite, remplir le *Rapport d'incident-accident transfusionnel* et retourner la bouteille d'immunoglobuline à la banque de sang dans un sac biorisque.

Étapes exécutoires	Justifications
15. Après 15 minutes, reprendre les signes vitaux et les comparer à ceux pris avant l'administration de l'immunoglobuline. En l'absence d'effets indésirables, augmenter le débit afin de respecter le délai d'administration établi selon le protocole de l'établissement. Par la suite, surveiller les signes vitaux à chaque changement de bouteille.	Les réactions transfusionnelles se produisent généralement dans les 15 premières minutes d'administration.
16. Lorsque l'administration de l'immunoglobuline est terminée, mettre la pompe volumétrique sur « Pause ».	
17. Suspendre le second sac de dextrose 5 % à la tige à perfusion. Retirer la gaine protectrice du site d'insertion du sac.	La gaine protectrice maintient la stérilité du site d'insertion.
18. Retirer la bouteille d'immunoglobuline de la tige à perfusion, la renverser et retirer la fiche perforante en la saisissant par l'épaulement sans la contaminer. 	Le maintien de la stérilité est essentiel afin d'éviter de contaminer la nouvelle solution de perfusion.
Saisir le site d'insertion du sac de dextrose 5 % de la main non dominante et insérer la fiche perforante dans le site d'insertion sans la contaminer. Rincer la tubulure avec le dextrose 5 % en maintenant le même débit que celui de la perfusion d'immunoglobuline. 	Cette procédure permet d'administrer l'immunoglobuline encore présente dans la tubulure.
19. Une fois la tubulure rincée, fermer la pompe volumétrique et le régulateur de débit.	Cette mesure évite l'écoulement de solution au moment du retrait de la tubulure.
20. Ouvrir le régulateur de débit de la perfusion primaire et régler le débit selon l'ordonnance médicale.	Le débit de perfusion doit respecter l'ordonnance médicale.
21. Mettre des gants non stériles.	Le port de gants évite les contacts directs avec l'immunoglobuline et la transmission de microorganismes pathogènes.
22. Disjoindre la tubulure de la perfusion d'immunoglobuline de celle de la perfusion primaire. Retirer la bouteille d'immunoglobuline et la mettre dans le sac biorisque. Jeter la tubulure et les sacs de dextrose 5 % dans le sac à déchets biomédicaux. Retirer les gants et les jeter dans le sac à déchets biomédicaux.	Jeter ces articles dans un tel sac permet d'éliminer de façon sécuritaire des déchets ayant été en contact avec des produits sanguins.

Étapes exécutoires	Justifications
23. ÉVALUATION Une fois l'immunoglobuline administrée, prendre les signes vitaux et évaluer l'état général du client.	Cette vérification permet de détecter l'apparition d'une réaction transfusionnelle tardive.
24. Garder la bouteille d'immunoglobuline à l'étage dans le sac biorisque pour une période de quatre heures.	En cas de réaction allergique tardive chez le client, le numéro de lot de la bouteille d'immunoglobuline et la solution encore présente dans la bouteille pourront être utilisés aux fins d'analyse.
Si aucune réaction n'apparaît pendant cette période, jeter la bouteille d'immunoglobuline dans le sac à déchets biomédicaux.	Jeter la bouteille d'immunoglobuline dans un tel sac permet d'éliminer de façon sécuritaire les déchets de produits sanguins.

Étapes postexécutoires	Justifications
25. Effectuer les étapes postexécutoires générales décrites au début du guide (pages 3 et 4).	

📁 Éléments à consigner dans les notes d'évolution rédigées par l'infirmière

- Les heures de la prise des signes vitaux (avant, pendant et après l'administration) et les résultats.
- La date et l'heure du début et de la fin de l'administration.
- Le numéro de lot des unités d'immunoglobuline administrées.
- Le débit de perfusion de l'immunoglobuline.
- L'état du client avant, pendant et après l'administration, et sa réaction.
- La reprise de la perfusion primaire, s'il y a lieu.
- Les réactions transfusionnelles, le cas échéant, et les interventions effectuées ; si le client n'a présenté aucune réaction, il faut aussi le mentionner. **Il faut également transmettre ces données au médecin traitant et à l'infirmière responsable du client.**

Exemple

2011-05-07 21:40   P.A. 120/80 ; P 72 ; R 20 ; T° 37 °C ; SpO$_2$ 98 %.

21:50   Solution d'immunoglobuline n° 26NJOR1 administrée en perfusion secondaire dans le Y proximal de la perfusion primaire à l'avant-bras gauche.

22:05   P.A. 120/80 ; P 72 ; R 20 ; T° 37 °C ; SpO$_2$ 98 %. Débit de perfusion augmenté à 250 ml/h, soit 42 gtt/min.

23:05   Perfusion d'immunoglobuline terminée. Aucune réaction indésirable observée.

23:30   Dextrose 5 % à 80 ml/h. P.A. 130/86 ; P 80 ; R 20 ; T° 37,1 °C ; SpO$_2$ 98 %.

Notes personnelles

_____

_____

_____

_____

_____

_____

Références

3M Canada (2003). *Pansements 3M™ Tegaderm™*. [En ligne]. http://solutions.3mbelgique.be/3MContentRetrievalAPI/BlobServlet?locale=fr_BE&lmd=1159202714000&assetId=1114306882703&assetType=MMM_Image&blobAttribute=ImageFile (page consultée le 31 mars 2011).

3M Canada (2009). *Pansement à base de gluconate de chlorhexidine Tegaderm^MC : brochure technique*. [En ligne]. http://multimedia.3m.com/mws/mediawebserver?mwsId=66666UuZjcFSLXTtnXManxf_EVuQEcuZgVs6EVs6E666666-- (page consultée le 31 mars 2011).

American Society for Pain Management Nursing (ASPMN) (2006). Patient controlled analgesia: Authorized agent controlled analgesia, a position statement. *Pain Management Nursing, 7*(4), 134-147.

American Society of Regional Anesthesia and Pain Medicine (2003). Regional anesthesia in the anticoagulated patient: Defining the risks. *Regional Anesthesia and Pain Medicine, 28*(3), 172-197.

Association paritaire pour la santé et la sécurité du travail du secteur affaires sociales (ASSTSAS) (2008). *Guide de prévention – Manipulation sécuritaire des médicaments dangereux*. Montréal : ASSTSAS.

Association québécoise d'établissements de santé et de services sociaux (AQESSS) (2011). *Méthodes de soins infirmiers informatisées*. [En ligne]. http://msi.aqesss.qc.ca/methodes/connexion.aspx (page consultée le 31 mars 2011).

Baranoski, S., & Ayello, E. A. (2004). *Wound care essentials : Practice principles*. Philadelphia : Lippincott Williams & Wilkins.

Bard (2011). [En ligne]. www.crbard.com (page consultée le 31 mars 2011).

Beaulieu, P. (dir.) (2005). *Pharmacologie de la douleur*. Montréal : Presses de l'Université de Montréal.

Bidat, É. (2007). *Le DEP (débit expiratoire de pointe)*. [En ligne]. www.allergienet.com/dep-debit-expiratoire.html (page consultée le 22 mars 2011).

Bourgault, P., & Grégoire, M. Inspiré du Dr. Robert Melzack (1989).

Braden, B. J., & Blanchard, S. (2007). Risk assessment in pressure ulcer prevention. In D. L. Krasner, G. T. Rodeheaver, & R. G. Sibbald (Eds), *Chronic wound care: A clinical source book for healthcare professionals* (4th ed.). Malvern, Pa. : HMP Communications.

Centers for Disease Control and Prevention & Healthcare Infection Control Practices Advisory Committee (2007). *Guidelines for environmental infection control in health-care facilities*. Atlanta, Ga. : CDC.

Centre de coordination de la lutte contre les infections nosocomiales et associées aux soins (CCLIN Sud-Est) (2010). *Sonde naso-gastrique*. [En ligne]. http://cclin-sudest.chu-lyon.fr/Doc_Reco/guides/FCPRI/Soins_techniques/ST_SondeNaso.pdf (page consultée le 31 mars 2011).

Centre hospitalier de l'Université de Montréal (CHUM) (2005). *Guide clinique en soins infirmiers* (2e éd.). Montréal : Direction des soins infirmiers du CHUM.

Centre hospitalier régional de Trois-Rivières (CHRTR) (2008). *Manuel de médecine transfusionnelle, révision juillet 2008*. Trois-Rivières : CHRTR.

Covidien (2011). *Sonde de gastrostomie percutanée à ballonnet : votre guide d'entretien et de maintenance*. [En ligne]. www.covidien.com/imageServer.aspx?contentID=14174&contenttype=application/pdf (page consultée le 31 mars 2011).

De Jonghe, B., Cook, D., Appere-De-Vecchi, C., Guyatt, G., Meade, M., & Outin, H. (2000). Using and understanding sedation scoring systems: A systematic review. *Intensive Care Medicine, 26*(3), 275-285.

Durand, S., Thibault, C., Brodeur, J., Laflamme, F., & D'Anjou, H. (2010). *Le champ d'exercice et les activités réservées des infirmières – Mise à jour du guide d'application publié en 2003*. Westmount, Qc : OIIQ.

Elkin, M. K., Perry, A. G., & Potter, P. A. (2007). *Nursing interventions and clinical skills* (4th ed.). St. Louis, Mo. : Mosby.

Fortin, M. (2010). *Math et méd : guide pour une administration sécuritaire des médicaments*. Montréal : Chenelière Éducation.

Foster, A. V. M. (2006). *Podiatric assessment and management of the diabetic foot*. London : Churchill Livingstone Elsevier.

Hockenberry, M. J., & Wilson, D. (2009). *Wong's essentials of pediatric nursing* (8th ed.). St. Louis, Mo. : Mosby Elsevier.

Infusion Nurses Society (2006). Infusion nursing standards of practice. *Journal of Infusion Nursing, 29* (Suppl. 1), S1-S92.

Infusion Nurses Society (2011). *Policies and procedures for infusion nursing* (4th ed.). San Francisco : Untreed Reads Publishing.

Institut pour l'utilisation sécuritaire des médicaments du Canada (2006). *Abréviations, symboles et inscriptions numériques dangereux*. [En ligne]. www.ismp-canada.org/fr/dossiers/AbreviationsDangereux-2006ISMPC.pdf (page consultée le 12 novembre 2010).

Jamieson, E. M., McCall, J. M., & Whyte, L. A. (2007). *Clinical nursing practices* (5th ed.). Philadelphia : Churchill Livingstone Elsevier.

Jarvis, C. (2009). *L'examen clinique et l'évaluation de la santé*. Montréal : Beauchemin.

Krasner, D. L., Rodeheaver, G. T., & Sibbald, R. G. (Eds) (2007). *Chronic wound care : A clinical source book for healthcare professionals* (4th ed.). Malvern, Pa. : HMP Communications.

Lemire, C., & Poulin, S. (2010). *Soins infirmiers. Méthodes de soins 1*. Montréal : Chenelière Éducation.

Leprohon, J., Bellehumeur, M., & Bellavance, M. (2010). *Guide de préparation à l'examen professionnel de l'Ordre des infirmières et infirmiers du Québec* (2e éd.). Westmount, Qc : OIIQ.

Lewis, S. M., Dirksen, S. R., Heitkemper, M. M., Bucher, L., & Camera, I. M. (2011). *Soins infirmiers : médecine chirurgie* (2e éd.). Montréal : Chenelière Éducation.

Lippincott Williams & Wilkins (Eds) (2009). *Lippincott's nursing procedures* (5th ed.). Philadelphia : Lippincott Williams & Wilkins.

Lu, Q., & Rouby, J.-J. (2004). *Aspirations trachéales et manœuvres de recrutement*. [En ligne]. www.jepu.net/pdf/2004-08-07.pdf (page consultée le 19 novembre 2010).

McCaffery, M., & Pasero, C. (1999). *Pain : Clinical manual* (2nd ed.). St. Louis, Mo. : Mosby.

Medcompare (2010). [En ligne]. www.medcompare.com (page consultée le 19 novembre 2010).

Ministère de la Santé et des Services sociaux du Québec (MSSS) (2009). *Désinfectants et désinfection en hygiène et salubrité : principes fondamentaux*. Québec, Qc : Publications du Québec.

Moffatt, C. (2007). *Compression therapy in practice*. Aberdeen, UK : Wounds-UK Books.

Morison, M., Moffat, C., & Franks, P. (2007). *Leg ulcers: A problem-based learning approach*. Philadelphia : Mosby.

National Pressure Ulcer Advisory Panel (NPUAP) (2010). [En ligne]. www.npuap.org (page consultée le 31 mars 2011).

Newcastle upon Tyne Hospitals NHS Foundation Trust (2008). *Protocol for the administration of intravesical BCG*. [En ligne]. www.newcastle-hospitals.org.uk/downloads/clinical-guidelines/Urology%20and%20Renal%20Services/BCGguidelines2008.pdf (page consultée le 31 mars 2011).

Ordre des infirmières et infirmiers de l'Ontario (OIIO) (2009). *L'administration de médicaments, édition révisée 2008*. Toronto : OIIO.

Ordre des infirmières et infirmiers du Québec (OIIQ) (2007). *Les soins de plaies au cœur du savoir infirmier : de l'évaluation à l'intervention pour mieux prévenir et traiter*. Westmount, Qc : OIIQ.

Ordre des infirmières et infirmiers du Québec (OIIQ) (2008). *Protéger la population par la prévention et le contrôle des infections, une contribution essentielle de l'infirmière*. Westmount, Qc : OIIQ.

Ordre des infirmières et infirmiers du Québec (OIIQ) (2009). *Surveillance clinique des clients qui reçoivent des médicaments ayant un effet dépressif sur le système nerveux central* (2e éd.). Westmount, Qc : OIIQ.

Ordre professionnel des technologistes médicaux du Québec (OPTMQ) (2006). *Prélèvement de sang par ponction veineuse pour fin d'analyse, Règles normatives* (6e éd.). Montréal : OPTMQ.

Orsted, H., Keast, D.H., Kuhnke, J., Armstrong, P., Attrell, E., Beaumier, M., *et al.* (2010). Recommandations de pratiques exemplaires en matière de prévention et de gestion des plaies chirurgicales ouvertes. *Wound Care Canada, 8*(1), 36-61.

Orsted, H., Searles, G., Trowell, H., Shapera, L., Miller, P., & Rahman, J.

(2006). Recommandations des pratiques exemplaires pour la prévention, le diagnostic et le traitement des ulcères du pied diabétique : Mise à jour 2006. *Wound Care Canada, 4*(1), 108-121.

Pasero, C. (2003). *Intraveinous patient-controlled analgesia for acute pain management, self-directed learning module*. Pensacola, Fla. : American Society for Pain Management Nursing.

Perry, A. G., & Potter, P. A. (2010). *Clinical nursing skills and techniques* (7th ed.). St. Louis, Mo. : Mosby.

Potter, P. A., & Perry, A. G. (2009). *Fundamentals of nursing* (7th ed.). St. Louis, Mo. : Mosby.

Potter, P. A., & Perry, A. G. (2010). *Soins infirmiers : fondements généraux* (3e éd.). Montréal : Chenelière Éducation.

Prevention Plus (2010). [En ligne]. www.bradenscale.com (page consultée le 31 mars 2011).

Registered Nurses Association of Ontario (RNAO) (2004). *Assessment and device selection for vascular access*. [En ligne]. www.rnao.org/bestpractices/PDF/BPG_assess_device_select_vascular.pdf (page consultée le 31 mars 2011).

Registered Nurses Association of Ontario (RNAO) (2005). *Assessment and management of foot ulcers for people with diabetes*. Toronto : RNAO.

Registered Nurses Association of Ontario (RNAO) (2005). *Risk assessment and prevention of pressure ulcers*. Toronto : RNAO.

Registered Nurses Association of Ontario (RNAO) (2006). *Assessment and management of venous leg ulcers*. Toronto : RNAO.

Registered Nurses Association of Ontario (RNAO) *(2007). Assessment and management of stage I to IV

pressure ulcers–Revised 2007*. Toronto : RNAO.

Registered Nurses Association of Ontario (RNAO) (2007). *Breastfeeding best practice guidelines for nurses: Supplement*. Toronto : RNAO.

Registered Nurses Association of Ontario (RNAO) (2008). *Care and maintenance to reduce vascular access complications*. Toronto : RNAO.

Registered Nurses Association of Ontario (RNAO) (2009). *Ostomy care and management*. [En ligne]. www.rnao.org/Storage/59/5393_Ostomy_Care_Management.pdf (page consultée le 31 mars 2011).

Réseau de cancérologie de Midi-Pyrénées (Oncomip) (2010). *Rinçage hépariné des voies veineuses centrales*. [En ligne]. http://oncomip.org/fr/espace-professionnel/oncomip-pediatrique/procedures/fiches-techniques/rincage-heparine-voies-veineuses-centrales.html (page consultée le 31 mars 2011).

Réseau d'hématologie et d'oncologie pédiatrique (RheOP) (2008). *Accès veineux*. [En ligne]. www.rheop.org/IMG/pdf/Acces_veineux_RHEOP2008-2.pdf (page consultée le 31 mars 2011).

Rodeheaver, G. T. (2001). Wound cleansing, wound irrigation, wound disinfection. In D. L. Krasner, R. G. Sibbald, & G. T. Rodeheaver (Eds), *Chronic wound care: A clinical source book for healthcare professionals* (3rd ed.). Malvern, Pa. : HMP Communications.

Roman, M. (2005). Tracheostomy tubes. *Medsurg Nursing, 14*(2), 143.

Saint, F., Irani, J., Salomon, L., Debois, H., Abbou, C.C., & Chopin, D. (2001). *Étude de la tolérance et de l'efficacité des instillations endovésicales de Bacille Calmette-Guérin dans le traitement prophylactique des tumeurs superficielles de vessie, en utilisant un traitement d'entretien*. [En ligne]. www.

urofrance.org/fileadmin/documents/data/PU/2001/PU-2001-00110647/TEXF-PU-2001-00110647.PDF (page consultée le 31 mars 2011).

Schilling, J. A. (2003). *Wound care made incredibly easy!* (2nd ed.). Ambler, Pa. : Lippincott Williams & Wilkins.

Sibbald, G., Orsted, H., Coutts, P., & Keast, D. (2006). Recommandations des pratiques exemplaires pour la préparation du lit de la plaie : Mise à jour 2006. *Wound Care Canada, 4*(1), 73-86.

Société française des infirmiers en soins intensifs (2011). *Cathéter de Broviac*. [En ligne]. www.sfisi.asso.fr/telechargement/kt_broviac.pdf (page consultée le 31 mars 2011).

Soins-Infirmiers.com (2008). *Le cathéter veineux central*. [En ligne]. www.soins-infirmiers.com/catheter_veineux_central.php (page consultée le 31 mars 2011).

Soins-Infirmiers.com (2008). *Le drain thoracique : le drainage pleural*. [En ligne]. www.soins-infirmiers.com/drain_thoracique_drainage_pleural.php (page consultée le 31 mars 2011).

SOS inf.org (2010). *Système respiratoire*. [En ligne]. www.sosinf.org/systeme-respiratoire/ (page consultée le 19 novembre 2010).

Vidal, V. (2009). *PICC Line*. [En ligne]. www.reseauilhup.com/IMG/pdf/ILHUP_Piccline_Vidal_20091130.pdf (page consultée le 31 mars 2011).

Vukson, K. (2008). G-tubes and skin care, Oh my!! *Gastroenterology Nursing, 31*(4), 305-306.

Wilson, M. (2005). Tracheostomy management. *Pædiatric Nursing, 17*(3), 38-43.

Wound, Ostomy and Continence Nurses Society (WOCN) (2007). *Guidelines basic ostomy care for healthcare providers and patients*. Mount Laurel, N.J. : WOCN.

Notes personnelles

Notes personnelles

Notes personnelles

Notes personnelles